Fachliche Modellierung von Informationssystemen

G. Müller-Ettrich (Hrsg.), H. Mistelbauer, H. Münzenberger,
E. Ortner, E. J. Sinz, H. Thoma

Fachliche Modellierung von Informationssystemen

Methoden, Vorgehen, Werkzeuge

ADDISON-WESLEY

Bonn München Paris Reading, Massachusetts
Menlo Park, California New York Don Mills, Ontario
Wokingham, England Amsterdam Milan Sydney
Tokyo Singapore Madrid San Juan Seoul
Mexico City Taipei, Taiwan

Die Deutsche Bibliothek – CIP-Einheitsaufnahme

Fachliche Modellierung von Informationssystemen : Methoden,
Vorgehen, Werkzeuge / G. Müller-Ettrich (Hrsg.) ... – Bonn ;
Paris [u.a.] : Addison-Wesley, 1993
    (Management & EDV-Praxis)
    ISBN 3-89319-487-8
NE: Müller-Ettrich, Gunter

© 1993 Addison-Wesley (Deutschland) GmbH
1. Auflage 1993

Satz: Caroline Butz für someTimes GmbH, München. Satz aus der Palatino
Belichtung: Synergy Verlag Belichtungsservice, München
Druck- und Bindearbeiten: Bercker Graph. Betriebe, Kevelaer
Herstellung: Margrit Müller, Starnberg
Umschlaggestaltung: Hommer Grafik-Design, Haar b. München

Das verwendete Papier ist chlorfrei gebleicht und alterungsbeständig.
Die Produktion erfolgt mit Hilfe von umweltschonender Technologie und strengsten Umwelt-
auflagen in einem geschlossenen Wasserkreislauf unter ausschließlicher Verwendung von
Altpapieren.

ISBN 3-89319-487-8

Inhaltsverzeichnis

11

Vorwort

Themen und Probleme der fachlichen Modellierung von Informationssystemen haben sich in den letzten Jahren erheblich gewandelt. War es vor einigen Jahren noch schwierig, Unternehmen von der Notwendigkeit der Datenmodellierung zu überzeugen, so ist die Akzeptanz der Datenmodellierung heute kein Thema mehr. Im Unternehmensumfeld ist derzeit vielmehr von Interesse, wie man, ausgehend von der Datenmodellierung unter Einschluß der Anwendungslogik und dem Organisationsmanagement, zu einem allgemeinen Informationsmanagement kommt. Der vorliegende Sammelband soll dazu beitragen, eine Übersicht sowie Richtlinien zu Themen zu geben, die heute im Mittelpunkt des Informationsmanagements stehen.

Im ersten Beitrag von Erich Ortner wird zunächst ein umfassender Überblick zur Entwicklungsgeschichte des Informationsmanagements aus Sicht der Daten gegeben. Dieser Beitrag kann vorallem von jenen Lesern mit Gewinn studiert werden, die sich für einen Überblick über die Entwicklungprobleme der Anwendungsmodellierung aus Sicht der Praxis interessieren, ausgehend von den Datenbank-Management-Systemen über die Datenmodellierung bis zum Informationsmanagement.

Im zweiten Buchbeitrag wird von Elmar J. Sinz das klassische Entity-Relationship-Modell vorgestellt und begründet, warum dieses Modell für Belange der Praxis zum Strukturierten Entity-Relationship-Modell (SERM) erweitert werden sollte. Die Arbeit stellt auch eine Einführung in das Strukturierte Entity-Relationship-Modell dar, das in den letzten Jahren eine zunehmende Anwendung in der Praxis gefunden hat.

Der Beitrag von Heinz Mistelbauer behandelt im wesentlichen drei Methodenkomponenten der Datenmodellierung. Dies sind neben der Entwicklung genauer, personenunabhängiger und integrationsfähiger Datenmodelle vorallem die mehrstufige Verdichtung von Datenmodellen, mit der diese für die verschiedenen Ebenen des Managements verständlich und nutzbar gemacht werden können, sowie die Integration von Projektdatenmodellen zu einem unternehmensweiten Datenmodell. Die Darstellung ist das Ergebnis langjähriger Erfahrungen des Autors als Leiter des Datenmanagements eines großen Unternehmens.

Ein weiteres zentrales und aktuelles Thema heutiger Unternehmen wird im Beitrag von Heinz Münzenberger bearbeitet. Es handelt sich um die »Strategische Informationsplanung«, bei der ein Weg zum Aufbau eines »Generalbebauungsplans« aufgezeigt wird. Dieser dient u.a. zum Aufbau einer Funktions- und Daten-Architektur, sowie einer Informationsfluß- und Organisationsstruktur für die betriebliche Informationsverarbeitung. Von großem Gewinn für die Praxis ist vorallem ein Leitfaden zur pragmatischen Vorgehensweise bei der Strategischen Informationsplanung. Hier fließen die Erfahrungen des Autors ein, der die Strategische Informationsplanung verantwortlich für ein großes Unternehmen erfolgreich durchgeführt hat.

Eines der größten Probleme der Praxis stellt noch immer das Datenchaos dar, das durch historisch bedingte und unkontrolliert gewachsene Datenbestände entstanden ist und ein entsprechendes Chaos der Applikationen mit sich bringt. Im Beitrag von Helmut Thoma wird die Bedeutung einer integrierten Sichtweise von Daten und Applikationen besprochen und ein Konzept für eine Integration von Applikationen und Datenbanken mit Hilfe einer Applikations-Architektur vorgestellt. Dieses Konzept beruht auf Praxiserfahrungen des Autors, der mit dem Aufbau einer integrierten Applikations-Architektur für ein Großunternehmen der chemischen Industrie betraut ist. Der Beitrag ist für alle von Nutzen, die praktikable Ansätze zu einer integrierten Sicht von Applikationen und Datenbanken in ihrem Unternehmen suchen.

Ein weiteres, für die Praxis nach wie vor aktuelles Thema ist die Anschaffung und Einführung von CASE-Tools. Verantwortliche, die sich heute zur Anschaffung und zum Einsatz eines CASE-Tools entschließen, müssen pragmatische Entscheidungen treffen, die nicht in Anspruch nehmen können, vollständig abgesichert zu sein. Ziel des Beitrags von Gunter Müller-Ettrich ist es, zunächst die für eine erfolgreiche CASE-Toolanschaffung und -Einführung wesentlichen Zusammenhänge zwischen Vorgehensweise, Methoden und Werkzeugen herauszuarbeiten und die augenblicklichen Möglichkeiten der Unterstützung der Softwareentwicklung mit kommerziell verfügbaren Werkzeugen aus Sicht seiner umfangreichen Praxis auf diesem Gebiet darzustellen.

TEIL I

ERICH ORTNER

Von der Datenmodellierung zum Informationsmanagement

1 Einleitung

Die Position, von der aus die Informationsverarbeitung (IV) in vielen Unternehmen heute gesteuert und geplant wird, läßt sich wie folgt kennzeichnen: Der Aufbau und Betrieb integrierter Informationssysteme ist wirtschaftlich nur auf der Basis einer unternehmensweit konsolidierten Datenarchitektur (Unternehmensdatenmodell, Datenmodellierung / Datenstandardisierung) möglich. Zwar ist ein konsequentes Datenmanagement nicht alleiniger Garant für integrierte IV-Lösungen – es sind auch Maßnahmen erforderlich, die die Integration auf technologischer und organisatorischer Ebene sowie auf Ebene der Anwendungssysteme einer Organisation fördern –, aber ohne ein unternehmensweites Datenarchitekturkonzept [ANS 75] reichen die übrigen Maßnahmen zur Integration der IV-Systeme nicht aus.

Man hat ähnlich wie die Materialwirtschaft oder den Finanzsektor die Datenressourcen als einen weiteren wichtigen Konsolidierungsbereich des Unternehmens erkannt. Die Frage, ob dabei die Daten zentral oder verteilt zu organisieren sind, ist für ihre Konsolidierung und Konsistenzbewahrung nicht entscheidend. Maßgeblich ist eine unternehmensweit vereinheitlichte Semantik der Daten und eine einvernehmliche Definition der wichtigsten Fachbegriffe für Informationsobjekte (Objekttypen) und ihre Eigenschaften (Attribute) in Form eines Datenmodells [ORT 89].

Heute ist Informationsmanagement (IM) erklärtes Ziel vieler privat und öffentlich geführter Organisationen. Es gibt zahlreiche Fachbücher zu diesem Gebiet und in einer Empfehlung der Wissenschaftlichen Kommission Wirtschaftsinformatik und des Fachbereichs 5 der Gesellschaft für Informatik zum Diplom-Studium »Wirtschaftsinformatik« [MER 91] bilden unter Ziffer 4.2.5 »IM und Organisation der Informationsverarbeitung« einen eigenen Lehrbereich, eine eigene Abteilung. Eine erste Definition des Begriffs »Information Resource Management« liefert die Association for Computing Machinery and the National Bureau of Standards [LEF 83]:

»IRM (Information Resource Management) ist alles, was die Strategie und die Taktik, das Handeln oder die Vorgehensweise des Managements in einem Unternehmen hinsichtlich seiner Informationsverarbeitung (manuelle und maschinelle IV) betrifft.

Solche Taktiken etc. schließen Überlegungen im Hinblick auf die Verwend-
barkeit, Rechtzeitigkeit, Genauigkeit und Integrität, das Persönlichkeitsrecht,
die Sicherheit, die Überprüfbarkeit, das Eigentumsrecht, die Nützlichkeit
und die Kosteneffizienz von Informationen ein.«

In diesem Beitrag wird gezeigt, daß IM eine konsequente Weiterentwicklung
des datenorientierten Ansatzes (und damit der Datenmodellierung) in den
Unternehmungen bedeutet, obwohl man in vielen Organisationen heute IM
noch zu oft als (Informations-)Technologiemanagement (miß-)versteht. Ein
weiteres Ziel des Beitrags ist, zu demonstrieren, daß sich die Integration der
IV nur durch die Kombination verschiedener Integrationsmomente sukzessive erreichen läßt. Ein zentrales Integrationsinstrument bildet hierbei
ein Dictionary-, Repository- oder Metainformationssystem. Ist es erst einmal
eingeführt, läßt sich die gesamte IV einer Organisation aus ihm heraus
gezielt planen, entwickeln und steuern.

2 Entwicklungsstufen der Informationsverarbeitung aus der Sicht der Daten

Die Informationsverarbeitung in Organisationen entwickelte sich in den
letzten 30 Jahren in mehreren Stufen, die man unter verschiedenen Fort-
schrittsgesichtspunkten untersuchen kann. Dieser Prozeß läßt sich beispielsweise unter dem Aspekt der technologischen Entwicklung oder der neu entstandenen Anwendungsgebiete der Informationsverarbeitung darstellen.
Eine weitere beobachtbare Entwicklung ist die zunehmende Bedeutung der
Datenressourcen in den Unternehmen und Fortschritte, die sich aus ihrer
spezifischen Sichtweise und Behandlung in den Organisationen ergeben.

Bild 1.1 veranschaulicht die schrittweise Entwicklung der IV einer Organisation hin zu einer datenorientierten Ausrichtung und in der letzten, der 4.
Stufe auch die Entwicklung über diese Position hinaus. Danach ist der datenorientierte Ansatz gekennzeichnet durch eine schrittweise Trennung der
Daten von den Anwendungen und die Schaffung einer eigenen Zuständigkeit
für Daten in den Unternehmen. Das Ziel dieser Entwicklung ist die Integration der betrieblichen Anwendungssysteme durch den Aufbau einer einheit-

lichen, unternehmensweiten Datenverwaltung – zu vergleichen mit einer zentral koordinierten Materialwirtschaft oder dem gemeinsamen Rechnungs- oder Finanzwesen eines Unternehmens.

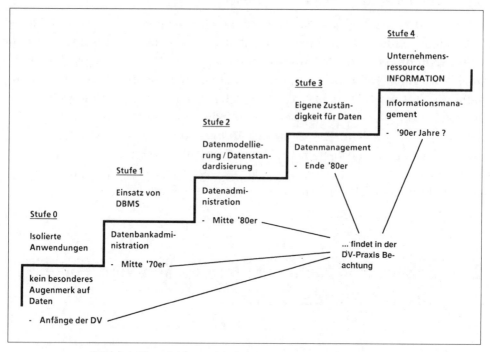

Bild 1.1: Entwicklung der Informationsverarbeitung aus
Sicht der Daten [ORT 91b]

Daten werden als Ressourcen des ganzen Unternehmens aufgefaßt und nicht mehr als lokale, persönliche Ressourcen einzelner Anwendungen geführt. Ihre unternehmensweit einheitliche Organisation und Konsistenzerhaltung, verbunden mit der Forderung nach hoher Verfügbarkeit und Qualität der Daten für die Anwendungen, führen zu neuen Aufgabenstellungen im Unternehmen, zu einer veränderten Arbeitsteilung in der IV sowie zum Einsatz neuer Technologien zur besseren Lösung der Administrationsaufgaben mit den Daten. Eine Besonderheit der Darstellung in Bild 1.1 ist, daß lediglich Stufe 0 durch die folgenden Entwicklungsstufen völlig abzulösen ist; die Stufen 1-4 werden durch die jeweils nächste Stufe nicht abgelöst, sondern in ihrem Aufgabenspektrum erweitert. Datenmanagement setzt Datenbank-administration oder Datenmodellierung nicht außer Kraft, es verbindet beide zu einem Aufgabenkomplex höherer organisationeller Ebene.

Auch der Übergang zum Informationsmanagement macht Datenmanagement nicht überflüssig, sondern nimmt es in sein Aufgabenspektrum mit auf. Also bewirken gemäß Bild 1.1 der Einsatz von Datenbankmanagement-systemen (DBMS) und alle weiteren Stufen eine schrittweise Ablösung der isolierten Teilanwendungen in einem Unternehmen, da nun das besondere Augenmerk auf Daten, ihrer Organisation und Verwaltung liegt.

Ein Unternehmen muß sich nicht im Detail in diese Schrittfolge einordnen. Es ist jedoch klar, daß der Aufwand und die Vorleistungen für die jeweils nächste Entwicklungsstufe erheblich sind. Der Versuch, »aus dem Stand« von isolierten Teilanwendungen in ein Informationsmanagement zu wechseln, ist eine unrealistische Zielsetzung.

2.1 Stufe 0: Probleme isolierter Anwendungsentwicklung und isolierten Anwendungsbetriebs

In den Anfängen der Datenverarbeitung und zum Teil auch noch heute werden Anwendungen aus der Sicht einzelner Aufgaben wie Kundenstamm-verwaltung, Rechnungsschreibung, Buchhaltung, Lohn- und Gehaltsabrechnung etc. geplant und entwickelt. Im Vordergrund steht das einzelne Verarbeitungsprogramm, für das die Daten als notwendige Voraussetzung (Input), Zwischenergebnis oder angestrebtes Endergebnis (Output) verarbeitungseffizient zu organisieren sind.

Diese Realisierung und der Betrieb von Anwendungssystemen auf der Basis von isolierten Dateien bringen eine Reihe von Nachteilen mit sich [HÄR 80]:

– Durch wiederholte Speicherung gleicher Daten für verschiedene Anwendungen in unterschiedlichen Dateien wird ein hoher Grad an (unkontrollierter) Redundanz geschaffen.

– Die zeitgerechte Änderung von Daten wird durch Mehrfachkopien behindert.

- Gleiche Funktionen wie Speicherverwaltung, Datenverwaltung, Änderungsdienst, Retrieval und Vorkehrungen für die Datensicherheit werden in Anwendungsprogrammen wiederholt realisiert.

- Durch die hohe Abhängigkeit der Programme von der Datenorganisation (Programmlogik wird von der gewählten Speicherungsstruktur der Daten mitbestimmt) haben schon geringe Änderungen in den Daten- und Speicherungsstrukturen massive Programmänderungen zur Folge.

- Die Kontrolle der Richtigkeit und Qualität der verarbeiteten Daten obliegt dem Anwendungsprogramm.

- Jeder Programmierer bestimmt die Art und das Ausmaß der Integritätskontrollen und die Vorsorgemaßnahmen für den Fehlerfall aus der Sicht »seiner« isolierten Anwendung selbst.

- Durch die unterschiedliche Datenorganisation und Datensemantik ist die Vergleichbarkeit und Auswertung der Daten »quer« über die einzelnen Anwendungen nur schwer möglich.

Anwendungssysteme dieser Konzeption sind extrem unflexibel und basieren auf der Grundannahme, daß »alles gut geht und alles stabil bleibt« [HÄR 80]. Stufe 0 beschreibt den Entwicklungsstand einer Informationsverarbeitung, wie sie in vielen Unternehmen auch heute noch anzutreffen ist. Diese Situation gilt es in den nachfolgenden Entwicklungsstufen durch angemessenen Einsatz von Technologie, wahrzunehmenden spezifischen Fachaufgaben in der IV und organisatorischen Maßnahmen zur Zielerreichung sowie fundiertem fachlichen Know-how effizient abzulösen.

2.2   Stufe 1: Einsatz von Datenbank-Management-Systemen

Um den Mängeln und Unzulänglichkeiten isolierter Problemlösungen in der Informationsverarbeitung von Unternehmen effektiv zu begegnen, wurde Mitte der 60er Jahre das Datenbank-Konzept entwickelt, eine integrierte Datenverwaltung, die unabhängig von den Verarbeitungsprogrammen zu organisieren und zu realisieren ist [DAT 86].

Ein Datenbanksystem besteht aus einer strukturierten Sammlung von (operationalen) Daten, die man Datenbank nennt, und spezieller Datenbanksoftware, dem Datenbank-Management-System (DBMS), zur Verwaltung der separat von den Anwendungen gespeicherten Daten.

Für den reibungslosen Betrieb der separaten Datenverwaltung und der zahlreichen auf die Daten zugreifenden Batch- und Online-Programme sorgt das DBMS. Es realisiert zentral die Funktionen Speicherverwaltung, Retrieval, Zugriffsschutz etc., die vorher jedes Anwendungsprogramm selbst ausführen mußte. Zudem stellt es zusätzliche Funktionen für eine zentralisierte Integritätskontrolle (system enforced integrity) bereit und ergreift selbständig Maßnahmen für die Datensicherheit (back-up and recovery). Es steuert auch den Mehrbenutzerbetrieb der Systeme.

Zur besseren Anpassung an organisatorische Strukturen entstand in der 2. Hälfte der 70er Jahre das Konzept der verteilten Datenbank(en). Die Datenressourcen können heute nach unternehmensorganisatorischen Gesichtspunkten (Zentrale, Filiale, Arbeitsplatz), aber auch nach der Leistungsfähigkeit der Subsysteme (Anwendungsverbund, Datenverbund) verteilt werden [MCP 91].

Ein besonderes Kennzeichen verteilter Datenbanken ist der »transparente« Zugang zu allen Daten des Systems von beliebiger Stelle im Verbund aus. »Transparent« heißt in diesem Falle, daß der Benutzer oder sein Anwendungsprogramm keine Kenntnis von der Ortsverteilung der angeforderten Daten haben müssen. Sämtliche Aufgaben, die mit der Datenverteilung und ihrer Verwaltung zu tun haben, führt das verteilte DBMS selbständig durch. Der Benutzer hat den Eindruck, über die gesamten Datenressourcen »zentral« zu verfügen.

DBMS im Großrechnerbereich oder im Verbund mit Arbeitsplatzsystemen [BLA 85] sind komplexe Basissoftware-Systeme, die professionell in Gang gesetzt und betrieben werden müssen. Diese Aufgabe nimmt in der IV-Organisation eines Unternehmens die Datenbankadministration wahr. Sie hält Kontakt zum Hersteller des DBMS (Releasewechsel, Fehlerbehebung), organisiert die Datenhaltung unter dem System (Speicherungsstrukturen, Zugriffspfade etc.), sorgt durch Optimierungsmaßnahmen für ein gutes Anwortzeitverhalten der Gesamtanlage und ist für eine hohe Verfügbarkeit des DBMS verantwortlich [ATR 88].

Der breite und technisch optimierte Einsatz von DBMS in Unternehmen stellt aber noch nicht sicher, daß die implementierten Datenbank-Anwendungen auch tatsächlich integrierte Lösungen der auszuführenden IV-Aufgaben sind. Dies ist erst durch das inhaltlich und nicht nur technologisch bestimmte, anwendungsübergreifende Datendesign oder, anders ausgedrückt, durch Datenmodellierung und das dabei erzielte Ergebnis, das unternehmensweite Datenmodell (Konzeptionelles Schema), zu erreichen.

Tatsächlich versäumten es bisher viele Unternehmen, bei der Einführung von DBMS neben der Funktion der Datenbankadministration (technischer Aspekt) auch die Aufgabe und Zuständigkeit für das anwendungsübergreifende Datendesign und die Datenvereinheitlichung (inhaltlicher Aspekt) zu etablieren. In vielen Organisationen fehlt noch die Datenadministration als ergänzende organisatorische Einheit. Das technische Vehikel »DBMS« wird zwar genutzt, aber aus Mangel an Einsicht, Entschlußkraft, Durchsetzungsvermögen, Know-how sowie zeitlicher, personeller oder finanzieller Ressourcen wird es nicht im Sinne der Erfinder des Datenbank-Konzepts eingesetzt.

2.3   Stufe 2: Datenmodellierung

Die Integration von Anwendungssystemen der Informationsverarbeitung über eine integrierte Datenverwaltung ist durch Technologieeinsatz allein nicht zu erreichen. Dazu ist auch die Einführung der Funktion Datenmodellierung (Datenadministration), die Verankerung dieser Aufgabe in der Anwendungssoftware-Entwicklung und die Einbeziehung der Resultate der Datenmodellierung in alle Phasen des »System's-Life-Cycle« erforderlich.

Ein Datenmodell ist nicht nur für die Anwendungsentwicklung wichtig, sondern verpflichtet auch die Benutzer von Informationssystemen zur Einhaltung der im Datenmodell getroffenen begrifflichen Festlegungen. In der Phase der Planung von Informationssystemen deckt das Datenmodell wichtige Gesamtzusammenhänge zwischen den Anwendungen auf. Durch Datenmodellierung wird schrittweise und die einzelnen Anwendungsentwicklungsprojekte begleitend die Datenorganisation sämtlicher Anwendungen des Unternehmens auf eine gemeinsame begriffliche Basis gestellt. Das Ergebnis ist das Konzeptionelle Schema oder Unternehmensdatenmodell. Sein herausragendes Merkmal ist die für Anwendungsentwickler und Benutzer (Fachabteilungen) gleichermaßen verbindliche fachsprachliche Fixierung der Unternehmensbegriffe für Informationsobjekte (Objekttypen) und ihre Eigenschaften (Attribute) sowie der Beziehungen zwischen diesen Begriffen.

Durch das gemeinsame, anwendungsübergreifende Datendesign kommt man dem Ziel »Entwicklung und Betrieb integrierter Anwendungssysteme« ein wesentliches Stück näher. Für die Modellierungsarbeit sind Methoden einzuführen, die zu Ergebnissen der geforderten Präzision und Wirkung führen. Dabei werden die Methoden der »semantischen Datenmodellierung« verwendet, die seit Mitte der 70er Jahre zahlreich entwickelt wurden [CHE 76], [MCL 78], [ORT 83]. Über ihren Einsatz in größeren Entwicklungs-vorhaben wird z.B. in [CER 83], [MÜL 89], [ORT 89] berichtet.

2.4   Stufe 3: Datenmanagement

Der Schritt von der Datenadministration (Datenmodellierung) zum Daten-management (vgl. Bild 1.1) bedeutet keine neue Qualität der Informations-verarbeitung. Dieser Schritt ist ein Kennzeichen für die wachsende Bedeu-tung der Datenorientierung in den Unternehmen [GIL 82].

In der Entwicklungsstufe »Datenmanagement« werden die technisch ausge-richteten Aufgaben der Datenbankadministration und die primär inhaltlich definierten Aufgaben der Datenadministration (Datenmodellierung/Daten-standardisierung) zu einer Organisationseinheit höherer Hierarchiestufe zusammengefaßt. Die organisatorische und administrative »Trennung« der Daten von den Anwendungen erreicht ihren höchsten Stellenwert und Ent-wicklungsstand im Unternehmen.

Neben dem Software- oder Application-Life-Cycle sind die Aufgaben inner-halb eines Data-Life-Cycle als eigenständiges Arbeitsfeld eingeführt [ATR 88] und fest in der Informationsverarbeitung verankert.

Daten werden als Ressourcen des ganzen Unternehmens aufgefaßt und unter den Zuständigkeits- und Verantwortungsbereich einer eigenen Orga-nisationseinheit, des Datenmanagements, gestellt. Die Stelle »Datenmanage-ment« umfaßt Aufgaben wie:

Datenmodellierung
Aufbau einer einheitlichen, anwendungsübergreifenden Sicht der Datenres-sourcen des Unternehmens.

Datenstandardisierung
Bereinigung und Vereinheitlichung der Datenfelder über die verschiedenen Anwendungen hinweg.

Logische und physische Datenorganisation

Optimale Auslegung der Datenstrukturen (logisches Datenmodell, Speicherung, Zugriffspfade, Datenverteilung etc.) für den Einsatz geeigneter Daten-(bank)verwaltungssoftware.

Daten(bank)verwaltung

Hohe Verfügbarkeit der Daten und sicherer, effizienter Betrieb der Daten-(bank)verwaltungssoftware.

Datennutzungsadministration

Bereitstellung der Daten in dem Umfang und der Qualität, wie von den Anwendungen/dem Anwender gerade benötigt.

Hinzu kommen Maßnahmen hinsichtlich der Datenqualität und Datenintegrität, des Datenschutzes, der Datensicherheit und Datenkontrolle sowie der Aufbau und die Einführung eines umfassenden Dictionary- oder Repository-Systems [ORT 91] in die Informationsverarbeitung.

Erklärtes Ziel des Datenmanagements ist der schrittweise, systematisch organisierte und kontrollierte Übergang von einer an Einzelanwendungen ausgerichteten Datenorganisation mit viel unkontrollierter Redundanz hin zu einer anwendungsübergreifenden, an den Aufgaben des Gesamtunternehmens orientierten Organisation und Verwaltung der Datenressourcen.

Kennzeichen für ein funktionierendes oder sich entwickelndes Datenmanagement in Organisationen mit diesem Ziel sind:

– Die Funktion der anwendungsübergreifenden, unternehmensweiten Datenmodellierung und Datenstandardisierung ist etabliert und im Unternehmen fest verankert.

– Die Anwendungsentwicklung findet auf der Basis eines Vorgehensmodells statt, das einerseits die Trennung zwischen datenbezogenen und anwendungsbezogenen Aufgaben koordiniert und andererseits die Entwicklung von Anwendungssystemen aus Integrationsmodellen heraus (Datenmodell, Funktionsmodell, Standards etc.) regelt.

– Die Planungen für den breiten Einsatz von Daten(bank)verwaltungssoftware werden schrittweise verwirklicht, und die Zuständigkeit für den effizienten Betrieb der Datenverwaltungssysteme ist klar geregelt.

– Für die Bereitstellung und Unterstützung bei der Nutzung und Auswertung der Unternehmensdaten an Arbeitsplätzen im Rahmen festgelegter Konventionen und Standards gibt es eine Stelle »Benutzerservice«.

– Ein (Data-)Dictionary-System (Repository, Metainformationssystem), das Überblick über die Datenressourcen des Unternehmens und ihre Nutzung verschafft, ist eingeführt oder im Aufbau.

Die Informationsverarbeitungen größerer Unternehmen und Verwaltungen befinden sich heute i.d.R. in der skizzierten Entwicklung.

2.5 Stufe 4: Informationsmanagement

In einer Umfrage unter dem Top-Management europäischer und US-amerikanischer Firmen Ende 1989 (COMPUTERWORLD) zur Einschätzung der Position und des Nutzens der zentralen Datenverarbeitung in diesen Unternehmen war zu vernehmen: Informationsverarbeitung ist ein notwendiges Übel; ... verschlingt unkontrolliert Ressourcen; ... liegt außerhalb der allgemeinen Unternehmensstrategie; ... erzielt keine dem Vertrieb oder der Produktion vergleichbaren Ergebnisse; etc. War in den vergangenen Jahren noch eher eine »respektvolle Distanz« des Unternehmensmanagements zu den »EDV-Spezialisten« festzustellen, wird heute Informations- und Kommunikationstechnologie (IKT) zunehmend als wichtiger Erfolgsfaktor für die primären Unternehmenszwecke angesehen. Über die Unterstützung informationeller Routinearbeiten in den Unternehmen hinaus soll der Einsatz von IKT auch zu strategischen Vorteilen des Unternehmens auf den Märkten (Wettbewerbsvorteile) führen [MER 86]. Jedoch überwiegen in den strategischen Überlegungen noch zu sehr die technologischen Möglichkeiten der IV. Ihr inhaltlicher Aspekt (zur Verfügungstellung relevanter Information für Handlungs- und Entscheidungsträger auf allen Ebenen des Unternehmens) wird zu wenig beachtet.

Zuständig für die Zwecksetzung der IV in den Unternehmen ist das Unternehmensmanagement, während die Wahl kluger Mittel und Methoden zur effizienten Zweckerreichung in der Verantwortung des EDV-Fachpersonals liegt. Informationsmanagement nimmt hier eine Brückenfunktion wahr.

Es erarbeitet mit dem Unternehmensmanagement aus der generellen Zwecksetzung (Marktziele) die exakt terminierten Teilziele der Informationsverarbeitung, plant und organisiert die Ressourceneinteilung zur Zielerreichung und kontrolliert bzw. steuert die Ergebnisproduktion (IV-Leistungen) in der Informationsverarbeitung.

Ergebnisse (Output) der Informationsverarbeitung sind neben den informationellen Basisarbeiten (Buchhaltung, Automatisierung der Schreibarbeit etc.) relevante Informationen für Handlungs- und Entscheidungsträger in Unternehmen (Bild 1.2). Eine weitere Ergebnisklasse bilden heute die entscheidungsunterstützenden Informationssysteme, die ausgehend von implementierten Regelwerken eines Anwendungsbereichs (z.B. Materialdisposition) durch Analyse von Ausgangssituationen und darauf basierenden Schlußfolgerungen Handlungsanweisungen (z.B. Bestellung einer Ware) auslösen.

Zu den Einsatzressourcen der Informationsverarbeitung (Input) zählen neben den Daten die Anwendungssysteme (Programmsysteme), die Informations- und Kommunikationstechnologie, die Betreiber und Benutzer der Informationsverarbeitung (Human-Ressource) und ihre adäquate Organisation (dispositiver Faktor).

Diese ganzheitliche, ressourcenorientierte Sicht der Informationsverarbeitung (Bild 1.2) charakterisiert den Übergang des Stufenmodells in Bild 1.1 vom Daten- zum Informationsmanagement. Daten werden erst durch Anwendungen zu (relevanten) Informationen. Für die Speicherung der Daten und den Betrieb der Anwendungssysteme ist Informations- und Kommunikationstechnologie erforderlich. Der Betrieb der Informationsverarbeitung sowie die Nutzung ihrer Dienstleistungen erfolgt durch Personen und ihre Organisation.

Das Informationsmanagement als Disziplin verfolgt das Ziel, die Informationsverarbeitung zur Managementaufgabe zu entwickeln und sie als Teil der allgemeinen Unternehmensstrategie in die Planungs- und Kontrollprozesse des Gesamtunternehmens zu integrieren. Gemäß dem hier diskutierten Entwicklungsstufenmodell (Bild 1.1) ist Informationsmanagement ohne Datenmanagement (und ohne weitere, noch festzulegende Aufgabenbereiche) nicht möglich, während Datenmanagement durchaus eine sinnvolle Vorstufe des Informationsmanagements sein kann.

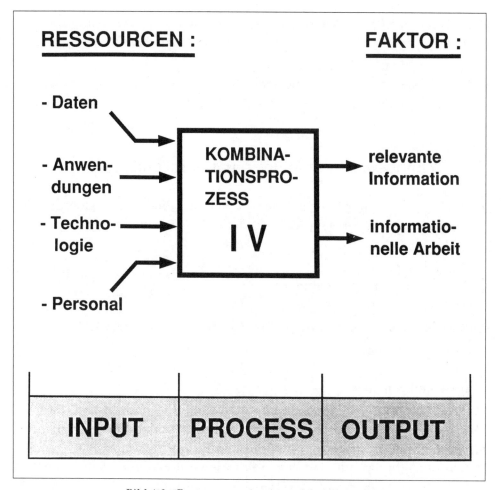

Bild 1.2: Ressourcenorientiertes Modell der IV

3 Integratives Informationsmanagement

Durch Orientierung an dem vorgeschlagenen betriebswirtschaftlichen Modell der IV (Bild 1.2) kommen wir zu einer operationalen Konzeption für das Informationsmanagement (Bild 1.3). Ihr primäres Ziel besteht darin, die Informationsverarbeitung zu einer effektiven Funktion im Unternehmen, erhoben auf die Ebene der Unternehmensleitung, zu entwickeln. Dabei läßt sich das gesamte Aufgabengebiet in **drei Themenschwerpunkte** einteilen:

– Management der Informationsverarbeitung,
– Management des Faktors »Information« und
– Metainformationssystem-Managment.

3.1 Management der Informationsverarbeitung

Zum Management der Informationsverarbeitung gehören, orientiert an den Ressourcenbereichen der IV(Bild 1.2), vier Aufgabenkomplexe (Bild 1.3):

– Technologiemanagement,
– Datenmanagement,
– Anwendungsmanagement und
– Organisationsmanagement.

Hier ist zu beachten, daß einzelne Objekte dieser Einteilung, nämlich

– Technologie-Komponenten,
– Daten,
– Anwendungen oder
– Personen

nicht isoliert, sondern in Verbindung mit ihren »Mitobjekten« geplant, organisiert und administriert werden. So ist z.B. ein Datenbankmanagementsystem (DBMS), das man auf dem Softwaremarkt erwerben kann, zunächst eine Technologie-Komponente. Sein effektiver Einsatz erfordert aber zugleich adäquate Maßnahmen im Bereich des Daten-, des Anwendungs- und des Organisationsmanagements (siehe Bild 1.3).

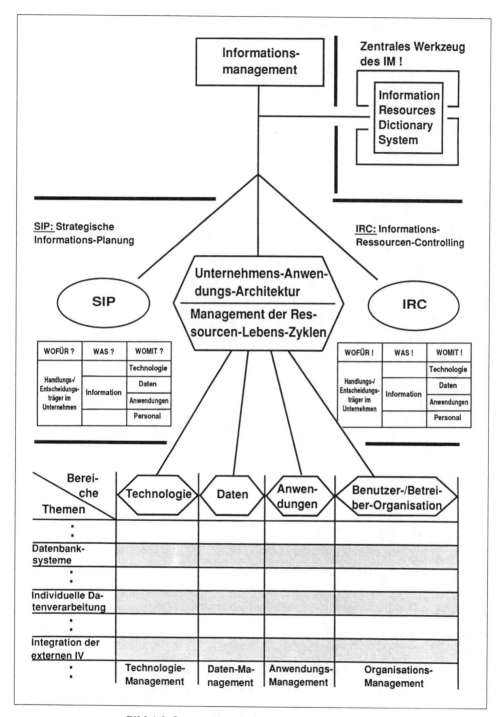

Bild 1.3: Integratives Infomationsmanagement

Es sind neue Anforderungen an die Datenorganisation (Datenmanagement) gestellt. Die Anwendungsentwicklung folgt beim Einsatz von Datenbank-Technologie einem modifizierten Vorgehensmodell (Anwendungsmanagement), wobei die Stelle »Datenbankadministration« (Organisationsmanagement) erst geschaffen werden muß.

Eine wesentliche Leistung des IM besteht hier darin, die Ressourcen-Kategorien in ihren Synergiebeziehungen zu analysieren und diese mit zum Gegenstand des IM zu machen. So sollte das DBMS nicht nur eingesetzt werden, um mit ihm noch mehr Daten schneller, effizienter und sicherer im Unternehmen verwalten zu können, sondern weil mit dieser Technologie mehr Datenunabhängigkeit und Datenflexibilität erreicht werden kann. Damit sind die Chancen für eine integrierte IV größer.

Die Forderung an ein erfolgreiches IM lautet daher zunächst, es von einer primär technologieorientierten Betrachtungsweise hin zu einer ganzheitlichen, alle Ressourcen-Kategorien und ihre Synergiebeziehungen berücksichtigenden Sicht der IV zu entwickeln.

In den folgenden Ausführungen werden die einzelnen Ressourcen-Bereiche näher diskutiert. Der erste Aufgabenkomplex, **Technologiemanagement**, faßt Maßnahmen zusammen wie [HEI 88]:

- Beobachtung des Technologiemarktes und Einschätzung der Technologieentwicklung,
- Planung des Technologiebedarfs einer Organisation,
- Aufstellung und Durchsetzung unternehmensweiter Standards für den Technologieeinsatz,
- Auswahl geeigneter Technologiekomponenten für die IV,
- Steuerung und positive Beeinflussung des adäquaten Technologieeinsatzes im Unternehmen und
- ggf. Einleitung von Korrekturmaßnahmen bei Veränderung des Technologiemarktes oder interner Zielsetzungen.

Das Technologiemanagement umfaßt somit die Planung, die Einsatzvorbereitung und die Steuerung der effektiven Nutzung aller technischen Einrichtungen, die die Informationsverarbeitung und die Kommunikationsprozesse in Organisationen betreffen.

In Unternehmen und Verwaltungen wird zunehmend erkannt, daß die Erfolge computerunterstützter IV nicht nur von der technischen Ausstattung, sondern auch von der Fähigkeit, mit ihrer Hauptressource, den Daten, wirtschaftlich umzugehen, abhängen (vgl. Abschnitt »Entwicklungsstufen der Informationsverarbeitung aus der Sicht der Daten«, Stufe 1, 2 und 3). Diese Erkenntnis wird durch die Tendenz zu fachübergreifenden (analysierenden, kontrollierenden und steuernden) Anwendungssystemen noch verstärkt. Fachübergreifende Anwendungssysteme, z.B. Kennzahlen für die Unternehmensleitung, erfordern die Definition einer unternehmensweit integrierten, konsistenten und möglichst redundanzfreien Datenarchitektur. Hieraus leitet sich die primäre Zielsetzung des **Datenmanagements** ab.

Das **Anwendungsmanagement** ist in Verbindung mit dem Datenmanagement in die IM-Konzeption einzuordnen. Als Elementarfaktor sind Anwendungssysteme Betriebsmittel, die zur Wandlung des »Werkstoffs« Daten eingesetzt werden.

Viele Organisationen entwickeln heute noch ihre Anwendungssoftware selbst. Daher umfaßt das Anwendungsmanagement den gesamten Entwicklungs-Lebens-Zyklus von Anwendungen, von der Anforderungsanalyse, dem fachlichen Systementwurf, dem Design und der Programmierung der Anwendungen, bis zur Einführung, dem Betrieb und der Wartung der Systeme. Selbst wenn Standardsoftware eingesetzt wird, muß die »Nutzerorganisation« sowohl frühe als auch späte Phasen des Entwicklungs-Lebens-Zyklus in eigener Regie durchführen. Es entfallen lediglich das logische Design und die Programmierung der Anwendungssysteme.

Das **Organisationsmanagement** umfaßt schließlich Fragen der Aufbau- und Ablauforganisation sämtlicher IV-Aufgaben im Unternehmen. Es betrifft das IV-Fachpersonal ebenso wie die Benutzer, die Service-Stellen der IV und das IM.

– Was sind geeignete Organisationsformen für die Entwicklung von Anwendungssystemen durch Benutzerpartizipation?
– Wie ist die unternehmensweite Datenmodellierung zu organisieren?
– Welche Organisationsformen eignen sich für den Benutzerservice im Rahmen des End-User-Computing?

etc., sind Fragen, die durch das Organisationsmanagement gelöst werden. Eine weitere Aufgabe des Organisationsmanagements besteht in der gezielten Gestaltung von Arbeitsabläufen, die sich aus der Entwicklung und Einführung neuer Anwendungssysteme ergeben. Organisationsgestaltung ist mit eine Aufgabe der Anwendungssystementwicklung. Viele Unternehmen tendieren heute noch dazu, bestehende Arbeitsabläufe lediglich »abzuprogrammieren.«

Zum Organisationsmanagement zählen außerdem soziale Faktoren wie Motivation und Qualifikation, Schulung und Fortbildung sowohl der Anwender als auch des IV-Fachpersonals. Hier ist Gegenstand des Organisationsmanagements die Humanressource »Aufgabenträger« auf der Benutzer- und Betreiberseite informationsverarbeitender Prozesse in der Organisation.

3.2 Management des Faktors »Information«

Der Aufgabenbereich »Management des Faktors Information« ergänzt die IM-Konzeption (Bild 1.3) um strategische Aufgaben, um die Entwicklung benutzeradäquater Anwendungssysteme und um die Abrechnung sowie die Wirtschaftlichkeitsaspekte der IV. Er umfaßt konkret die Aufgabenkomplexe

– Strategische Informationsplanung (SIP),
– Unternehmens-Anwendungs-Architektur (UAA) und
– Informations-Ressourcen-Controlling (IRC).

Die IV hat ebenso wie die anderen organisatorischen Bereiche zur Erreichung der primären Unternehmensziele wirtschaftlich beizutragen. Ihre Aufgabe wird mißverstanden, wenn sie als »etwas, was offenbar kein Teil der allgemeinen Unternehmensstrategie ist«, betrieben wird. Daher ist es evident, daß auch die IV längerfristig geplant und mit den Unternehmenszielen konsequent abgestimmt entwickelt wird.

Strategische Informationsplanung ist dabei als integraler Bestandteil der strategischen Unternehmensplanung zu organisieren. Ihre Aufgabe erstreckt sich zum einen auf die Planung und Ableitung der IV-Ziele im Einklang mit der allgemeinen Unternehmensstrategie. Zum anderen gehört zur SIP die Festlegung von Strategien über Art und Weise der Zielerreichung.

Zu den Methoden der IV-Planung zählen die Critical-Sucess-Faktor-Methode nach ROCKART [ROC 79], das Business-System-Planning der IBM [ZAC 82] oder das Wertketten-Modell des Unternehmens, wie es PORTER [POR 85] eingeführt hat. Durch sie lassen sich potentielle Einsatzbereiche der IV feststellen und die Reihenfolge der Einsatzrealisierung sowie die Einsatzziele klar ermitteln.

An die Planung potentieller Einsatzbereiche der IV schließt sich die Konzeption adäquater Anwendungs-Lösungen an. Dieses in Theorie und Praxis intensiv diskutierte Gebiet wird »Enterprise Modelling« (Unternehmensmodellierung) genannt. Einen konzeptionellen Rahmen (Metamodell) zur Behandlung des Themas »Unternehmensmodellierung« hat SCHEER mit [SCH 91] kürzlich vorgestellt.

Ziel ist hierbei der schrittweise Aufbau eines alle Funktionsbereiche (Beschaffung, Produktion, ... Absatz) und Unternehmensebenen (operative, dispositive, strategische Ebene) unterstützenden Systems von Anwendungen, einer **Unternehmens-Anwendungs-Architektur**. Dabei sind neben den internen Unterstützungsbereichen auch Aufgaben im (externen) Geschäftsfeld des Unternehmens (Kunden, Lieferanten, Mitbewerber etc.) zu berücksichtigen.

Die erzielbaren Vorteile einer solchen ganzheitlichen Anwendungs-Konzeption, bestehend aus einem Unternehmensdatenmodell, einem Funktionsmodell und einem Organisationsmodell des Unternehmens, lassen sich am Zustand vieler existierender Anwendungssysteme gut nachweisen. Diese werden, da sie isoliert und nicht aufeinander abgestimmt eingeführt sind, treffend »Insellösungen« genannt. Derartige »Insellösungen« sind wegen ungleicher Datenorganisation, unzureichender funktionaler Spezifikation und unklarer, in der Anforderungsanalyse nicht ermittelter informationeller und organisatorischer Beziehungen im Unternehmen für die Realisierung fachübergreifender Anwendungssysteme ungeeignet. Solche Anwendungen unterstützen Unternehmensprozesse nur unvollständig und bilden ein großes Handicap im Übergang zu integrierten Anwendungssystemen.

Soll »Information« in Organisationen nicht mehr als »freies Gut«, das »nichts kostet«, aufgefaßt werden, ist ein Abrechnungswesen der IV erforderlich. Hierzu bedarf es zunächst der Gestaltung einer adäquaten Kosten- und Leistungsrechnung für die IV. Darauf aufbauend können wertmäßige Planungs- und Steuerungsinstrumente, ein **Informations-Ressourcen-Controlling** (IRC), entwickelt werden.

Trotz zahlreicher Konferenzen und Beiträge zum Thema »IRC« klaffen Wunsch und Wirklichkeit hier noch weit auseinander. Man hat durch Gemeinkostenumlage und eine Vollkostenrechnung die Kostenseite in der IV größtenteils unter Kontrolle. Effektive Kalkulationsmethoden und Abrechnungsverfahren innerbetrieblicher IV-Leistungen werden dagegen selten praktiziert. Manche verwenden bereits das Schlagwort »Information-Asset-Management«. Aber es fehlen Vorschläge und Verfahren zur Bilanzierung des Wirtschaftsguts »Information«. Solange Leistungen der IV nicht angemessen bewertet werden können, führen Wirtschaftlichkeitsanalysen und Nutzenberechnungen zu vagen Resultaten.

3.3 Metainformationssystem-Management

Der 3. Aufgabenbereich aus Bild 1.3 rundet mit der Einführung eines zentralen Werkzeugs des IM, eines Dictionary-Systems, die entwickelte IM-Konzeption ab.

Ein Information Resources Dictionary System (IRDS) ist ein computerunterstütztes Informationssystem über die organisationelle IV. Daher wird es auch synonym Metainformationssystem (MS) genannt. In einem MS werden die Informationssysteme (IS) einer Organisation (ihre Anwendungs- oder Fachinformationssysteme) strukturiert beschrieben. Während des IS-Betriebs bildet das IRDS die wichtigsten Verbrauchsbeziehungen zwischen den Ressourcenbereichen der IV ab. Ferner werden das gesamte standardisierte Entwurfswissen und die in den Entwicklungsphasen der Anwendungssysteme angefallenen Entwicklungsergebnisse in das MS aufgenommen und von ihm konsistent verwaltet. Damit ist ein MS für die organisatorische IV (operative Aufgaben) ein zentrales Werkzeug der Entwicklung, der Wartung und des Betriebs (Nutzung) von IV-Anwendungen. Für das IM (dispositive und strategische Aufgaben) ist es ein wichtiges Instrument der Planung, Konzeption und Abrechnung der IV-Dienste. Das langfristige Ziel des Aufbaus und der Einführung eines Metainformationssystems (Metainformationssystem-Management) wird daher in den Organisationen zunehmend verfolgt.

Die vorgestellte Konzeption (Bild 1.3) stellt ein heute in den wichtigsten Zielen realisierbares Rahmenprogramm für IM dar. Dabei sollten die Probleme nicht unterschätzt werden. Es ist der systematische Versuch, die IV einer Organisation langfristig planbar, in den Anwendungsbereichen effektiv nutzbar und für das Unternehmensmanagement transparent zu gestalten.

4 Einige Detailprobleme und Lösungen

Aus einer Vielzahl zu erörternder Teilfragen des Informationsmanagements sollen die Aspekte

– Datenmodellierung,
– Unternehmens-Anwendungs-Architektur und
– Metainformationssysteme

näher diskutiert werden.

Mit **Datenmodellierung** verfolgt man das Ziel, die Datenressourcen einer Organisation auf eine gemeinsame begriffliche Basis ihrer Informationsobjekte und deren Eigenschaften zu stellen. Begriffe für Informationsobjekte wie KUNDE, LIEFERANT, RECHNUNG, ARTIKEL werden Objekttypen, und Begriffe für Objekteigenschaften, z.B. ARTIKELBEZEICHNUNG, RECHNUNGS-BETRAG, KUNDENNUMMER, werden Attribute genannt.

Ein Datenmodell (Bild 1.4) ist ein unternehmensweit konzipiertes Netz von Fachbegriffen (Objekttypen und Attribute) für Informationsobjekte und Objekteigenschaften mit der Maßgabe, daß jeder rekonstruierte Begriff und jede Begriffsbeziehung dieses »Netzes« für alle Teilnehmer der IV – ob Benutzer oder Betreiber, ob Personen oder Systeme – uneingeschränkt gültig ist. Es wird die gemeinsame fachsprachliche Basis der Informations- und Kommunikationsprozesse einer Organisation verbindlich festgelegt. Dadurch kommt man dem Ziel, der Entwicklung und dem Betrieb integrierter Informationssysteme, ein wesentliches Stück näher.

Zur Demonstration dieses »Integrationseffekts der Daten« können dem in Bild 1.4 dargestellten Datenmodell-Ausschnitt einige mit ihm zu entwickelnden Anwendungssystemlösungen überlagert werden. Wir ziehen z.B. die Kundenstammverwaltung, die Fakturierung, die Materialwirtschaft und die Buchhaltung als funktionale Software-Bausteine eines Abrechnungssystems des Unternehmens dafür in Betracht. Dabei tritt jetzt deutlich die gemeinsame Bedeutung einzelner Datenbereiche und der sie definierenden Fachbegriffe für verschiedene Anwendungsgebiete hervor.

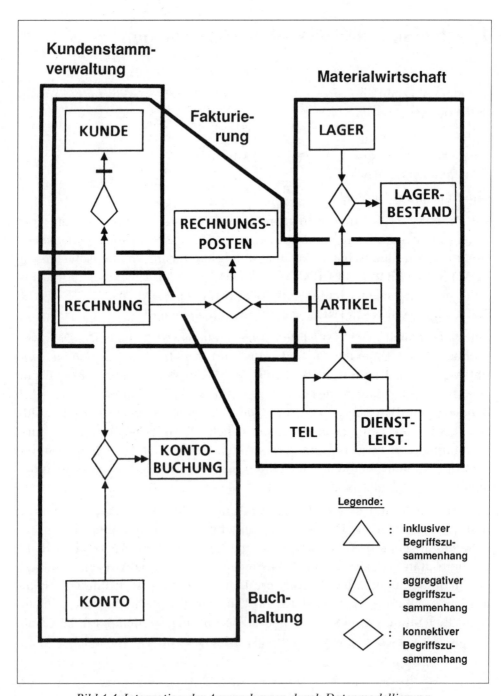

Bild 1.4: Integration der Anwendungen durch Datenmodellierung

So ist beispielsweise der Objekttyp RECHNUNG sowohl für den funktionalen Software-Baustein Fakturierung (Rechnungsschreibung) als auch für die Debitoren- oder Offene-Posten-Buchhaltung im Rechnungswesen eines Unternehmens gleichermaßen von Bedeutung. Durch seine gemeinsame Definition wird ein Integrationseffekt hinsichtlich dieser beiden Anwendungen ausgelöst. Trotz der möglichen organisatorischen Distanz von »Buchhaltung« im Rechnungswesen und »Fakturierung« im Vertrieb rücken über das Datenmodell die beiden Anwendungssysteme eng zusammen. Es wird vermieden, daß nach Vorliegen des Datenmodells die Fakturierung im Vertrieb und die Offene-Posten-Buchhaltung im Rechnungswesen als isolierte Teillösungen implementiert werden.

Datenmodellierung ist eine permanente Aufgabe in Organisationen. Ein Datenmodell entsteht nicht auf einmal, sondern wird begleitend mit den einzuführenden Informationssystemen und Anwendungen Schritt für Schritt entwickelt [ORT 89]. Dazu muß die Aufgabe »Datenmodellierung« in der organisationellen Struktur effektiv verankert, mit der erforderlichen personellen Kapazität, fachlichem Know-how und weitreichenden Zuständigkeiten ihrer Aufgabenträger ausgestattet sein.

Ein zweites über die Datenmodellierung hinausgehendes Aufgabenfeld stellt die Entwicklung einer **Unternehmens-Anwendungs-Architektur** (UAA) dar. Durch sie verfolgt man das Ziel, basierend auf einer konsolidierten Datenarchitektur, sämtliche IV-Vorgänge des Unternehmens zu einem integrierten System computerunterstützter Anwendungen zu verbinden. Dies erfolgt in horizontaler und in vertikaler Ausdehnung der Informationssysteme einer Organisation.

Ein Modell, anhand dessen die Komplexität dieser Aufgabenstellung deutlich wird, ist z.B. das Pyramidenmodell von Organisationen (Bild 1.5). Hierbei werden in horizontaler Gliederung die Funktionsbereiche »Beschaffung«, »Faktorkombination« und »Absatz« unterschieden. In vertikaler Richtung erfolgt die Einteilung in eine strategische Ebene, mit dem Gegenstand »Ziele und Aktionsprogramme des Unternehmens«, in eine dispositive Ebene, die den Ressourceneinsatz plant, analysiert und koordiniert und in die operative Ebene, auf der die Ergebnisproduktion bzw. die Erbringung der organisatorischen Leistungen kontrolliert stattfindet. Bei einem offenen System, mit einer beeinflussenden und einer beeinflußten Umwelt, ist es für den Unterstützungsaspekt durch die IV wesentlich, relevante Umweltsegmente wie Kunden, Lieferanten, Mitbewerber, Informationsmarkt etc. in das Modell zu integrieren.

Anwendungssysteme der IV (Bild 1.5) sind nach dieser Einteilung, man vergleiche hierzu [MER 91a], [MER 91b] und [SCH 90],

– auf **operativer Ebene:** wertorientierte Buchungs- und Abrechnungssysteme sowie mengenorientierte operative Systeme (z.B. Lagerbestandsführung, Lohn- und Gehaltsabrechnung, Anlagenbuchhaltung).

– Auf **dispositiver Ebene** werden interne Analyse- und Planungsinformationssysteme sowie Berichts- und Kontrollinformationssysteme unterschieden (z.B. Verfahren der Plankosten- und Deckungsbeitragsrechnung, Personalinformationssysteme, Beschaffungsinformationssysteme etc.).

– Auf **strategischer Ebene** faßt man die Anwendungen unter der Bezeichnung Führungs- und Entscheidungsinformationssysteme zusammen. Dazu gehören Portfolioanalysen, Liquiditäts- und Vermögenspolitikmodelle, Kennzahlensysteme etc.

Zwischen rechtlich selbständigen Wirtschaftseinheiten und für **unternehmensexterne** Partner können

– externe Analyse-Informationssysteme (z.B. Marktdaten, Branchenvergleichszahlen, Patentinformationen),

– Geschäftsverkehr-Systeme (das sind z.B. der Datenaustausch mit Banken und Behörden oder der elektronische Geschäftsverkehr mit Kunden und Lieferanten) und

– Service-Informationssysteme (z.B. Leasingangebote im Kfz-Handel, Anlagealternativen für Bankkunden, Finanzierungsrechnungen in der Baubranche)

eingesetzt werden.

Zu einer Anwendungsarchitektur wird diese Gliederung erst durch horizontale ($\leftrightarrow$) und vertikale ($\updownarrow$) Integration (Bild 1.5) der Informationssysteme. Hierzu leistet die Datenintegration einen wesentlichen Beitrag. Daneben sind aber auch Technikintegration (Hardware- und Basissoftwaresysteme) und Prozeßintegration (Funktionen und Abläufe) konsequent anzuwenden.

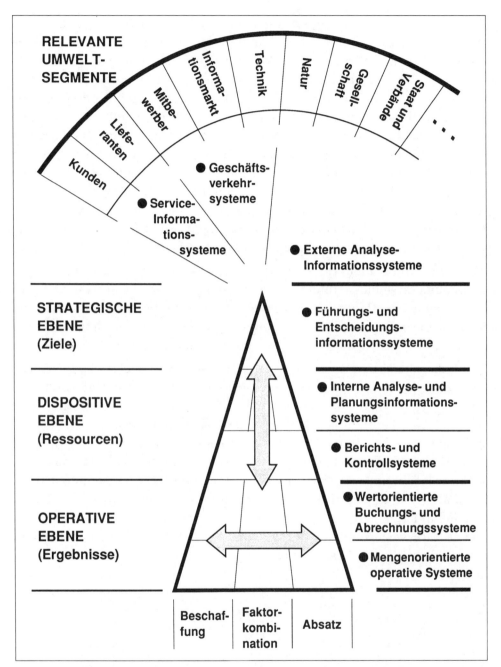

Bild 1.5: Die IV-Anwendungs-Architektur des Unternehmens

Von Integration der IV kann erst die Rede sein, wenn sich Teilsysteme so zu einem Gesamtsystem verbinden, daß das »Ganze« mehr ist als die »Summe seiner Teile«. Es sollen Synergieeffekte als Qualitätsmerkmale für Integration sowohl in horizontaler als auch in vertikaler Ausdehnung der Informationssysteme ausgelöst werden. Informationssysteme für die Produktionsplanung und -steuerung (z.B. die Stücklistenauflösung) sollten ihre Ergebnisse an die Informationssysteme der Lagerwirtschaft (Bereitstellung der Teile und Materialien) ohne vorherige Formattransformation der Daten oder die Ausräumung sprachlicher Unterschiede, »durchreichen« können. Hier wäre horizontale Integration gegeben. Durch vertikale Integration wird erreicht, daß z.B. aus den aktuellen Daten der Finanzbuchhaltung relevante Kennzahlen oder Tagesbilanzen ohne manuelle Eingriffe der Buchhaltung aus operativen Systemen »aggregiert« werden können.

Ein hoher Integrationsgrad der Unternehmens-Anwendungs- oder Fachinformationssysteme ist ohne ein Integrationsinstrument auf »Metaebene« nicht erreichbar. Es ist so, als wollte man eine Bibliothek – die einzelnen Bücher stehen hier für Fachinformationssysteme – ohne ein Katalogsystem effektiv führen. Das Finden eines Buches wäre dann ein echter Glücksfall.

Damit die Integration der IV einer organisation kein Glücksfall ist, sondern eine gezielte, sichere Entwicklung darstellt, ist ein **Metainformationssystem** erforderlich. Metainformationssysteme (MS) sind Informationssysteme über die organisationelle IV: Sie dokumentieren die Anwendungssysteme des Unternehmens in den verschiedenen Phasen ihrer Entwicklung – z.B. in den Phasen fachliche Analyse, logischer Systementwurf und physische Realisierung der Anwendungen. Die zum Dokumentationsrahmen eines MS (Bild 1.6) führende komplementäre Einteilung der Anwendungssysteme untergliedert diese weiter in die Kategorien »Daten«, »Funktionen« und in ihre wechselseitige »Verwendung« bei der Erledigung informationeller Arbeiten in der Organisation.

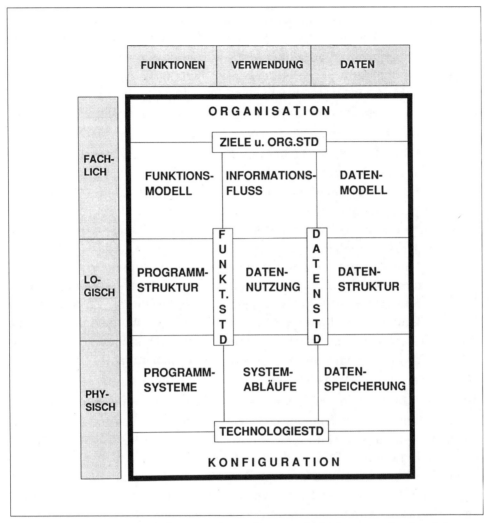

Bild 1.6: Dictionary-Dokumentationsrahmen und – Dokumentationsbereiche

Damit sind die Dokumentationsbereiche eines MS, das die Anwendungssysteme des Unternehmens einem ressourcenorientierten Ansatz der IV folgend systematisch darstellt, angemessen vertreten. Dies begründet auch die synonyme Bezeichnung »Information Resources Dictionary System (IRDS)« für MS. Die Daten- sowie die Programmressourcen (Anwendungen) werden in den Entwicklungsstadien »Fachentwurf«, »Systementwurf« und »implementierte Systeme« strukturiert beschrieben. Jeweils eigene Dokumentationsbereiche bilden die personelle Ressource (Organisation) und die installierte

Hardware- und Basissoftwarekonfiguration. Für die Standardisierung der Funktionen und Daten sind zwei weitere Dokumentationsbereiche (Datenelementstandards, Funktionsstandards) vorgesehen. Unternehmensziele und Organisationsstandards als Orientierungsgrößen der IV sowie die Vereinheitlichung der eingesetzten Technologie (Technologiestandards) werden über separate, in die Gesamtstruktur integrierte Dokumentationsbereiche berücksichtigt [ORT 91].

Auch die IBM [IBM 89] bietet inzwischen ein Dictionary-System ähnlicher Konzeption unter der Bezeichnung »Repository-System« auf dem Software-Markt an. Von konventionellen Dokumentationssystemen unterscheiden sich Dictionary-, Repository- oder Metainformationssysteme durch das Ziel, die zu dokumentierenden Objekte strukturiert – aus Teilkomponenten zusammengesetzt – darzustellen und zu verwalten. Eine Datei wird nicht als elementares Objekt, sondern zusammengesetzt aus Datenfeldern dargestellt. Ein Programmsystem wird in seine Bestandteile – Unterprogramme, Module, Makros – zerlegt und als funktionierendes Gesamtsystem in Verbindung mit Dateien, Benutzern und Hardware-Komponenten strukturiert beschrieben (Bild 1.7). Dies führt zur Entwicklung einer Dokumentationsstruktur [ORT 91] für die organisationelle Informationsverarbeitung als einer Hauptaufgabe des Dictionary-Einsatzes in den Unternehmen.

Mit einem MS steht ein effektives Informations- und Steuerungsinstrument für die Benutzer und Betreiber der IV ebenso wie für das IM zur Verfügung. Aus dem MS heraus wird die gesamte IV einer Organisation kontrolliert entwickelt und gesteuert. Es enthält für die Benutzer der IV wertvolle Informationen über die Anwendungssysteme des Unternehmens und über ihren Einsatz. Für das IM ist das Dictionary-System ein Instrument zur Unterstützung und Umsetzung einer den gesamten Informations-System-Lebens-Zyklus umfassenden Management-Strategie.

Für das Management der Informationsverarbeitung (Themenschwerpunkt 1, Abschnitt 3.1) stellt das Metainformationssystem die Anwendungssysteme des Unternehmens integriert dar. Technologie-, Daten-, Anwendungs- und Organisationsmanagement können dadurch ganzheitlich, unter Berücksichtigung von Synergiebeziehungen, organisiert und administriert werden. Für das Management der Ressource »Information« (Themenschwerpunkt 2, Abschnitt 3.2) ist ein IRDS ein effektives Planungs-, Konzeptions- und Abrechnungsinstrument. Durch die Darstellung der IV (manuelle und maschinelle IV) auf der Basis eines Gesamtmodells des Unternehmens

(Dokumentationsbereiche: Organisation, Funktionsmodell, Datenmodell, Informationsfluß) deckt ein IRDS Nutzungslücken auf und weist auf neue Einsatzbereiche der IV hin.

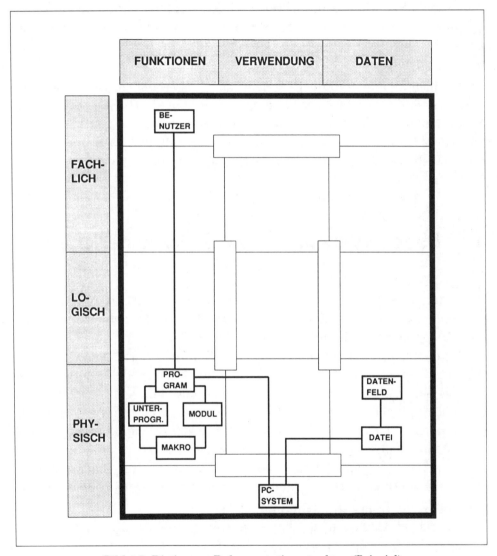

Bild 1.7: Dictionary-Dokumentationsstruktur (Beispiel)

Durch die ständige Auskunftsbereitschaft, wer mit welchen Anwendungskomponenten auf welchen Systemen welche Informationen nutzt (Dokumentationsbereiche: Organisation, Programmsysteme, Datenspeicherung, Systemabläufe, Konfiguration), schafft ein Dictionary-System für das Informations-Ressourcen-Controlling die Möglichkeit zur nutzerbezogenen Abrechnung der IV-Leistungen (Bild 1.6).

Damit ein MS in dieser Einsatzbreite genutzt werden kann, muß ein Unternehmen sämtliche Anwendungssysteme, seine Benutzer- und Betreiberorganisation sowie die eingesetzte IV-Technologie in diesem System strukturiert dokumentieren.

Die Chancen für integrierte IV steigen dadurch erheblich. Der langfristige Aufbau und die Einführung von MS in Unternehmen (Themenschwerpunkt 3, Abschnitt 3.3) findet daher immer mehr Beachtung. Es gibt bereits eine ISO-Norm für die Architektur solcher Systeme [ISO 87]. Das Thema stellt eine aktuelle Herausforderung für die Organisationen dar.

5   Dictionary-Einsatz für die Datenmodellierung

Die Datenmodellierung ist zusammen mit anderen datenorientierten Maßnahmen (logische und physische Datenorganisation, Datenbankadministration, Datennutzungsadministration) als eigenständige Aufgabe im Unternehmen aufbau- und ablauforganisatorisch abzusichern. Eine geeignete Organisationsvariante ist die Verankerung der Datenmodellierung als eine zentrale Service-Stelle. Sie übernimmt primär koordinierende Aufgaben, die eigentliche Modellierungsarbeit findet in den einzelnen Entwicklungsprojekten unter Mitarbeit der Datenmodellierung statt. Dabei konzentriert sich die Datenmodellierung auf die Integration der Teilergebnisse in das unternehmensweite Datenmodell und auf die Einhaltung von Datenstandards. Datenmodellierung findet komplementär in folgenden Aufgabenfeldern statt:

– **Strategische Informationsplanung** (SIP):
  Die meisten Methoden der SIP enthalten die Erarbeitung eines Datenmodells als integralen Bestandteil ihrer Vorgehensweise. Durch die Inbeziehungsetzung mit den analysierten Funktionen an Standorten und in Organisationseinheiten dient das Datenmodell als Ausgangspunkt für die Identifizierung von Subsystemen einer integrierten Informationsverarbeitung [HAN 86].

– **Entwicklung von Anwendungssystemen:**

Datenmodellierung soll als fester Bestandteil in das Vorgehensmodell zur Anwendungsentwicklung integriert sein. Die Analyse und der Entwurf neuer Anwendungssysteme findet von Anfang an unter Einbeziehung der Datenmodellierung statt [ORT 89].

– **Reengineering:**

Eine konsequent durchgeführte Datenmodellierung beim Reengineering beeinflußt maßgeblich den Sanierungserfolg älterer Software-Systeme im Unternehmen [BAC 88]. Sie eröffnet die Möglichkeit der »nachträglichen« Integration bestehender Anwendungssysteme in die im Aufbau befindliche Unternehmens-Anwendungs-Architektur.

Die erzielten Ergebnisse der Datenmodellierung sind nicht nur für die Entwickler von Anwendungssystemen, sondern auch für die Betreiber und Benutzer in den Fachabteilungen sowie für das Management uneingeschränkt verbindlich.

Eine unternehmensweite Datenmodellierung mit dem skizzierten Aufgabenspektrum und den definierten Einsatzzielen ist deshalb aus folgenden Gründen nur werkzeugunterstützt zu realisieren. Erstens ist Datenmodellierung nicht eine einmalige Angelegenheit, sondern eine permanente Aufgabe, bei der zu jedem Zeitpunkt uneingeschränkt Überblick über das Gesamtmodell bestehen muß und Änderungen an Teilergebnissen in ihren Auswirkungen exakt analysierbar sein müssen. Zweitens ist das Datenmodell nur eine Komponente einer umfassenden Unternehmens-Anwendungs-Architektur und mit anderen Ressourcenkategorien der Informationsverarbeitung wie Programmsystemen, Hardwarekonfiguration, Benutzer- und Betreiberorganisation eng verzahnt. Ein Werkzeug muß hier die strukturellen Zusammenhänge innerhalb und zwischen den Ressourcenkategorien aufdecken und den aktuellen Beziehungsstand jederzeit angeben. Und drittens ist zur Zielerreichung der Datenmodellierung ein Werkzeug erforderlich, mit dem man im Datenmodell navigieren kann, um sich aus Sicht spezifischer Auskunftsituationen im Anwendungs-Lebens-Zyklus in relevante Modellausschnitte auf unterschiedlichen Detaillierungsebenen einblenden zu können.

Ein Werkzeug, das diese Anforderungen erfüllt und die Datenmodellierung mit ihren Ergebnissen in die IV eines Unternehmens integriert, hat einen Dokumentationsrahmen (Metamodell), wie ihn Bild 1.6 darstellt. In diesem Dokumentationsrahmen spielt die »Verankerung« der Ergebnisse der Datenmodellierung (Teilmetamodell) eine zentrale Rolle. Die Datenressourcen einer Organisation werden hier »vierfach« dokumentiert:

– hinsichtlich ihrer Semantik, unternehmensweit einheitlich, als **Datenmodell**,
– in den logischen Strukturen der zum Einsatz kommenden Datei- und Datenbankmanagementsysteme (**Datenstruktur**),
– in der physischen Speicherungsstruktur mit den gewählten Zugriffspfaden, der Art der Speicherung und der Zuordnung zu Speichermedien (**Datenspeicherung**),
– als Datensichten (**Datennutzung**), in Form von DML-Anfragen (DML: Datenmanipulationssprache eines Datenbankmanagementsystems), Masken, Listen etc.

Als weiterer, fünfter Dokumentationsbereich für die Daten ist die **Datenelementstandardisierung** einzuführen. Durch sie wird die Syntax und Semantik der im Unternehmen zum Einsatz kommenden Datenelemente im Dictionary beschrieben und ihre Verwendung wird in Form von Datenfeldern und Attributen unternehmensweit kontrolliert [ORT 90]. Bild 1.8 beschreibt das Metamodell (Bild 1.6) mit seiner Struktur für die Verwaltung der Ergebnisse der Datenmodellierung. Dabei ist diese Struktur spezifisch für die Verwaltung der Ergebnisse, entwickelt nach der Objekttypenmethode [ORT 89], konzipiert. Die Dokumentationsstruktur (Bild 1.8) ist selbst mit den Ausdrucksmitteln dieser Methode dargestellt. Der Prozeß der Datenmodellierung nach der Objekttypenmethode gliedert sich in die drei Teilschritte Bedeutungsanalyse, Grobdaten- und Feindatenmodellierung. Die **Bedeutungsanalyse** beginnt mit der Sammlung von Aussagen über die im jeweiligen Anwendungsbereich gültigen Sachverhalte und Beziehungen. Ausgehend von dieser natürlichsprachlichen Aussagensammlung werden in einem zweiten Schritt der Gebrauch und die Bedeutung der darin enthaltenen Fachbegriffe rekonstruiert. Eine geeignete (Re-)Konstruktionsmethode zum Aufbau dieses Begriffssystems ist die Sprachkritik. Sprachkritik meint hier die schrittweise und kontrollierte Entwicklung umgangssprachlicher Aussagen über Sachverhalte eines Anwendungsbereichs zu einer normierten Fachsprache [LOR 87]. Nach einer Klassifikation der relevanten und geklärten Aussagen in Kategorien, zur Ableitung nachfolgender Ergebnistypen [ORT 89], werden in der **Grobdatenmodellierung** die Objekttypen und Objekttypbeziehungen aus den Aussagen abgeleitet. In der **Feindatenmodellierung** wird das Objekttypenschema durch die Angabe von Attributen und Integritätsbedingungen vervollständigt. Für die Verwaltung der Ergebnisse einer Datenmodellierung nach der Objekttypenmethode ist in einem Dictionary-System der dafür vorgesehene Dokumentationsbereich (Bild 1.6) in seiner Struktur (Metamodell) zu bestimmen. Das als Dokumentationsstruktur für Modellierungsergebnisse aus der **Grobdatenmodellierung** zu entwerfende Metamodell (Bild 1.8) wird folgend definiert:

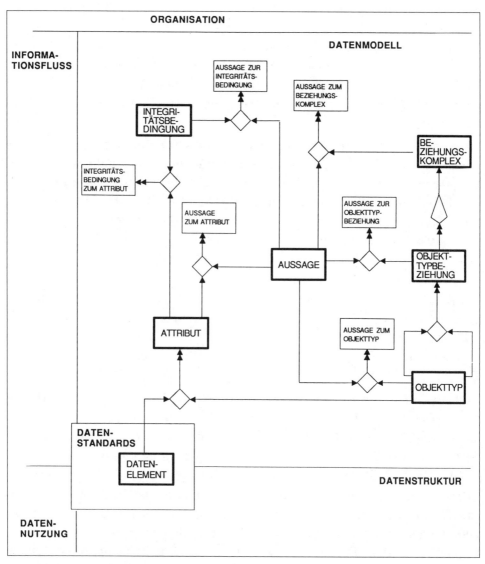

Bild 1.8: Dokumentationsstruktur für die Ergebnisse der Datenmodellierung

Von einem OBJEKTTYP können mehrere Beziehungen (zu anderen OBJEKTTYPEN) ausgehen. In einen OBJEKTTYP können mehrere Beziehungen (aus anderen OBJEKTTYPEN) münden. Jede zweistellige Beziehung zwischen OBJEKTTYPEN wird im Dictionary über den Dokumentationsobjekttyp OBJEKTTYPBEZIEHUNG dokumentiert.

Zweistellig Beziehungen zwischen Objekttypen sind Teile eines Beziehungskomplexes einer bestimmten Beziehungswirkung, der Beziehungswirkung »Inklusion« (▲), »Aggregation« (♦) oder »Konnexion« (◄►).

Ein Beziehungskomplex setzt sich aus mehreren OBJEKTTYPBEZIEHUNGEN zusammen, während jede OBJEKTTYPBEZIEHUNG lediglich Teil eines BEZIEHUNGSKOMPLEXES ist. Ein BEZIEHUNGSKOMPLEX faßt die im Hinblick auf eine Beziehungswirkung relevanten OBJEKTTYPBEZIEHUNGEN zusammen.

Damit ist die Struktur des Dictionary-Systems für die Dokumentation der Ergebnisse der Grobdatenmodellierung festgelegt. In der **Feindatenmodellierung** wird der interne Aufbau der OBJEKTTYPEN, bestehend aus ATTRIBUTEN, definiert, und es werden INTEGRITÄTSBEDINGUNGEN festgehalten, die zulässige Zustände oder Zustandsübergänge von Atttributwerten eines Datenmodells betreffen.

Zur Festlegung der ATTRIBUTE in OBJEKTTYPEN werden Datenelementstandards eingesetzt. Ein DATENELEMENT kann in mehreren OBJEKTTYPEN zum Einsatz kommen. Ein OBJEKTTYP besteht i.d.R. aus mehreren DATENELEMENTEN. Jedes Vorkommen eines DATENELEMENTS in einem OBJEKTTYP wird ATTRIBUT genannt und mit spezifischen Eigenschaften wie Attributfunktion (Identifizierung, Charakterisierung, Referenzierung) oder Änderungshäufigkeit (oft, selten, nie) beschrieben.

Eine INTEGRITÄTSBEDINGUNG kann mehrere ATTRIBUTE eines Datenmodells betreffen. Für ein ATTRIBUT können mehrere INTEGRITÄTSBEDINGUNGEN aufgestellt werden. Jedes Zutreffen einer INTEGRITÄTSBEDINGUNG für ein ATTRIBUT wird in der Dokumentationsstruktur des Dictionary (Bild 1.8) INTEGRITÄTSBEDINGUNG ZUM ATTRIBUT genannt.

Ein besonderes Kennzeichen der Objekttypenmethode [ORT 89] ist die Tatsache, daß sämtliche Modellierungsergebnisse der Grobdaten- und Feindatenmodellierung aus AUSSAGEN in natürlicher Sprache methodisch abgeleitet werden. Dieser, der Grobdaten- und der Feindatenmodellierung vorgelagerte Entwicklungsschritt, wird **Bedeutungsanalyse** genannt. Das

Ergebnis der Bedeutungsanalyse, in der es um die »natürlichsprachliche« Klärung von Fachbegriffen für Informationsobjekte und deren Eigenschaften geht, sind relevante AUSSAGEN, die sich für die folgenden Modellierungsschritte (Grobdaten- und Feindatenmodellierung) hinsichtlich ihrer Bedeutung für OBJEKTTYPEN, ATTRIBUTE, OBJEKTTYPENBEZIEHUNGEN, BEZIEHUNGSKOMPLEXE etc. einteilen lassen. In der Dokumentationsstruktur des Dictionary (Bild 1.8) führt dies zu einer Verknüpfung (Konnexion) sämtlicher Ergebnistypen der Grobdaten- und Feindatenmodellierung mit dem Ergebnistyp AUSSAGE aus dem Modellierungsschritt »Bedeutungsanalyse«.

Bild 1.8 stellt die Dokumentationsstruktur für die Ergebnisse der Datenmodellierung (bis auf das benachbarte Aufgabengebiet Datenelementstandardisierung) isoliert dar. Entscheidend für die vorgestellte Dictionary-Konzeption ist jedoch, daß sämtliche Ergebnisse aus der Anwendungsentwicklung in dem Dictionary-System integriert verwaltet werden. Dies setzt eine Weiterentwicklung der Dokumentationsstruktur in den anderen Dokumentationsbereichen (Bild 1.6) voraus. Erst dann kann sicher festgestellt werden, welche DATEI oder DATENBANK welchen OBJEKTTYP realisiert, oder welche DATENSICHTEN auf einem OBJEKTTYP definiert sind.

In [DAT 90] wird eine weitergehende Dokumentationsstruktur eines Dictionary-Systems für die Software-Entwicklung detailliert beschrieben. Mit dem Repository-System der IBM [IBM 89] wurde synonym zu »Dokumentationsstruktur« die Bezeichnung »Informationsmodell« eingeführt. Man folgt dort einem Dokumentationsrahmen, der dem in Bild 1.6 dargestelltem ähnelt. Es existieren inzwischen Versuche, herstellerunabhängig, »Standardinformationsmodelle« für Metainformatonssysteme zu entwickeln.

6   Schlußbetrachtung

Einen entscheidenden Beitrag zur Integration der Anwendungssysteme in einer Organisation leistet die Datenmodellierung. Darüber hinaus bildet sie den Einstieg in eine ressourcenorientierte Sicht der Informationsverarbeitung und führt schrittweise zum Aufbau eines »Integrativen Informationsmanagement« in Unternehmen (Bild 1.3).

Kaum ein Unternehmen kann bis dato eine unternehmensweit konsolidierte Datenarchitektur vorweisen. Viele Organisationen befinden sich noch auf der Stufe »isolierter Teilanwendungen«, obwohl z.B. Datenbanktechnologie seit ca. 20 Jahren für den kommerziellen Einsatz zur Verfügung steht. Das Mißverständnis liegt in den bei dieser Technologie wahrzunehmenden Aufgaben und einschneidenden organisatorischen Maßnahmen in den Unternehmen begründet, die nicht oder nur unzureichend durchgeführt werden. Daten sind als Unternehmensressource genauso zu behandeln (Planung, Organisation, Management und Kontrolle) wie die Finanzmittel, das Material, die Betriebsmittel oder die »Humanressourcen«.

Es muß ein Konsens (Charta) in einer Organisation herbeigeführt werden, daß die Integration der Informationsverarbeitung über die Daten die gemeinsame Aufgabe aller Organisationsteilnehmer ist. Sicher bleibt die unmittelbare Aufgabenausführung einigen Fachpersonen überlassen. Aber auch sie können nur Erfolge vorweisen, wenn allen Beteiligten das gemeinsame Ziel klar ist und ihnen der Weg, der zur Zielerreichung führt, die Verständigung über Fachbegriffe und Klärung der Begriffsbezeichnungen im Unternehmen, plausibel erscheint.

Das Informationsmanagement beruht auf einer Sichtweise, die sämtliche Ressourcenbereiche der Informationsverarbeitung in ihrer Wechselwirkung (Synergieeffekte) erfaßt, die Wettbewerbslage des Unternehmens analysiert und ganzheitlich, unter Ausrichtung am primären Unternehmenszweck, die IV plant, organisiert und kontrolliert.

Als zwei wesentliche Aufgabenkomplexe des Informationsmanagements müssen die Planung effektiver Einsatzfelder der IV (Strategische Informationsplanung) sowie der Aspekt »Kosten- und Leistungsrechnung der Informationsverarbeitung« (Informations-Ressourcen-Controlling) in Angriff genommen werden. Hinzu kommt der schrittweise Aufbau einer die Aufgaben innerhalb des Unternehmens, aber auch die Aufgaben im Hinblick auf das relevante Unternehmensumfeld unterstützenden Anwendungsarchitektur (UAA).

Zur Unterstützung der Management-Aufgaben ist ein Informationssystem über die organisationelle Informationsverarbeitung, ein Information Resources Dictionary System (IRDS), einzuführen, das den Bestand, die Struktur und die Verwendungsbeziehungen zwischen den Ressourcenbereichen der »Benutzerinformationssysteme« systematisch darstellt und verwaltet.

Ein Metainformationssystem (nach dem IRDS-Standard) ist global gesehen ein Instrument zur Unterstützung und Umsetzung einer, den gesamten Life-Cycle von Informationssystemen (Planung, Entwicklung, Nutzung und Betrieb) umfassenden Management-Strategie. Es ist nicht nur ein zentrales Werkzeug für die Entwickler in der IV, sondern auch für die Benutzer der Anwendungssysteme und für die Betreiber. Als Informationssystem **über** die Informationsverarbeitung eines Unternehmens (Metainformtionssystem) bildet es die Grundlage für ein ressourcenorientiertes, ganzheitliches Informationsmanagement.

Noch ist Informationsmanagement zu sehr technologiebezogen ausgerichtet. In letzter Zeit treten stärker Elemente der Strategischen Informationsplanung und des Informations-Ressourcen-Controlling in den Vordergrund. Im Hinblick auf eine integrierte Anwendungsarchitektur bezieht man z.T. auch schon Anwendungsfelder der externen Informationsverarbeitung, wie Online-Datenbanken oder den elektronischen Geschäftsverkehr, systematisch in die Planungsprozesse ein. Mit dem Trend zur verteilten Informationsverarbeitung sollten aber Integrationsinstrumente wie Datenmodellierung, Unternehmens-Anwendungs-Architektur, Technologiestandards, Dictionary-Systeme, partizipative Benutzer- und Betreiberorganisationsformen etc. konsequenter verfolgt werden.

Man kann integrierte Informationsverarbeitung nicht verordnen, sondern sie muß schrittweise entwickelt werden.

7 Literatur

[ANS 75]
ANSI/X3/SPARC:
Study Group on Data Base
Management Systems, Interim-
Report, in: Bulletin of ACM
SIGMOD, 7 (1975) 2.

[ATR 88]
ATRE, S.:
Data Base: Structured Techniques
for Design, Performance and
Management, Second Edition,
John Wiley, New York 1988.

[BAC 88]
BACHMANN, CH.:
A CASE for Reverse Engineering,
in: Datamation, July 1, 1988,
S. 49-56.

[BLA 89]
BLASER, A.:
Datenbanksysteme aus Benutzersicht – Stand und Entwicklungs-
tendenzen. Jahrestagung der
Deutschen Region der Internationalen Biometrischen Gesellschaft, Bad Nauheim 1985.

CERI, S. (HRSG.):
Methodology and Tools for Data
Base Design, North-Holland
Publishing, Amsterdam 1983.

[CHE 76]
CHEN, P.P.:
The Entity-Relationship Model,
Toward an Unified View of Data,
in: ACM Transactions on Database
Systems, 1 (1976) 1, S. 9-36.

[DAT 86]
DATE, C.J.:
An Introduction to Database
Systems, Vol. I, Fourth Edition,
Addison-Wesley-Publ. 1986.

[DAT 90]
DATEV E.G.:
Handbuch 6 – Dokumentations-
und Informationssysteme der Ent-
wickung, interne Publikation 1990.

[GIL 82]
GILLENSON, M.L.:
The State of Practice of Data
Administration, in:
Communication of the ACM, 25
(1982) 10, S. 699-706.

[HÄR 80]
HÄRDER, TH.:
Datenbanken zur Realisierung von
Informationssystemen – Vergleich
von Datenbankkonzeptionen,
REFA-Erfahrungsaustausch
Betriebsinformatik,
Darmstadt 1980.

[HAN 86]
HANDERSON, J.C.;
ROCKART, J.F.; SIFONIS, J.G.:
A Planning Methodology for Integrating Management Support Systems, in: Rockart, J.F.;

[BUL 86]
BULLEN, C.V. (HRSG.):
The Rise of Managerial
Computing, MIT 1986, S. 257-282.

[HEI 88]
HEINRICH, L.J.; BURGHOLZER, P.:
Informationsmanagement.
Planung, Überwachung und
Steuerung der Informations-Infrastruktur, 2. Auflage,
München/Wien 1988.

[IBM 89]
IBM PUBLIKATION:
Repository Manager/MVS, General
Information, Version 1 Release 1,
Bibliography GG 20-0001, San Jose
1989.

[ISO 87]
ISO/TC 97/SC 21/WG 3/N 302:
Information Resource Dictionary
System (IRDS) framework,
working draft for discussion at
Tokyo IRDS Rapporteur Group
Meeting, June 1987.

[LEF 83]
LEFKOVITS, H.C. ET AL.:
Information Resource/Data
Dictionary Systems, QED Information Science, Wellesley 1983.

[LOR 87]
LORENZEN, P.:
Lehrbuch der konstruktiven
Wissenschaftstheorie, BI-Wissenschaftsverlag,
Mannheim/Wien/Zürich 1987.

[MCL 78]
McLEOD, D.:
A Semantic Data Base Model and
its Associated Structures User
Interface, Diss. MIT/LGS/Tr-214,
Cambridge, Masss. 1978.

[MCP 91]
McPHERSON, J.:
Introduction to Distributed
Database Management Concepts,
IBM Almaden Research Center,
San Jose 1987.

[MER 86]
MERTENS, P.; PLATTFAUT, E.:
Informationstechnik als strategische Waffe, in: Information Management, 2 (1986) 2 S. 6-17.

[MER 91]
MERTENS, P.:
Integrierte Informationsver-
arbeitung 1, Administrations-
und Dispositionssysteme in der
Industrie, 8., völlig neu
bearbeitete und erweiterte
Auflage, Gabler-Verlag,
Wiesbaden 1991.

[MER 91]
MERTENS, P.; GRIESE, J.:
Integrierte Informationsverar-
beitung 2, Planungs- und Kontroll-
systeme in der Industrie, 6., völlig
neu bearbeitete und erweiterte
Auflage, Gabler-Verlag,
Wiesbaden 1991.

[MER 91]
MERTENS, P.; KURBEL K.:
Zum Stand der Studienplan-
empfehlung Wirtschaftsinformatik, Mitteilungen des FB 5 der
Gesellschaft für Informatik und
der Wissenschaftlichen
Kommission Wirtschafts-
informatik, in: Wirt-
schaftsinformatik,
33 (1991) 4, S. 339-342.

[MÜL 89]
MÜLLER-ETTRICH (HRSG.):
Effektives Datendesign,
Müller/Rudolf-Verlag,
Köln 1989.

[ORT 83]
ORTNER, E.:
Aspekte einer Konstruktions-
sprache für den Datenbank-
entwurf, S. Toeche-Mittler Verlag,
Darmstadt 1983.

[ORT 89]
ORTNER, E., SÖLLNER, B.:
Semantische Datenmodellierung
nach der Objekttypenmethode, in:
Informatik-Spektrum, 12 (1989) 1,
S. 31-42.

[ORT 90]
ORTNER, E.; RÖSSNER, J.:
Entwicklung und Verwaltung
standardisierter Datenelemente,
in: Informatik-Spektrum, 13 (1990)
1, S. 17-30.

[ORT 91]
ORTNER, E.:
Ein Referenzmodell für den
Einsatz von Dictionary-
/Repository-Systemen in
Unternehmen, in:
Wirtschaftsinformatik, 33 (1991) 5,
S. 420-430.

[ORT 91]
ORTNER, E.:
Informationsmanagement – Wie
es entstand, was es ist und wohin
es sich entwickelt, in: Informatik-
Spektrum, 14 (1991) 6, S. 315-327.

[POR 89]
PORTER, M.E.:
Competitive Advantage: Creating
and Sustaining Superior
Performance, Free Press, New
York 1985.

[ROC 79]
ROCKART, J.F.:
Chief Executives Define Their
Own Data Needs, in: Harvard
Business Review, 57 (1979) 2, S.
81-93.

[SCH 90]
SCHEER, A.W.:
Wirtschaftsinformatik – Informationssysteme im Industriebetrieb,
3. Auflage, Springer-Verlag, Berlin
etc. 1990.

[SCH 91]
SCHEER, A.W.:
Architektur integrierter Informa-
tionssysteme – Grundlagen der
Unternehmensmodellierung,
Springer-Verlag, Berlin etc. 1991.

[ZAC 82]
ZACHMAN, J.A.:
Business System Planning and
Business Information Control
Study: A Comparison, in: IBM
Systems Journal, 21 (1982) 1,
S. 31-53.

TEIL II

Elmar J. Sinz

Datenmodellierung
im Strukturierten Entity-Relationship-Modell (SERM)

1   Einführung

Die Datenmodellierung ist in den letzten Jahren zu einem unverzichtbaren Bestandteil nahezu aller Phasen der Anwendungsentwicklung geworden. Wichtige Qualitätsmerkmale von Anwendungssystemen, wie Zuverlässigkeit, Wartbarkeit und Portabilität, sind nur mit Hilfe von Datenmodellierung erreichbar. Nahezu alle marktgängigen CASE-Tools verfügen über eine Datenmodellierungskomponente.

Die Bedeutung der Datenmodellierung zeigt sich auch in der aktuellen Diskussion um Informationssystemarchitekturen, Unternehmensmodellierung und Repository-Einsatz. Hier spielt die Beschreibung der »Datensicht« in Form eines verbindlichen und stabilen »Datenarchitekturplans« eine zentrale Rolle. Die Bemühungen zur unternehmensweiten Integration von Anwendungssystemen setzen im allgemeinen bei der Datenintegration an.

Im Umfeld der Anwendungsentwicklung sind mehrere Personenkreise mit Fragen der Datenmodellierung konfrontiert:

– Die Datenadministration verwaltet das konzeptuelle Schema. Dieses beschreibt die gemeinsame, von allen Beteiligten gleichermaßen getragene, fachliche Sicht auf die Struktur der Daten und regelt deren Verwendung. Das konzeptuelle Schema kann projektbezogen oder unternehmensweit angelegt sein.

– Die Datenbankadministration konzentriert sich auf die Struktur der Datenbank, die in Form eines logischen Schemas oder Datenbankschemas beschrieben wird.

– Die Systementwicklung interessiert sich für die Datensichten einzelner Anwendungssysteme, die in Form externer Schemata beschrieben werden. Diese treten in zwei Formen auf:

a) als fachliche externe Schemata auf der Basis des konzeptuellen Schemas und

b) als softwaretechnische externe Schemata auf der Basis des Datenbankschemas.

Der vorliegende Beitrag behandelt in praxisorientierter Form methodische Fragen der Datenmodellierung. Er konzentriert sich dabei auf zwei Aspekte:

- die Modellierung der fachlichen Datensichten, d.h. auf das konzeptuelle Schema und auf die fachlichen externen Schemata sowie

- die Gestaltungsrahmen zur Beschreibung dieser Schemata, d.h. auf die Wahl geeigneter Meta-Modelle für die Modellierung der fachlichen Datensichten.

Das dominierende Meta-Modell im Bereich der Anwendungsentwicklung betrieblicher Informationssysteme ist das Entity-Relationship-Modell (ERM). Es wurde in seiner Grundform von CHEN im Jahr 1976 vorgeschlagen [CHEN 76]. Mit zunehmendem Umfang der modellierten Schemata werden allerdings eine Reihe von Schwächen des ERM sichtbar. Eine der gravierendsten Schwächen ist die mangelnde Strukturierung der im ERM modellierten Schemata. Dies ist nicht nur ein Defizit des ERM als graphisches Darstellungsmittel, sondern vor allem ein Defizit des ERM als Analyseinstrument.

Im Mittelpunkt des vorliegenden Beitrags steht eine Weiterentwicklung des ERM, die genau dieses Defizit aufgreift, das Strukturierte Entity-Relationship-Modell (SERM). SERM unterstützt auf der Basis von Existenzabhängigkeiten zwischen Objekttypen eine Strukturierung von Schemata. Dabei ist SERM kein neues Meta-Modell, sondern baut auf dem bewährten Modellierungsansatz des ERM auf. In den letzten Jahren hat SERM eine erfreuliche Akzeptanz in der Praxis gefunden.

Zum Inhalt des Beitrags: Die Grundlagen des ERM sowie einige praxisrelevante Erweiterungen des ERM werden in Kapitel 2 vorgestellt. Kapitel 3 stellt das Strukturierte Entity-Relationship-Modell (SERM) als Weiterentwicklung des ERM dar, behandelt ausführlich die Modellierung konzeptueller Schemata im SERM unter Einsatz eines speziellen Werkzeugs und diskutiert die Modellierungseigenschaften von SERM. Die Modellierung fachlicher externer Schemata auf der Grundlage eines konzeptuellen Schemas im SERM ist Gegenstand von Kapitel 4. Hier liegt ein Ansatz zur Kopplung von Datenmodellierung und Funktionsmodellierung im Bereich der Anwendungsentwicklung.

2 Das Entity-Relationship-Modell (ERM) und einige wichtige Erweiterungen

In diesem Kapitel werden die Grundlagen des klassischen Entity-Relationship-Modells sowie einige in der Praxis relevante Erweiterungen vorgestellt. Diese Ausführungen bilden die Voraussetzung für das Verständnis des Strukturierten Entity-Relationship-Modells (SERM), das anschließend in Kapitel 3 behandelt wird.

Im Zusammenhang mit der Datenmodellierung finden Modellbildungen auf verschiedenen Abstraktionsebenen statt. Um diese Abstraktionsebenen präzise unterscheiden zu können, wird im Einklang mit der Literatur folgende Abgrenzung getroffen:

- Eine Datenbasis ist das Modell eines relevanten Ausschnitts der betrieblichen Realität, der als Diskurswelt bezeichnet wird. Die Datenbasis besteht aus einer Menge von (Daten-) Objekten, die untereinander in Beziehung stehen. Jedes Objekt wird durch eine Kombination von Werten repräsentiert. Die Datenbasis ist ein zeitpunktbezogenes Modell, das ständig an die Veränderungen der Diskurswelt angepaßt werden muß. Zur Verwaltung von Datenbasen werden heute überwiegend Datenbankmanagementsysteme (DBMS) eingesetzt.

- Ein Datenschema, oder kurz Schema (z.B. konzeptuelles Schema, externes Schema), beschreibt die weitgehend konstante Struktur der Datenbasis. Das Schema ist somit ein Modell der Struktur der Diskurswelt. Es besteht aus einer Menge von (Daten-) Objekttypen, die durch Attribute beschrieben werden und untereinander in Beziehung stehen. Die Aufstellung des Schemas ist die konkrete Aufgabe der Datenmodellierung.

- Ein Datenmodell ist ein »Gestaltungsrahmen« für die Aufstellung von Schemata. Dieser legt die verfügbaren Arten von Objekttypen und Beziehungen zwischen Objekttypen, Regeln für ihre Verwendung sowie die zugehörige Semantik fest. Aus der Sicht eines Schemas stellt das Datenmodell das zugehörige Meta-Modell dar.

Die Begriffe Objekt und Objekttyp werden im folgenden stets im Kontext der Datenmodellierung, also im Sinne von Datenobjekt und Datenobjekttyp, verwendet. Objektorientierte Ansätze, die hier nicht betrachtet werden, legen ein erweitertes Objektverständnis zugrunde.

2.1 Das ERM – ein semantisches Datenmodell

Im Gegensatz zu den Datenbankmodellen, deren bekannteste Vertreter das Relationenmodell, das Netzwerkmodell und das Hierarchische Datenmodell sind, gehört das ERM zur Klasse der semantischen Datenmodelle. Der Begriff Semantik wird in den einzelnen Wissenschaftsgebieten unterschiedlich verwendet. In Bezug auf semantische Datenmodelle sind vor allem zwei Aspekte des Begriffs Semantik von Bedeutung:

a) Semantik als Beziehung zur Realität, d.h. die Verfügbarkeit eines Begriffsystems, das es gestattet, einen relevanten Ausschnitt der Realität präzise und möglichst umfassend durch Datenobjekte abzubilden. Dieser Aspekt zielt auf das Fachverständnis und erlaubt es, ein Schema als Kommunikationsbasis für alle betrieblichen Fachgruppen einzusetzen.

b) Semantik der Daten, d.h. die Bedeutung der Daten, wie sie sich aus der zulässigen Verwendung der Datenobjekte ergibt [GEB 87]. Dieser Aspekt zielt auf die Manipulation der Daten durch die darauf operierenden Funktionen.

Von einem semantischen Datenmodell wird in der Regel dann gesprochen, wenn es das Relationenmodell an semantischer Ausdrucksfähigkeit übertrifft [PEMA 88].

2.2 Grundlagen des ERM

Das ERM wurde ursprünglich mit dem Ziel vorgestellt, die unterschiedlichen Datensichten des Relationen- und des Netzwerkmodells zu vereinheitlichen. Die methodische Fundierung des ERM stammt dabei überwiegend aus dem Relationenmodell.

2.2.1 Grundbegriffe des ERM

Das ERM ist ein Gegenstands-Beziehungs-Modell. Ein Gegenstand (Entity) ist ein abgrenzbares Objekt der Diskurswelt, das ein reales Objekt oder eine gedankliche Abstraktion darstellen kann. Eine Beziehung (Relationship) ist eine Verknüpfung von zwei oder mehreren Entities. Beispiele für Entities sind *Fa_Meier_KG* oder *Schraube_M6x40*. Ein Beispiel für eine Relationship ist *liefert(Fa_Meier_KG, Schraube_M6x40)*.

Gleichartige Entities werden zu einem Gegenstands-Objekttyp (Entity-Typ), gleichartige Beziehungen zu einem Beziehungs-Objekttyp (Relationship-Typ) verallgemeinert. Beide Arten von Objekttypen werden durch die Zuordnung von Attributen detailliert beschrieben. Einem Entity-Typ müssen, einem Relationship-Typ können Attribute zugeordnet werden.

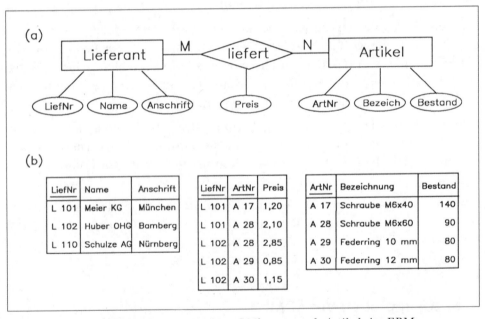

Bild 2.1: Beziehung zwischen »Lieferant« und »Artikel« im ERM

Die Struktur aus Entity-Typen, Relationship-Typen und Attributen wird in einem Entity-Relationship-Diagramm (ER-Diagramm) graphisch dargestellt (Bild 2.1(a)). Entity-Typen werden durch Rechtecke, Relationship-Typen durch Rauten, Attribute durch Kreise oder Ellipsen symbolisiert. Die

Symbole werden durch ungerichtete Kanten verbunden. Dabei wird jedes Attribut genau einem Entity- bzw. Relationship-Typ zugeordnet. Ein Relationship-Typ wird mit den zugehörigen Entity-Typen verbunden. Aus der Sicht des ER-Diagramms realisiert ein Relationship-Typ eine Beziehung zwischen Entity-Typen.

Die Komplexität eines Relationship-Typs gibt an, in welchem Verhältnis die Entities der beteiligten Entity-Typen zueinander in Beziehung stehen. Sie wird durch Beschriftung der Kanten mit 1, M und N ausgedrückt. Zwischen zwei Entity-Typen sind Beziehungen des Typs eins-zu-eins (1:1), eins-zu-viele (1:N) und viele-zu-viele (M:N) formulierbar.

In Bild 2.1(a) sind die Entity-Typen *Lieferant* und *Artikel* durch den Relationship-Typ *liefert* verknüpft. Die Komplexität der Beziehung ist M:N, d.h. ein Lieferant liefert mehrere Artikel und umgekehrt wird ein Artikel von mehreren Lieferanten geliefert. Alle drei Objekttypen werden durch Attribute näher beschrieben.

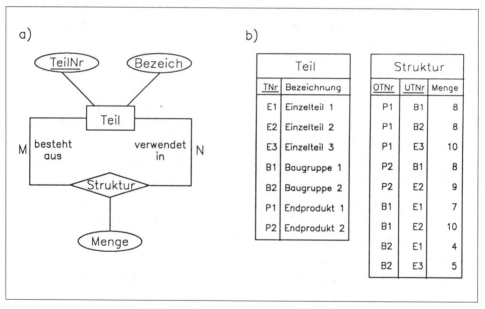

Bild 2.2: Stücklistenstruktur im ERM

Parallele, d.h. mehrere gleichlaufende Kanten zwischen einem Entity-Typ und einem Relationship-Typ sind zulässig. Dies entspricht einer rekursiven

Beziehung und bedeutet, daß an einer Relationship mehrere Entities desselben Typs beteiligt sein können. Aus Gründen der Identifizierbarkeit und Interpretierbarkeit muß bei parallelen Kanten je ein Rollenname angegeben werden, der die jeweilige Funktion des Entity-Typs in Bezug auf den Relationship-Typ beschreibt. Bei nicht-parallelen Kanten ist die Angabe eines Rollennamens optional.

Bild 2.2(a) zeigt das Schema einer Stücklistenstruktur. Hier steht der Entity-Typ *Teil* mit sich selbst in einer rekursiven Beziehung der Komplexität M:N. Anhand der Rollennamen ist diese Beziehung interpretierbar: Ein Teil besteht aus mehreren Teilen und wird umgekehrt in mehreren Teilen verwendet.

2.2.2 Repräsentation von Objektmengen im ERM

Zur Repräsentation von Objektmengen greift das ERM auf das Relationenmodell zurück. Eine Gegenstands-Objektmenge (Entity Set) wird als Entity-Relation, eine Beziehungs-Objektmenge (Relationship Set) als Relationship-Relation dargestellt.

Die Typvereinbarung einer Entity-Relation besteht aus den Attributen des zugehörigen Entity-Typs. Dabei werden ein oder mehrere Attribute als Primärschlüssel ausgezeichnet. Die Typvereinbarung einer Relationship-Relation enthält als originäre Attribute die Attribute des zugehörigen Relationship-Typs sowie als vererbte Attribute die Primärschlüssel aller beteiligten Entity-Typen. Letztere bilden zusammen den Primärschlüssel der Relationship-Relation.

Die Typvereinbarung für Entity- und Relationship-Relationen ist in den Bildern 2.1(b) und 2.2(b) dargestellt. In Bild 2.2(b) wird der Primärschlüssel *TNr* von *Teil* auf zwei Kanten vererbt und muß daher in *Struktur* unterschieden werden (*OTNr*, *UTNr*). Auf die Angabe der Wertebereiche (Domänen) zu den einzelnen Attributen wird im folgenden verzichtet.

2.2.3 Schwache Entity-Typen

Häufig ist es nicht möglich, ein Entity des Typs E anhand der Ausprägungen seiner eigenen Attribute zu identifizieren. In diesen Fällen werden in den Primärschlüssel von E zusätzlich die Primärschlüsselattribute eines Entity-

Typs E', der mit E in Beziehung steht, aufgenommen. Mit anderen Worten, ein Entity des Typs E wird über eine Relationship des Typs E-E' identifiziert. E wird als schwacher Entity-Typ bezeichnet. Jeder Relationship-Typ, der mit einem schwachen Entity-Typ verknüpft ist, heißt schwacher Relationship-Typ. Im ER-Diagramm wird ein schwacher Entity-Typ durch ein doppelumrandetes Rechteck, die Richtung der Abhängigkeit durch eine Pfeilspitze symbolisiert.

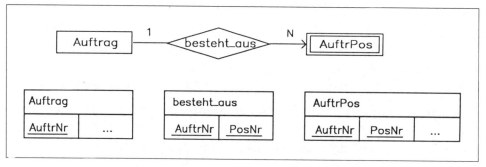

Bild 2.3: Schwacher Entity-Typ im ERM

Durch das Konzept des schwachen Entity-Typs werden Existenzabhängigkeiten in das ERM eingeführt. In Bild 2.3 hängt die Existenz einer Auftragsposition (*AuftrPos*) von der Existenz des zugehörigen Auftragskopfes (*Auftrag*) ab.

2.3   Modellierung im ERM

Die Abgrenzung von Entities und Relationships innerhalb der Diskurswelt liegt grundsätzlich im Ermessen des Modellierers. Voraussetzung für die Verwendbarkeit und Akzeptanz eines konzeptuellen Schemas ist es aber, die Modellierung einer gegebenen Diskurswelt vor dem Hintergrund bekannter oder gedachter Anwendungen so weit wie möglich zu objektivieren. Im Relationenmodell stehen hierfür die Theorie der funktionalen und mehrwertigen Abhängigkeiten sowie die daraus abgeleiteten Normalformen zur Verfügung (zu einer praxisorientierten Einführung siehe z.B. [MEI 92]). Die jeweilige Normalform wird auf Attributebene durch geeignete Synthese von Attributmengen zu Relationstypen (bzw. Dekomposition von Relationstypen) erreicht.

Im ERM erfolgt die Objektivierung durch ein bestimmtes Modellierungsverständnis, das die Bildung von Objekttypen, die Bildung von Beziehungen zwischen Objekttypen sowie die Zuordnung von Attributen zu Objekttypen verbindlich regelt. Im Gegensatz zum Relationenmodell unterstützt das ERM einen Top-Down-Ansatz der Datenmodellierung:

– Auf der ersten Modellierungsebene werden Objekttypen gebildet und in Beziehung gesetzt.

– Auf der zweiten Modellierungsebene werden den Objekttypen Attribute zugeordnet.

Die beiden Modellierungsebenen werden im allgemeinen nicht streng sequentiell durchlaufen. Z.B. werden häufig bei der Definition eines Objekttyps gleichzeitig dessen Primärschlüsselattribute festgelegt.

In Abhängigkeit vom gewählten Modellierungsverständnis führt die Modellierung im ERM zu einem Schema in dritter Normalform (3NF), Boyce-Codd-Normalform (BCNF) oder vierter Normalform (4NF).

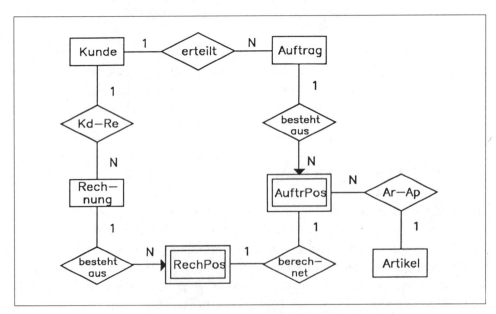

Bild 2.4: Beispiel »Vertrieb« im ERM ((1,M,N)-Notation)

In ER-Diagrammen praxisrelevanter Größe werden Attribute aus Gründen der Übersichtlichkeit in der Regel nicht dargestellt. Bild 2.4 zeigt das Beispiel eines ER-Diagramms (erste Modellierungsebene) für den vereinfachten Ausschnitt *Vertrieb* eines Handelsunternehmens, bestehend aus Kunden, Artikeln, Aufträgen und Rechnungen.

2.4 Erweiterungen des ERM

Zum ERM wurde eine Vielzahl von Varianten und Erweiterungen vorgeschlagen. Einige davon, die zu einer praktischen Verbesserung der Semantik des ERM geführt haben, werden im folgenden vorgestellt.

2.4.1 Stelligkeit von Beziehungen und Zuordnung von Attributen

Im Grundmodell des ERM können beliebig viele Entity-Typen durch einen Relationship-Typ in Beziehung gesetzt werden. Jedem Entity- und Relationship-Typ sind Attribute zuordenbar. In der Literatur finden sich eine Reihe von Varianten des ERM, die Einschränkungen des Grundmodells vorschlagen. Jeder dieser Vorschläge unterstützt ein bestimmtes Modellierungsverständnis.

CHEN [CHEN 83] beschreibt einen Rahmen zur Klassifizierung dieser Varianten und gibt Beispiele für zugehörige Datenmodelle an. Das erste Kriterium ist die Stelligkeit einer Beziehung zwischen Entity-Typen, welche durch die Anzahl der Kanten des zugehörigen Relationship-Typs bestimmt ist. Er unterscheidet zwischen einem GERM (general ERM), das n-stellige Beziehungen erlaubt und einem BERM (binary ERM), das auf 2-stellige Beziehungen eingeschränkt ist.

Hinsichtlich der Zuordnung von Attributen werden folgende Fälle unterschieden:

a) Attribute sind Entity- und Relationship-Typen zuordenbar,
b) Attribute sind nur Entity-Typen zuordenbar,
c) es sind keinerlei Attribute erlaubt.

Im Fall (b) entfallen bei 2-stelligen Beziehungen die Rautensymbole im ER-Diagramm. Im Fall (c) wird jedes Attribut als eigener Objekttyp modelliert.

Bei der Kombination von BERM und Fall (b) wird zusätzlich nach der Zulässigkeit von M:N-Beziehungen differenziert. Ggf. muß eine M:N-Beziehung in zwei 1:N-Beziehungen aufgelöst werden.

2.4.2 Präzisierung der Komplexität von Beziehungen

Bei der (1,M,N)-Notation wird die Komplexität einer Beziehung b(A,B) zwischen den Entity-Typen A und B als Verhältnis von Entities angegeben. Diese Angabe ist mehrdeutig. Z.B. sagt in Bild 2.4 die 1:N-Beziehung zwischen *Kunde* und *Auftrag* nichts darüber aus, ob jedem Kunden wenigstens ein Auftrag zugeordnet sein muß oder nicht. Umgekehrt ist nicht ersichtlich, ob sich jeder Auftrag auf genau einen Kunden bezieht oder ob Aufträge ohne Kunden zulässig sind. Bei drei- und mehrstelligen Beziehungen ist die (1,M,N)-Notation überhaupt nicht mehr sinnvoll interpretierbar.

Die Probleme sind vermeidbar, wenn statt dessen für jeden Entity-Typ E durch einen Komplexitätsgrad comp(E,b) angegeben wird, mit wievielen Relationships des Typs b ein Entity minimal in Beziehung stehen muß und maximal in Beziehung stehen kann. Diese Notation wird als (min,max)-Notation bezeichnet [SCST 83]. Für die Eckwerte von min und max gilt $0 \le min \le 1 \le max \le *$ (* bedeutet *beliebig viele*). Daraus entstehen vier Grundtypen von Komplexitätsgraden:

(0,1), (0,*), (1,1), (1,*)

Eine Beziehung b(A,B) wird durch zwei Komplexitätsgrade comp(A,b) und comp(B,b) beschrieben. Jede Angabe eines Komplexitätsgrades in (min, max)-Notation stellt eine referentielle Integritätsbedingung (Referenzbedingung) dar. Bei Bedarf können die Grenzen *min* und *max* weiter eingeschränkt werden (z.B. comp(A,b) = (2,3)). In Bild 2.5 sind die (1,M,N)-Notation und die (min,max)-Notation gegenübergestellt.

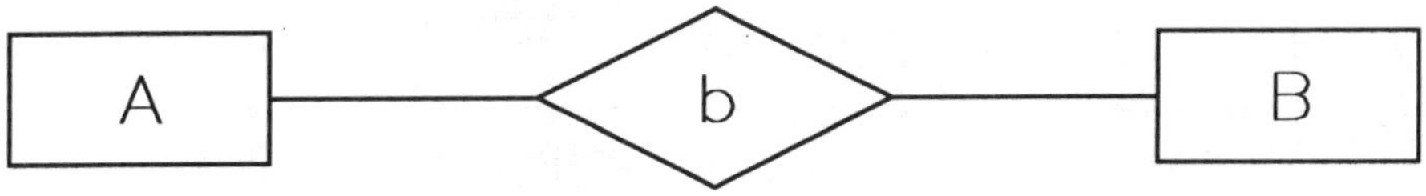

b(A,B)	comp(A,b)	comp(B,b)
1:1	(0,1) oder (1,1)	(0,1) oder (1,1)
1:N	(0,*) oder (1,*)	(0,1) oder (1,1)
N:1	(0,1) oder (1,1)	(0,*) oder (1,*)
N:M	(0,*) oder (1,*)	(0,*) oder (1,*)

Bild 2.5: Komplexität der Beziehung b(A,B)

Bild 2.6 zeigt wiederum das Beispiel *Vertrieb* aus Bild 2.4, allerdings ist die Komplexität der Beziehungen nun in (min,max)-Notation angegeben. Z.B. ist nun präzise festgelegt, daß jeder Kunde null bis beliebig viele Aufträge erteilen kann und umgekehrt jeder Auftrag von genau einem Kunden erteilt wird. In Bild 2.4 ließ die 1:N-Beziehung zwischen *Kunde* und *Auftrag* grundsätzlich auch Aufträge ohne zugeordnete Kunden zu. Die Aussage, daß eine Auftragsposition (*AuftrPos*) nur zusammen mit dem zugehörigen Auftragskopf (*Auftrag*) existieren kann, wurde in Bild 2.4 mit Hilfe eines schwachen Entity-Typs formuliert. Bei Verwendung der (min,max)-Notation ist dies durch die (1,1)-Beziehung zwischen *AuftrPos* und *besteht_aus* gewährleistet.

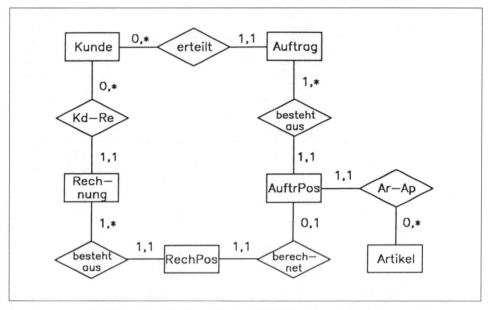

Bild 2.6: Beispiel »Vertrieb« im ERM ((min,max)-Notation)

2.4.3 Aggregation und Generalisierung

Die Abstraktionsarten Aggregation und Generalisierung wurden von SMITH und SMITH [SMSM 77] systematisch untersucht. Aggregation bedeutet, daß eine Beziehung zwischen Objekten als Objekt höherer Ordnung betrachtet wird. Bei der Generalisierung wird eine Klasse ähnlicher Objekte zu einem generischen Objekt abstrahiert.

Bestimmte Formen der Aggregation und der Generalisierung sind bereits im Grundmodell des ERM vorhanden. Die Zusammenfassung von Attributen zu einem Objekttyp (bzw. von Attributwerten zu einem Objekt) stellt eine Aggregation dar. Die Bildung eines Objekttyps zur Repräsentation einer Klasse ähnlicher Objekte ist eine Generalisierung. Beide Abstraktionsarten stellen daher grundlegende Konstrukte der Modellbildung dar.

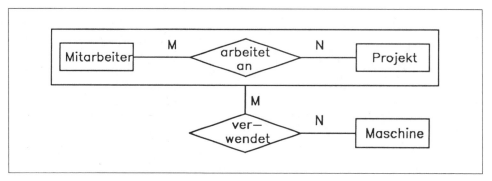

Bild 2.7: Aggregation im ERM

Für das ERM wurden darüber hinaus eine Reihe von Vorschlägen unterbreitet, die weitere Formen der Aggregation und Generalisierung zum Gegenstand haben. Dabei wird Generalisierung als Abstraktion von Entities, Aggregation als Abstraktion von Beziehungen eingeführt [SSW 80]. Im letzteren Fall wird eine Beziehung zwischen Entity-Typen zu einem übergeordneten Entity-Typ zusammengefaßt. Mit anderen Worten, es wird eine Beziehung zwischen Entity-Typen als ein aggregierter Entity-Typ verstanden. Dieser kann wiederum mit anderen Entity-Typen in Beziehung stehen (Bild 2.7).

Die speziellen Ausprägungen der Generalisierungen werden in der Literatur unterschiedlich definiert. Z.B. werden in [TEO+ 87] zwei Formen der Generalisierung unterschieden:

a) Subtypenhierarchie: Ein Entity-Typ E_1 ist ein Subtyp von Entity-Typ E, wenn jedes Entity von E_1 auch Entity von E ist (Bild 2.8(a)).

b) Generalisierungshierarchie: Ein Entity-Typ E ist eine Generalisierung der Entity-Typen E_1, E_2, ..., E_n, wenn jedes Entity von E auch Entity von genau einem der Entity-Typen E_1, E_2, ..., E_n ist (Bild 2.8(b)).

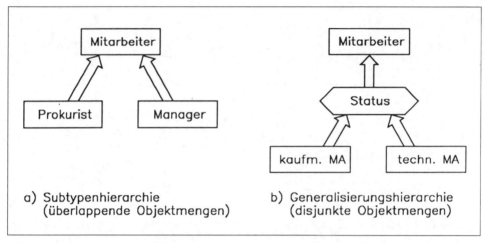

Bild 2.8: Generalisierung im ERM

Durch das Prinzip der Generalisierung werden im ERM zusätzliche Integritätsbedingungen formulierbar. Z.B. fordert (b), daß die Vereinigung der Objektmengen von E_1, E_2, ..., E_n die Objektmenge von E ergibt (Vollständigkeit) und daß die Objektmengen von E_1, E_2, ..., E_n paarweise elementfremd sind (Disjunktheit).

3 Das Strukturierte Entity-Relationship-Modell (SERM)

Die Motivation für das SERM (siehe [SINZ 87], [SINZ 88] und [SINZ 89]) erwächst aus der zunehmenden Komplexität der in praktischen Anwendungsentwicklungsprojekten entstehenden Schemata. Viele ER-Diagramme enthalten mehrere hundert Knoten. Bei diesem Umfang werden eine Reihe von Schwächen des ERM deutlich, die sich sowohl auf das ERM als Darstellungsform wie auch auf das ERM als Analyseinstrument beziehen.

Im einzelnen verfolgt das SERM folgende Ziele:

- Strukturierung großer Schemata: Will man sich in ein umfangreiches ER-Diagramm einarbeiten, so besteht eine der Hauptschwierigkeiten darin, geeignete »Einstiegsknoten« zu finden, von denen aus dann einzelne Teilstrukturen analysiert werden können.

  SERM »ordnet« die Knoten eines SER-Diagramms auf der Basis von Existenzabhängigkeiten. Dabei nimmt in der geometrischen Anordnung der Knoten der Grad an Existenzabhängigkeit von links nach rechts zu. Aus graphentheoretischer Sicht besitzt ein SER-Diagramm die Struktur eines gerichteten azyklischen Graphen, der auch als quasi-hierarchischer Graph bezeichnet wird.

- Visualisierung von Existenzabhängigkeiten: Durch die Verwendung quasi-hierarchischer Graphen werden Existenzabhängigkeiten und Folgen von Existenzabhängigkeiten klar visualisiert. Das Denken in Existenzabhängigkeiten führt zu einer präziseren Analyse als das Denken in einfachen Beziehungen. In der Diskussion mit der Fachabteilung lassen sich fehlerhaft modellierte Sachverhalte leichter aufdecken.

- Vermeidung von Inkonsistenzen: Im ERM besteht die Möglichkeit, syntaktisch korrekte, jedoch semantisch inkonsistente oder zumindest fehlerträchtige Schemata zu modellieren. Fehlerquellen sind u.a. zyklische Existenzabhängigkeiten zwischen Objekttypen, redundante Beziehungen zwischen Objekttypen sowie Kreis- und Schraubenstrukturen zwischen Objekten. Eine Reihe dieser Fehlerquellen treten im SERM nicht auf, bzw. sind im SERM vermeidbar. Grund hierfür ist wiederum der Modellierungsansatz des SERM auf der Basis von Existenzabhängigkeiten und quasi-hierarchischen Graphen.

- Einfacher Übergang zum Datenbankschema: Beim Übergang von einem ER-Schema in ein Datenbankschema (z.B. im Relationenmodell) sind im allgemeinen eine Reihe von Strukturtransformationen nötig. Das SERM erleichtert den Übergang zum Datenbankschema, indem es Fremdschlüssel von Entity-Typen bereits auf konzeptueller Ebene berücksichtigt und außerdem durch eine gerichtete Schlüsselvererbung Nullwerte für Fremdschlüssel vermeidet.

Das Konzept der Existenzabhängigkeiten und die zur Darstellung der Existenzabhängigkeiten verwendeten gerichteten azyklischen Graphen werden nun erläutert.

Wichtig ist an dieser Stelle festzuhalten, daß das SERM immer noch ein ERM, d.h. ein Gegenstands-Beziehungs-Modell ist. Das SERM ist somit eigentlich kein neues Datenmodell mit einem neuen Begriffsystem und Modellierungsansatz. Das SERM arbeitet lediglich eine Reihe von Struktureigenschaften heraus, die implizit bereits im ERM enthalten sind.

3.1 Vom ERM zum SERM

Aus graphentheoretischer Sicht besitzt ein ER-Diagramm die Struktur eines allgemeinen bipartiten Graphen. Anschaulich bedeutet dies, daß der Graph zwei Arten von Knoten, Rechtecke und Rauten, enthält. Rechtecke können in grundsätzlich beliebiger Weise durch ungerichtete Kanten mit Rauten verknüpft werden. Eine Verknüpfung zwischen zwei Rechtecken oder zwischen zwei Rauten ist unzulässig.

Mit zunehmendem Umfang der Schemata ist diese Darstellungsform nur schwer interpretierbar. Alle Rechtecke und alle Rauten besitzen grundsätzlich den gleichen »Stellenwert«. Hier setzt das SERM an. Es entwickelt auf der Grundlage von Existenzabhängigkeiten zwischen Objekttypen ein Kriterium, um zwischen originären und abhängigen Objekttypen zu differenzieren. Diese Differenzierung wird zu einem mehrstufigen Konzept verallgemeinert, indem alle Paare von in Beziehung stehenden Objekttypen nach dem Schema originär/abhängig geordnet werden.

Überträgt man diese Ordnung in die Anordnung der Knoten im ER-Diagramm, so entsteht ein quasi-hierarchischer Graph (gerichtet und azyklisch). Existenzabhängigkeiten zwischen Objekttypen und Folgen von Existenzabhängigkeiten werden dabei klar visualisiert.

Im Grundmodell des ERM werden Existenzabhängigkeiten über das Konzept des schwachen Entity-Typs modelliert, das auf der Zusammensetzung des Primärschlüssels aufbaut. Eine Existenzabhängigkeit stellt aber eine Aussage über die Beziehung zwischen zwei Objekttypen dar und sollte daher nicht auf Attributebene definiert werden. Für jeden Entity-Typ kann grund sätzlich ein künstlicher Primärschlüssel (Surrogatschlüssel), z.B. in Form einer fortlaufenden Nummer, angegeben werden.

Im SERM werden Existenzabhängigkeiten auf der Basis referentieller Integritätsbedingungen formuliert. Im Hinblick auf die beabsichtigte quasi-hierarchische Ordnung der Objekttypen werden in einer Beziehung b(A,B) Existenzabhängigkeiten nicht zwischen den Entity-Typen A und B, sondern zwischen dem Relationship-Typ b und dem Entity-Typ A bzw. B angegeben. Während A und B nicht notwendig voneinander abhängen, hängt b stets von A und von B ab. Es werden zwei Formen der Existenzabhängigkeit eines Relationship-Typs b von einem Entity-Typ E unterschieden:

– Einseitige Existenzabhängigkeit (b hängt von E ab): $E \Leftarrow b$

  comp(E,b) = (0,1) oder comp(E,b) = (0,*)

– Wechselseitige Existenzabhängigkeit (b und E sind wechselseitig abhängig): $E \Leftrightarrow b$

  comp(E,b) = (1,1) oder comp(E,b) = (1,*)

Existenzabhängigkeiten zwischen Entity-Typen lassen sich daraus transitiv ableiten. Z.B. folgt aus der Beziehung b(A,B) mit comp(A,b) = (0,*) und comp(B,b) = (1,1) eine einseitige Existenzabhängigkeit $A \Leftarrow B$. Gilt dagegen comp(A,b) = (1,*), so folgt daraus eine wechselseitige Existenzabhängigkeit $A \Leftrightarrow B$.

3.2 Grundlagen des SERM

3.2.1 Objekttypen

Das SERM unterscheidet drei Arten von Objekttypen, die in Bild 2.9 dargestellt sind.

Während der Entity-Typ (E-Typ) als Gegenstands-Objekttyp und der Relationship-Typ (R-Typ) als Beziehungs-Objekttyp bereits aus dem ERM bekannt sind, kommt der Entity-Relationship-Typ (ER-Typ) im SERM neu hinzu.

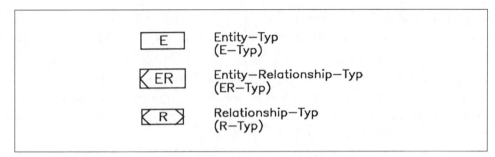

Bild 2.9: Objekttypen im SERM

Dieser ER-Typ ist ein E-Typ, dessen Objekte nur in Abhängigkeit von bestimmten Objekten anderer E- oder ER-Typen existieren können. Aus der Sicht des ERM entsteht ein ER-Typ durch Zusammenziehung eines E-Typs und eines R-Typs, die durch eine (1,1)-Beziehung verbunden sind. Der ER-Typ ist somit ein Gegenstands-Beziehungs-Objekttyp, da er eine Kombination aus einem Gegenstands-Objekttyp und einem Beziehungs-Objekttyp darstellt.

Aufgrund der Einführung des ER-Typs werden R-Typen im SERM überwiegend zur Auflösung von M:N-Beziehungen oder von optionalen Beziehungen zwischen Gegenstands-Objekttypen benötigt.

Jede dieser Arten von Objekttypen wird im SER-Diagramm durch ein spezielles graphisches Rechtecksymbol (E-Symbol, ER-Symbol und R-Symbol) dargestellt. Die Wahl der Symbole im SERM drückt den Bezug zum ERM aus: Rechteck (E-Symbol), Rechteck mit überlagerter Raute (R-Symbol) und Rechteck mit überlagerter halber Raute (ER-Symbol). Das ER-Symbol ist somit von links betrachtet ein R-Symbol, von rechts betrachtet ein E-Symbol.

3.2.2 Beziehungen zwischen Objekttypen

Für die Darstellung der Beziehungen zwischen Objekttypen stellt das SERM spezielle Kantensymbole bereit (Bild 2.10). Diese korrespondieren mit den vier Grundtypen von Komplexitätsgraden in (min,max)-Notation.

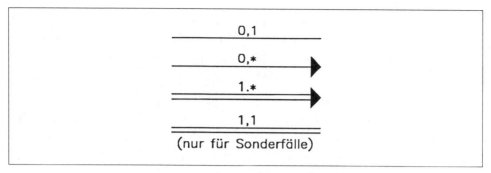

Bild 2.10: Beziehungen zwischen Objekttypen im SERM

Die Kantensymbole sind wie folgt gewählt:

– min-Eckwert = 0: einfache Linie

           = 1: doppelte Linie

– max-Eckwert = 1: ohne Pfeilspitze

           = *: mit Pfeilspitze

Jede der Beziehungen repräsentiert eine einseitige oder eine wechselseitige Existenzabhängigkeit. Wegen der Einführung des ER-Typs wird die (1,1)-Beziehung nur in Sonderfällen benötigt.

3.2.3 Darstellungsregeln für SER-Diagramme

Ein SER-Diagramm ist die graphische Darstellung eines Schemas im SERM. Objekttypen werden als Knoten, Beziehungen als Kanten repräsentiert. Dabei gelten folgende Darstellungsregeln:

1. Jede Kante wird gerichtet interpretiert und verläuft von *Rechteck* zu *Raute*.
2. Jede Kante wird im SER-Diagramm von *links* nach *rechts* dargestellt.

In Regel 1 wird mit *Rechteck* der Gegenstandsanteil, mit *Raute* der Beziehungsanteil eines Objekttyps bezeichnet. Startknoten einer Kante sind daher E-Symbole und ER-Symbole, Zielknoten einer Kante sind ER-Symbole und R-Symbole. Das ER-Symbol stellt dabei einen »Januskopf« dar: von links betrachtet ist es eine Raute, von rechts ein Rechteck. Die Kantenrichtung drückt die Richtung der Existenzabhängigkeit aus.

Regel 2 besagt, daß der Startknoten einer Kante im SER-Diagramm stets an einer Position geometrisch links vom Zielknoten angeordnet wird. Die »Konstruktionsrichtung« eines SER-Diagramms verläuft damit von links nach rechts.

Aus graphentheoretischer Sicht stellt wegen Regel 1 jedes SER-Diagramm einen gerichteten Graphen dar. Zusätzlich folgt aus Regel 2, daß ein SER-Diagramm zwar Kreise (geschlossene Kantenfolgen), aber keine Zyklen (geschlossene Kantenfolgen unter Beachtung der Kantenrichtung) enthalten kann. Hierzu müßte mindestens eine Kante von rechts nach links verlaufen. Die dadurch festgelegte Struktureigenschaft von SER-Diagrammen heißt quasi-hierarchisch. Zu den graphentheoretischen Grundlagen siehe z.B. [NEU 75]. Quasi-hierarchische Graphen sind aus der Materialwirtschaft (Stücklisten) und der Netzplantechnik (Vorgangsknotennetze) bestens bekannt. Die semantische Bedeutung der quasi-hierarchischen Struktur von SER-Diagrammen liegt in der Visualisierung von Existenzabhängigkeiten, die in Abschnitt 3.4.1 noch genauer behandelt wird.

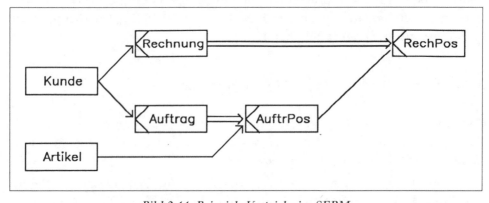

Bild 2.11: Beispiel »Vertrieb« im SERM

Bild 2.11 zeigt das Beispiel *Vertrieb* aus Bild 2.4 und 2.6 nun im SERM. *Kunde* und *Artikel* sind originäre, nicht existenzabhängige Objekttypen. Ein Kunde hat null bis beliebig viele Aufträge (*Auftrag*) zugeordnet, jeder Auftrag bezieht sich auf genau einen Kunden. Somit besteht eine einseitige Existenzabhängigkeit zwischen *Kunde* und *Auftrag*. Eine wechselseitige Existenzabhängigkeit besteht z.B. zwischen *Auftrag* und Auftragsposition (*AuftrPos*).

Analog zum ERM sind zwischen zwei Knoten mehrere Kanten (gleichen oder unterschiedlichen Typs) zulässig. Solche parallele Kanten treten bei rekursiven Datenstrukturen, wie z.B. Stücklisten, auf.

Außerdem folgt aus dem Verständnis des R-Typs im ERM, daß zu einem R-Symbol stets mindestens zwei Kanten führen müssen.

3.2.4 Bildung von Relationstypen

Die erste Modellierungsebene eines Schemas im SERM besteht in der Aufstellung des SER-Diagramms. Auf der zweiten Modellierungsebene wird nun jeder Objekttyp durch Zuordnung von Attributen detailliert.

Analog zum ERM besitzt jeder Objekttyp einen Primärschlüssel, der aus mehreren Attributen zusammengesetzt sein kann, sowie Nichtschlüsselattribute zur Beschreibung der lokalen Eigenschaften eines Objekttyps. Das SERM ist aus der Sicht von Abschnitt 2.4.1 ein GERM mit Attributen an Entity- und Relationship-Typen. Zur Herstellung der Beziehung zwischen zwei Objekttypen wird der Primärschlüssel des einen Objekttyps als Fremdschlüssel an den anderen Objekttyp vererbt. Jede Beziehung wird somit durch eine Schlüsselreferenz realisiert.

Im SERM erfolgt die Vererbung von Primärschlüsseln stets vom Startknoten einer Kante zum Zielknoten einer Kante, d.h. aus der Sicht eines SER-Diagramms von links nach rechts. Die Schlüsselreferenz wird durch Attribute des zum Zielknoten gehörigen Objekttyps realisiert. Die quasi-hierarchische Struktur des SERM bleibt somit auf der Attributebene erhalten.

Die Vererbung eines Primärschlüssels als Fremdschlüssel an den Ziel-Objekttyp kann auf zwei Arten erfolgen. Die Art der Vererbung ist eine Eigenschaft der Beziehung zwischen den Objekttypen:

a) Im Ziel-Objekttyp ist der vererbte Fremdschlüssel Bestandteil des Primärschlüssels (Vererbungsart PK (primary key)).

b) Im Ziel-Objekttyp ist der vererbte Fremdschlüssel nicht Bestandteil des Primärschlüssels (Vererbungsart FK (foreign key)).

Die Vererbungsart PK muß verwendet werden, wenn der Ziel-Objekttyp ein R-Typ ist. Analog zum ERM setzt sich der Primärschlüssel eines R-Typs aus den Primärschlüsseln seiner Start-Objekttypen zusammen (Primärschlüsselattribute sind unterstrichen):

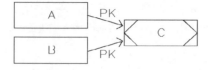

A(<u>A#</u>,...), B(<u>B#</u>,...), C(<u>A#</u>,<u>B#</u>,...)

Da der R-Typ C eine Beziehung zwischen A und B herstellt, kann je Objekt-paar (a,b) mit a:A (sprich: »a vom Typ A«) und b:B höchstens ein Objekt c:C auftreten. Für R-Typen mit mehr als zwei Start-Objekttypen gilt dies entsprechend.

Ist der Ziel-Objekttyp ein ER-Typ, so können grundsätzlich beide Verer-bungsarten verwendet werden. Folgende Fälle sind zu unterscheiden:

a) Falls je Objektpaar (a,b) mit a:A und b:B höchstens ein Objekt c:C zulässig sein soll, kann der Primärschlüssel des ER-Typs C wie oben aus den Pri-märschlüsseln seiner Start-Objekttypen A und B zusammengesetzt werden:

A(<u>A#</u>,...), B(<u>B#</u>,...), C(<u>A#</u>,<u>B#</u>,...).

b) Da C gleichzeitig Beziehungs-Objekttyp und Gegenstands-Objekttyp ist, sind aber nun je Objektpaar (a,b) auch mehrere Objekte c zulässig, falls alle beteiligten Beziehungen vom Typ (0,*) oder (1,*) sind. In diesem Fall ist in den Primärschlüssel von C mindestens ein weiteres Schlüsselattribut aufzunehmen:

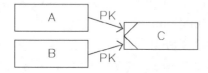

A(<u>A#</u>,...), B(<u>B#</u>,...), C(<u>A#</u>,<u>B#</u>,<u>C0</u>,...)

c) Daneben ist es in jedem Fall möglich, den Primärschlüssel des ER-Typs ausschließlich durch eigene (ggf. »künstliche«) Attribute zu bilden. Die Beziehungen werden dann dadurch realisiert, daß die Primärschlüssel der Start-Objekttypen A und B als Fremdschlüssel in den Ziel-Objekttyp C auf-genommen werden:

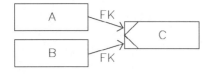

A(A#,...), B(B#,...), C(C#,A#,B#,...)

Für ER-Typen mit einem oder mehr als zwei Start-Objekttypen gelten die dargestellten Regeln analog.

Die Wahl der Vererbungsart hängt außerdem davon ab, ob die Zuordnung zwischen zwei verknüpften Objekten sich im Zeitablauf ändern kann oder nicht. Bei der Vererbungsart PK führt eine Änderung der Zuordnung zu einer Primärschlüsseländerung, die in der Regel unerwünscht oder ausgeschlossen ist.

Bild 2.12 zeigt die Zuordnung der Schlüsselattribute für das Beispiel *Vertrieb* aus Bild 2.11. Aus der Sicht von ERM stellen *AuftrPos* und *RechPos* schwache Entity-Typen dar, da ihre Primärschlüssel Fremdschlüsselattribute enthalten.

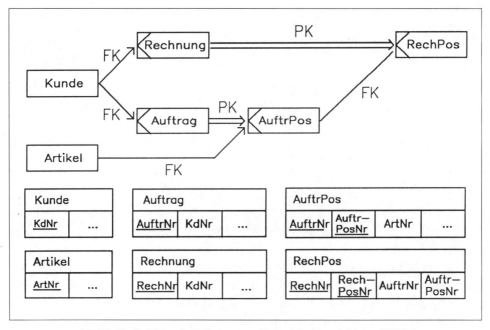

Bild 2.12: Schlüsselattribute zum Beispiel »Vertrieb« im SERM

Unter der Annahme, daß Primärschlüsseländerungen ausgeschlossen sein sollen, drückt die Vererbungsart PK gleichzeitig aus, daß die Zuordnung zwischen einer Auftragsposition und dem zugehörigen Auftragskopf bzw. einer Rechnungsposition und dem zugehörigen Rechnungskopf im Zeitablauf nicht abgeändert werden soll.

3.2.5 Generalisierung

Die in vielen Erweiterungen des ERM vorgesehene Abstraktionsart Generalisierung ist auch im SERM verfügbar. Die Darstellung der Generalisierung im SERM zeigt Bild 2.13.

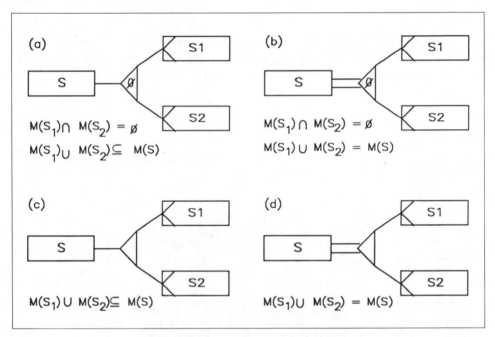

Bild 2.13: Generalisierung im SERM

Der generalisierte Objekttyp wird als Supertyp, die spezialisierten Objekttypen werden als Subtypen bezeichnet. Sei $M(S)$ die Objektmenge zu einem Supertyp S und seien $M(S_i)$ (i=1..n) die Objektmengen zu den Subtypen S_i mit $M(S_i) \subseteq M(S)$. Im folgenden werden zwei Mengeneigenschaften unterschieden:

1. Paarweise disjunkte Teilmengen von M(S):

$M(S_i) \cap M(S_j) = \emptyset \; (i,j = 1..n, \; i \neq j)$

2. Vollständigkeit der Teilmengen bezüglich M(S):

$\bigcup_i M(S_i) = M(S) \; (i = 1..n)$

Die Kombination der Mengeneigenschaften (1) und (2) – jede der Eigenschaften kann erfüllt sein oder nicht – führt im SERM zu den in Bild 2.13 dargestellten vier Fällen der Generalisierung.

Das Kriterium, nach dem die Subtypen zu einem Supertyp gebildet werden, wird als Kategorie bezeichnet und durch einen Kategorienamen benannt. Kategorien werden im SER-Diagramm durch das Dreiecksymbol dargestellt. In den Fällen (a) und (b) sind die Objektmengen der Subtypen einer Kategorie paarweise disjunkt, in den Fällen (c) und (d) gilt dies nicht notwendig. Bei Bedarf können mehrere Kategorien zu einem Supertyp gebildet werden. Im Beispiel in Bild 2.14 treten *Status* und *Verwendung* als Kategorien auf. Die Objektmengen der Subtypen unterschiedlicher Kategorien sind in der Regel nicht disjunkt.

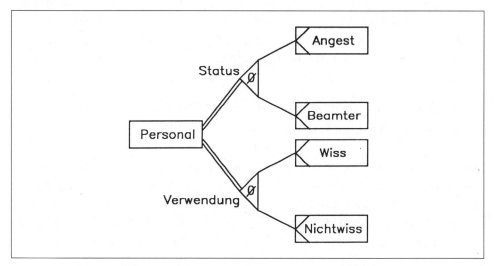

Bild 2.14: Beispiel zur Generalisierung im SERM

Nun wird die Attributebene der Generalisierung betrachtet. Der Supertyp S umfaßt diejenigen Attribute, die alle Subtypen S_i (i = 1..n) besitzen, d.h. die Attribute, welche die Gemeinsamkeiten der zueinander ähnlichen Subtypen beschreiben. Jeder Subtyp S_i umfaßt dagegen die jeweils individuellen Attribute, d.h. diejenigen Attribute, in denen er sich von den anderen Subtypen unterscheidet.

Betrachtet man z.B. die Generalisierung der Objekttypen *Kunde* und *Liefer* (Lieferant) zu *GschPart* (Geschäftspartner), so enthält *GschPart* die gemeinsamen Attribute, wie *Name*, *Straße*, *PLZ* und *Ort*, während *Kunde* und *Liefer* diejenigen Attribute umfassen, die nur Kunden bzw. Lieferanten besitzen.

Syntaktisch ist S mit jedem S_i durch eine (0,1)-Beziehung verbunden. Im Gegensatz zu einer normalen (0,1)-Beziehung besteht aber der semantische Unterschied darin, daß jedes Objekt des Typs S_i gleichzeitig auch ein Objekt des Typs S darstellt. Mit anderen Worten, aufgrund der Existenzabhängigkeit zwischen S und S_i existiert zu jedem Objekt s_i des Typs S_i genau ein Objekt s des Typs S. Die Objekte s und s_i beschreiben gemeinsam *ein* Objekt der Diskurswelt.

Dem Supertyp kann ein Kategorieattribut [VRT 82] zugeordnet werden, dessen Wert die Zugehörigkeit eines generalisierten Objekts zu einem bestimmten Subtyp angibt. Der Wertebereich eines Kategorieattributs besteht aus Bezeichnungen für die einzelnen Subtypen des Supertyps. Da alle Attribute eines Objekttyps das Kriterium der ersten Normalform erfüllen müssen, ist die Vergabe von Kategorieattributen nur möglich, wenn die Objektmengen der Subtypen paarweise disjunkt sind (Eigenschaft (1)).

3.2.6 Objektorientierte Interpretation der Beziehungen zwischen Objekttypen

Die nachfolgend beschriebene Erweiterung ist aus dem SOM-Ansatz zur objektorientierten Analyse und Definition betrieblicher Informationssysteme entnommen. Das zugrundeliegende Meta-Modell, das Semantische Objektmodell (SOM), ist in [FESI 90] und [FESI 91] beschrieben. Eine zentrale Komponente des SOM-Ansatzes ist die Modellierung des konzeptuellen

Objektschemas. Hierzu wird als Meta-Modell eine objektorientierte Erweiterung von SERM verwendet. Aus der Sicht von SERM besteht diese Erweiterung in

- der zusätzlichen Interpretation der Beziehungen zwischen Datenobjekttypen als *is_a*-Beziehung, *is_part_of*-Beziehung oder *interacts_with*-Beziehung,

- der Zuordnung von Operatoren (Methoden) zu jedem Datenobjekttyp sowie

- der Definition von Nachrichtenarten für jeden Datenobjekttyp. Nachrichten dienen zur Interaktion zwischen Objekten und lösen Operatordurchführungen auf den Objekten aus.

Ein derart erweiterter Datenobjekttyp stellt einen Objekttyp im objektorientierten Sinne dar. Im Zusammenhang mit der *Daten*modellierung ist speziell die zusätzliche Interpretation der Beziehungen hilfreich. Während im SERM eine Beziehung lediglich eine Schlüsselreferenz darstellt, wird im SOM

- die *is_a*-Beziehung zur Darstellung von Generalisierung bzw. Spezialisierung,

- die *is_part_of*-Beziehung zur Darstellung von Aggregation bzw. Zerlegung und

- die *interacts_with*-Beziehung zur Darstellung von Nachrichtenkanälen zwischen Objekttypen

verwendet. Bei Verwendung dieser drei Beziehungsarten auch für SERM lassen sich zusätzliche Integritätsbedingungen und semantische Eigenschaften modellieren. Während zur Kennzeichnung von Generalisierungen im SERM das Dreieck-Symbol zur Verfügung steht, enthält SERM kein Symbol zur Kennzeichnung von Aggregationen. Hier kann die *is_part_of*-Beziehung verwendet werden. »Normale« Beziehungen werden dann in Form von *interacts_with*-Beziehungen modelliert. Bild 2.15 zeigt Beispiele für die drei SOM-Beziehungsarten.

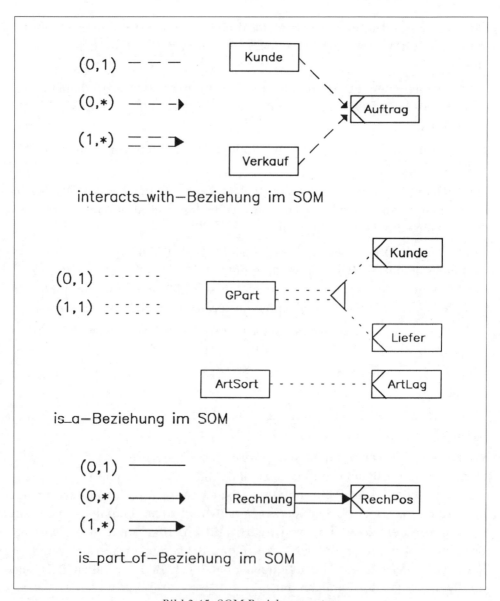

Bild 2.15: SOM-Beziehungsarten

Bild 2.16 zeigt die aus der Kombination von SERM-Beziehungen und SOM-Beziehungen ableitbaren Integritätsbedingungen, die als »harte« (stets, nie) oder »weiche« (häufig, selten) Bedingungen formuliert sind. Weitere Integritätsbedingungen können auch für die Schlüsselvererbung aufgestellt werden. Z.B. kann gefordert werden, daß im Zusammenhang mit *is_part_of*-Beziehungen stets die Vererbungsart PK verwendet wird.

| SOM-Beziehung | SERM-Beziehung | | | | |
	(0,1)	(0,*)	(1,*)	Generali-sierung	Kanten zu einem R-Typ
interacts_with	selten	häufig	selten	nie	stets
is_a	häufig	nie	nie	stets	nie
is_part_of	selten	häufig	häufig	nie	nie

Bild 2.16: Integritätsbedingungen zwischen SERM- und SOM-Beziehungen

3.3 Modellierung im SERM

Die konzeptuelle Datenmodellierung im SERM greift auf einen mehrjährigen praktischen Erfahrungshintergrund zurück. Eine Reihe von großen Herstellern und Anwendern verwenden SERM mit Erfolg zur Modellierung umfangreicher Schemata.

Die Modellierung umfangreicher Schemata ist ohne geeignete Werkzeugunterstützung nicht sinnvoll durchführbar. Am Lehrstuhl des Verfassers wurde ein speziell auf SERM ausgerichtetes Modellierungswerkzeug entwickelt, das für MS-DOS und MS-Windows verfügbar ist und derzeit für UNIX-Plattformen und X-Windows portiert wird. Dieses Werkzeug wird im folgenden als SERM-Tool bezeichnet. Außerdem steht mit dem Innovator (MID, Nürnberg) ein CASE-Tool zur Verfügung, das SERM unterstützt. Darüber hinaus ist das Modellierungsverständnis von SERM in eingeschränkter Weise auch mit Werkzeugen umsetzbar, die lediglich ERM unterstützen. Hier sind die Darstellungskonventionen von SERM auf freiwilliger Basis einzuhalten.

3.3.1 Das Modellierungsverständnis des SERM

Im Unterschied zum ERM, dessen Modellierungsverständnis auf der Abgrenzung von Entity-Typen und der Verknüpfung von Entity-Typen durch Relationship-Typen aufbaut, beruht das Modellierungsverständnis des SERM auf der Abgrenzung von Objekttypen (E-, ER- und R-Typen) und der Analyse von Existenzabhängigkeiten zwischen Objekttypen.

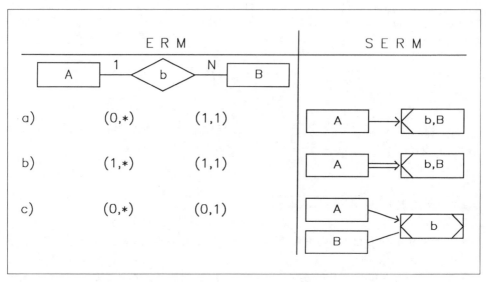

Bild 2.17: Beziehung versus Existenzabhängigkeit

Dieser Wechsel im Denkansatz von der *Analyse von Beziehungen* hin zur *Analyse von Existenzabhängigkeiten* wird in Bild 2.17 verdeutlicht. Das Bild zeigt eine 1:N-Beziehung zwischen zwei Entity-Typen A und B im ERM. Anhand der Präzisierung der Komplexität der Beziehung durch Angabe von Komplexitätsgraden in (min,max)-Notation werden die Existenzabhängigkeiten zwischen A und B deutlich. In Fall (a) besteht eine einseitige Existenzabhängigkeit zwischen dem E-Typ A und dem ER-Typ (b,B), der aus Sicht des ERM durch Zusammenfassung des E-Typs B und des R-Typs b entstand. Fall (b) zeigt eine wechselseitige Existenzabhängigkeit zwischen A und (b,B). In Fall (c) besteht schließlich keine Existenzabhängigkeit zwischen A und B, es hängt lediglich der R-Typ b einseitig sowohl von A als auch von B ab.

Bezüglich der Zuordnung von Attributen liegt dem SERM grundsätzlich das gleiche Modellierungsverständnis wie dem ERM zugrunde. Hier führt das SERM auf der zweiten Modellierungsebene zu einem Schema in vierter Normalform (4NF).

Die dritte Normalform (3NF) wird erreicht, indem jedem Objekttyp nur solche Attribute zugeordnet werden, die voll funktional und nicht-transitiv vom Primärschlüssel abhängen. Falls keine weiteren Abhängigkeiten als relevant betrachtet werden, sind die Relationstypen gleichzeitig in Boyce-Codd-Normalform (BCNF). Die funktionalen Abhängigkeiten zwischen den Objekttypen werden durch die (0,*)- und (1,*)-Beziehungen korrekt repräsentiert.

Zur Erreichung von 4NF ist sicherzustellen, daß kein Objekttyp mehrwertige Abhängigkeiten enthält. Dies kann nur bei ER- oder R-Typen auftreten, die mit wenigstens drei Vorgängern durch (0,*)- oder (1,*)-Beziehungen verbunden sind. Im SERM kann 4NF bereits auf der Ebene des SER-Diagramms durch einen sukzessiven Aufbau mehrstelliger Beziehungen sichergestellt werden. Bei jeder neuen Beziehung, zu deren Zielknoten bereits zwei oder mehr (0,*)- oder (1,*)-Beziehungen führen, ist zu prüfen, ob die neue Beziehung inhaltlich von allen bereits vorhandenen Beziehungen unabhängig ist oder nicht. Im Fall der Unabhängigkeit wird die Beziehung nicht eingetragen, sondern durch Einführung eines weiteren ER- bzw. R-Typs formuliert. Dies wird durch das Beispiel in Bild 2.18 verdeutlicht.

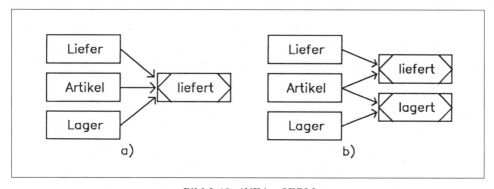

Bild 2.18: 4NF im SERM

Liefert ein Lieferant seine Artikel stets an bestimmte Läger, so ist die Modellierung in Bild 2.18(a) korrekt. Falls die Lieferung von Artikeln unabhängig davon erfolgt, in welchen Lägern diese geführt werden, so trifft die Modellierung in Bild 2.18(b) zu.

3.3.2 Beschreibung des Beispiels

Im folgenden soll nun anhand eines größeren Beispiels die Modellierung eines konzeptuellen Schemas im SERM gezeigt werden.

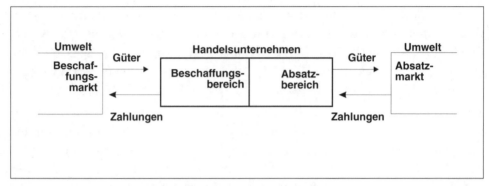

Bild 2.19: Beispiel »Handelsunternehmen«

Es ist das konzeptuelle Schema für ein einfaches Handelsunternehmen (Bild 2.19) zu modellieren. Das Handelsunternehmen führt ein bestimmtes Artikelsortiment. Kunden erteilen an das Handelsunternehmen Aufträge, wobei sich jede Auftragsposition auf einen bestimmten Artikel bezieht. Die Fakturierung der Aufträge erfolgt als Sammelfaktura, d.h. Auftragspositionen unterschiedlicher Aufträge können in einer Kundenrechnung berechnet werden.

Das Handelsunternehmen bestellt Artikel bei unterschiedlichen Lieferanten, deren Lieferkonditionen es verwaltet. Die Lieferanten berechnen die ausgelieferten Bestellungen, wobei eine Lieferantenrechnung wiederum Positionen unterschiedlicher Bestellungen enthalten kann.

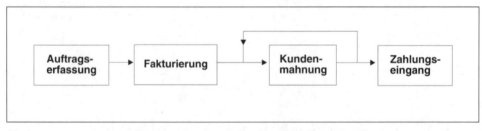

Bild 2.20: Vorgangskette eines Kundenauftrags

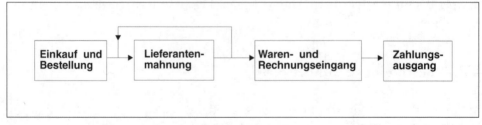

Bild 2.21: Vorgangskette einer Lieferantenbestellung

Ein Kundenauftrag durchläuft die in Bild 2.20 gezeigte Vorgangskette. Die Vorgangskette einer Lieferantenbestellung ist in Bild 2.21 dargestellt. Die Vorgänge *Kundenmahnung* und *Lieferantenmahnung* können übersprungen oder bei Bedarf mehrfach ausgeführt werden.

3.3.3 Modellierung des SER-Diagramms

Die Modellierung des Beispiels führt im Absatzbereich zu dem bereits bekannten Schema *Vertrieb*, bestehend aus den unabhängigen Objekttypen *Kunde* und *Artikel* sowie den abhängigen Objekttypen *Auftrag* und *KundRech*, die zur Erzielung von 3NF jeweils in Kopf und Positionen zerlegt werden.

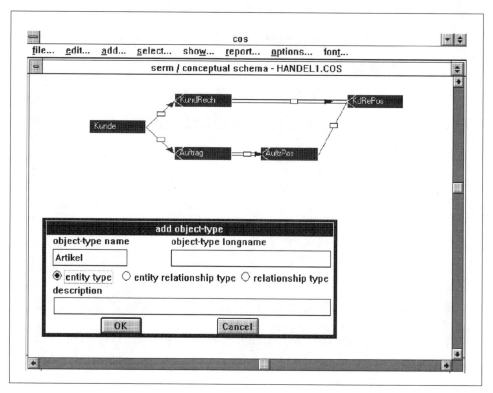

Bild 2.22: Anlegen des Objekttyps »Artikel«

Spiegelbildlich zum Absatzbereich wird der Beschaffungsbereich modelliert. Dieser enthält den unabhängigen Objekttyp *Liefer* (Lieferant), sowie Bestellungen (*Bestell*) und Lieferantenrechnungen (*LiefRech*). Zusätzlich werden zwischen *Artikel* und *Liefer* Lieferantenkonditionen (*LiefKond*) modelliert, wobei zu jedem Artikel stets mindestens eine Lieferantenkondition vorhanden sein muß.

Im folgenden wird die Modellierung des Beispiels unter Verwendung des SERM-Tools durchgeführt. Die Bilder geben ausgewählte Zwischenzustände der Modellierung wieder.

Bild 2.22 zeigt das Anlegen des Objekttyps *Artikel*. Die Beziehung zwischen *Artikel* und *AuftrPos* wird in Bild 2.23 angelegt.

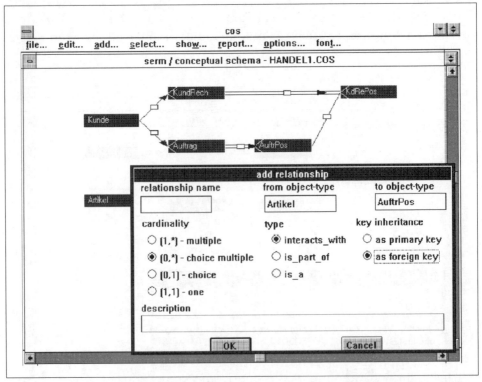

Bild 2.23: Anlegen einer Beziehung zwischen »Artikel« und »AuftrPos«

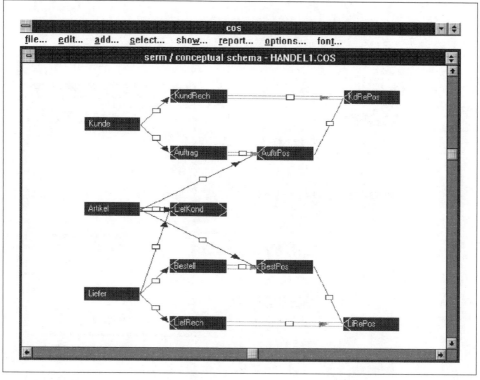

Bild 2.24: Fertiggestelltes SER-Diagramm »Handelsunternehmen«

Das fertige konzeptuelle Schema zum Beispiel *Handelsunternehmen* zeigt Bild 2.24. Damit ist die erste Modellierungsebene (SER-Diagramm) abgeschlossen.

3.3.4 Zuordnung von Attributen zu Objekttypen

Gegenstand der zweiten Modellierungsebene eines konzeptuellen Schemas im SERM ist die Zuordnung von Attributen zu Objekttypen. Diese erfolgt entweder simultan mit der Definition der Objekttypen und ihrer Beziehungen im SER-Diagramm oder geschlossen im Anschluß an die Fertigstellung der ersten Modellierungsebene.

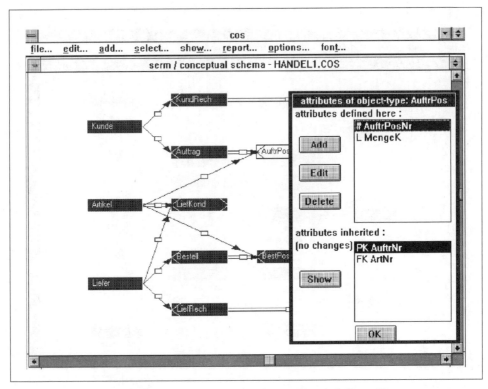

Bild 2.25: Definition von Attributen für »AuftrPos« (1)

Bild 2.25 zeigt die Zuordnung von Attributen zum Objekttyp *AuftrPos*. Deutlich sind die von anderen Objekttypen als Fremdschlüssel vererbten Attribute erkennbar. Das Attribut *AuftrNr* wurde von *Auftrag* vererbt (Vererbungsart PK), das Attribut *ArtNr* von *Artikel* (Vererbungsart FK).

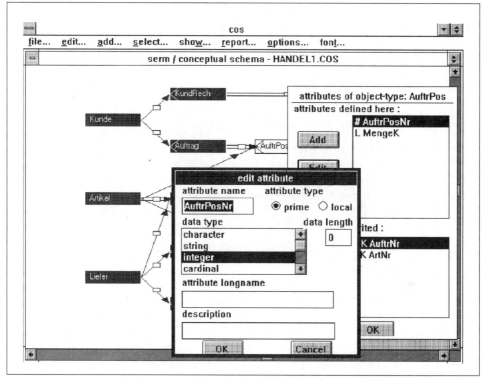

Bild 2.26: Definition von Attributen für »AuftrPos« (2)

Bild 2.26 zeigt die Festlegung des Wertebereichs für das Attribut *AuftrPosNr*. Einen Überblick über die Zuordnung von Attributen zu Objekttypen gibt Bild 2.27 in Form eines Ausschnitts aus der vom SERM-Tool generierten Attribut-liste.

```
===================== Serm - Version 2.0 ========================
Attributes report for schema: HANDEL1.COS

file: h1.txt
date: 29.04.1992
time: 13:47:00
=================================================================

obj-name            obj-type   (obj-XY)
  attrname              datatype(len)   attrtype          rootinfo


=================================================================

Kunde               E-type  (1,2)
  KundNr               integer         prime
  NameK                string (30)     local
  AnschriftK           string (50)     local
  SaldoK               float           local

Artikel             E-type  (1,5)
  ArtNr                integer         prime
  Bezeichnung          string (40)     local
  Bestand              float           local
  VK-Preis             float           local

Auftrag             ER-type  (2,3)
  AuftrNr              integer         prime
  BestNrK              string (20)     local
  AuftrDat             date            local
  KundNr               integer         prime             root: Kunde (foreign)

AuftrPos            ER-type  (3,3)
  AuftrPosNr           integer         prime
  MengeK               float           local
  ArtNr                integer         prime             root: Artikel (foreign)
  AuftrNr              integer         prime             root: Auftrag (primary)

KundRech            ER-type  (2,1)
  RechNrK              integer         prime
  RechDatK             date            local
  BetragK              float           local
  KundNr               integer         prime             root: Kunde (foreign)

KdRePos             ER-type  (4,1)
  RechPosK             integer         prime
  AuftrPosNr           integer         prime             root: AuftrPos (foreign)
  RechNrK              integer         prime             root: KundRech (primary)
  AuftrNr              integer         prime             root: Auftrag (foreign)

(...)
```

Bild 2.27: Attributliste zum Beispiel »Vertrieb« (Ausschnitt)

Zu jedem Zeitpunkt der Modellierung sind werkzeuggestützte Überprüfungen des Schemas möglich. Das SERM-Tool stellt hierzu umfangreiche Testfunktionen bereit, um die Vollständigkeit und Konsistenz des konzeptuellen Schemas sowohl für die erste als auch für die zweite Modellierungsebene zu überprüfen.

3.4 Spezielle Modellierungs- und Analyseeigenschaften des SERM

Gegenstand dieses Abschnitts ist eine detaillierte Darstellung der Eigenschaften des SERM. Gleichzeitig werden die Verbesserungen gegenüber dem ERM erläutert.

3.4.1 Existenzabhängigkeiten

Eine der zentralen Eigenschaften des SERM ist die Visualisierung der in einem Schema modellierten Existenzabhängigkeiten. Jede Beziehung zwischen zwei Objekttypen stellt eine Existenzabhängigkeit dar. Im SER-Diagramm werden

– einseitige Existenzabhängigkeiten durch einfache Kanten,
– wechselseitige Existenzabhängigkeiten durch doppelte Kanten

dargestellt. Durch die geometrische Anordnung der Knoten im SER-Diagramm werden Folgen von Existenzabhängigkeiten in ihrem gesamten Kontext dargestellt. Bei wechselseitigen Existenzabhängigkeiten gibt die Anordnung der Symbole die »Hauptrichtung« der Abhängigkeit an. In Bild 2.28 ist z.B. ein Auftrag Existenzvoraussetzung für mehrere Auftragspositionen, obwohl auch umgekehrt gilt, daß zumindest eine Auftragsposition Existenzvoraussetzung für einen Auftrag ist.

Die Analyse von Existenzabhängigkeiten und umgekehrt von Existenzvoraussetzungen wird vom SERM-Tool unterstützt. Für einen gegebenen Knoten eines SER-Diagramms wird die Menge der existenzabhängigen Knoten durch Berechnung der transitiven Hülle in Richtung der Existenzabhängigkeiten bestimmt. Zur Bestimmung der Existenzvoraussetzungen wird die transitive Hülle entgegen der Richtung der Existenzabhängigkeiten berechnet.

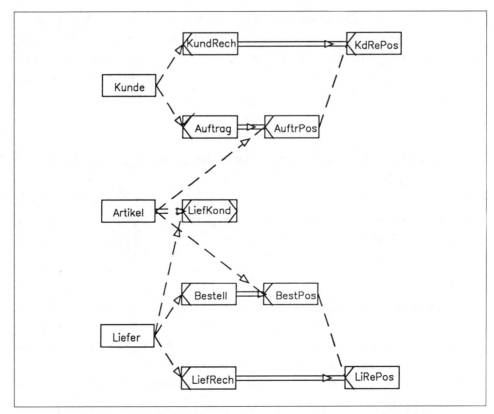

Bild 2.28: SER-Diagramm zum Beispiel »Handelsunternehmen«

Z.B. gehören zu den Existenzvoraussetzungen von *AuftrPos* (Bild 2.28) die Objekttypen *Auftrag*, *Kunde* und *Artikel* aufgrund von einseitigen Existenzabhängigkeiten. Aufgrund von wechselseitigen Existenzabhängigkeiten kommt der Objekttyp *LiefKond* hinzu, der wiederum aufgrund einer einseitigen Existenzabhängigkeit *Liefer* als Existenzvoraussetzung besitzt.

Im ERM sind Existenzabhängigkeiten lediglich in Form von schwachen Entity-Typen darstellbar. Dieses Konzept ist deshalb nicht ausreichend, da grundsätzlich für jeden Entity-Typ ein künstlicher Primärschlüssel (Surrogatschlüssel), z.B. in Form einer fortlaufenden Nummer, gebildet werden kann. Die Modellierung von Existenzabhängigkeiten zwischen Entity-Typen muß daher losgelöst von der Wahl des Primärschlüssels möglich sein. Im erweiterten ERM mit (min,max)-Notation sind Existenzabhängigkeiten präzise formulierbar, sie werden aber nicht hinreichend visualisiert.

Dies gilt insbesondere für mehrstufige Folgen von Existenzabhängigkeiten, an deren Anfang die »selbständigsten« Objekttypen und an deren Ende die Objekttypen mit den stärksten Abhängigkeiten auftreten.

Die Anordnung der Symbole in einem SER-Diagramm erfolgt aufgrund von Regel 2 in Verbindung mit dem beschriebenen Konzept der Existenzabhängigkeiten so, daß die originären Objekttypen topologisch links (nicht notwendigerweise geometrisch in einer Spalte), die Objekttypen mit den stärksten Abhängigkeiten rechts angeordnet werden.

Dies läßt das klassische Paradigma der Aufteilung von Objekttypen in Stamm- und Bewegungsdaten in neuem Licht erscheinen. Dieses wird unter dem Blickwinkel der Existenzabhängigkeiten verallgemeinert zu einer paarweisen Betrachtung der durch eine Beziehung verbundenen Objekttypen. In jedem dieser Paare symbolisiert der linksstehende Knoten den »stämmigeren«, der rechts stehende Knoten den »beweglicheren« Objekttyp. Angesichts der mit SER-Diagrammen im Vergleich zu ER-Diagrammen erreichbaren semantischen Aussagefähigkeit und Präzision drängt sich ein Vergleich mit der Programmentwicklung auf. Dort wurden durch den Übergang von Programmablaufplänen zu Struktogrammen ähnliche Effekte erzielt.

3.4.2 Vermeidung zyklischer Existenzabhängigkeiten

Im ERM ist es möglich, (versehentlich) einen Zyklus von einseitigen und/oder wechselseitigen Existenzabhängigkeiten zu modellieren. Ein derartiger Zyklus ist visuell nur schwer zu erkennen, wenn an ihm eine größere Anzahl von Objekttypen beteiligt ist.

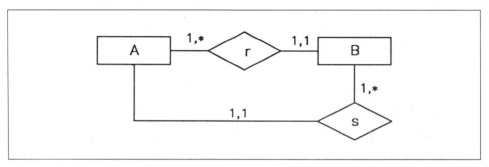

Bild 2.29: Zyklische Existenzabhängigkeiten im ERM

Ein Beispiel für einen Zyklus aus wechselseitigen Existenzabhängigkeiten ist in Bild 2.29 dargestellt. Dort gilt:

$$A \Leftrightarrow B \Leftrightarrow A$$

Bezeichnet man mit |X| die Mächtigkeit der Objektmenge eines Entity-Typs bzw. Relationship-Typs X, dann gilt:

$$|A| \leq |r| = |B| \leq |s| = |A|$$

Diese Ungleichung ist nur für den Fall erfüllt, daß alle Objektmengen die gleiche Mächtigkeit aufweisen. Die einzelnen Referenzbedingungen in Bild 2.29 geben somit einen Zuordnungsspielraum vor, der bei gleichzeitiger Beachtung aller Referenzbedingungen nicht ausgeschöpft werden kann. Die Modellierung ist daher inkonsistent.

Der genannte Zuordnungsspielraum ist dann ausschöpfbar, wenn an dem Zyklus eine einseitige Existenzabhängigkeit beteiligt ist, z.B. wenn in Bild 2.29 die (1,*)-Beziehung zwischen A und r in eine (0,*)-Beziehung abge-ändert wird:

$$A \Leftarrow B \Leftrightarrow A$$

Bild 2.30 zeigt eine konkrete Datenbasis zu dem nun entstandenen Schema. Die darin enthaltene zyklische Existenzabhängigkeit zeigt ihre Auswirkungen beim Einfügen bzw. Löschen von Datenobjekten. Soll im Beispiel etwa das Datenobjekt a_1 gelöscht werden, so bedeutet dies, daß zur Wiedererfül-lung der geltenden Referenzbedingungen auch alle anderen Datenobjekte aus der Datenbasis entfernt werden müssen.

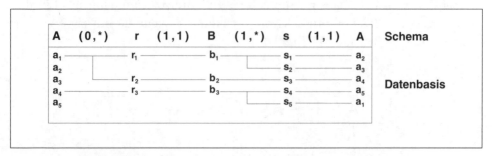

Bild 2.30: Datenbasis zum modifizierten Schema aus Bild 2.29

Zyklen von Existenzabhängigkeiten bedeuten Widersprüche in der Model-lierung. Warum ist es im SERM nicht möglich, einen derartigen Zyklus von Existenzabhängigkeiten zu modellieren? Hierzu wird versucht, das Beispiel aus Bild 2.29 vom ERM in das SERM zu übertragen. Dabei werden die durch

(1,1)-Beziehungen verknüpften R- und E-Typen zu je einem ER-Typ zusammengefaßt. Die beiden verbleibenden (1,*)-Beziehungen werden gemäß SER-Darstellungsregeln als Kanten »von Rechteck zu Raute« und »von links nach rechts« dargestellt. Dies ist nur für eine Kante möglich. Die zweite Kante müßte von rechts nach links gezeichnet werden (Bild 2.31). Die Modellierung eines Zyklus aus einseitigen und/oder wechselseitigen Existenzabhängigkeiten ist somit aufgrund der quasi-hierarchischen Struktur von SER-Diagrammen ausgeschlossen.

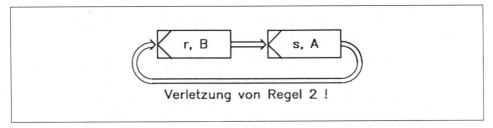

Bild 2.31: Vermeidung zyklischer Existenzabhängigkeiten im SERM

Bild 2.32 zeigt das Beispiel einer Ehebeziehung im SERM. Da der R-Typ *Ehe* mit zwei (1,1)-Beziehungen in Beziehung steht, ist eine Zusammenziehung zu einem ER-Typ ohne Verletzung der Symmetrie der Modellierung nicht möglich. Das Beispiel enthält keine zyklische Existenzabhängigkeit im Sinne von SERM, da jede (1,1)-Beziehung im Sinne der Existenzabhängigkeit von links nach rechts interpretiert wird. Die Modellierung verursacht auch keinerlei Probleme bezüglich der konsistenten Verwaltung einer zugehörigen Datenbasis. Da es sich um (1,1)-Beziehungen handelt, ist sowohl eine konsistente Datenbasis als auch deren konsistente Pflege gewährleistet. Z.B. werden im Fall einer Ehescheidung das betreffende Objekt zu *Ehe* sowie die zugehörigen Subobjekte zu *Ehefrau* und *Ehemann* aus der Datenbasis gelöscht.

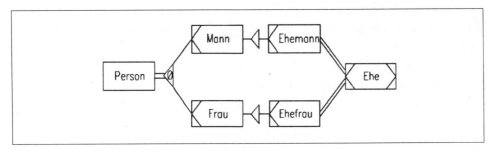

Bild 2.32: Ehebeziehung im SERM

3.4.3 Kreise, Schrauben und Ringe

Im vorigen Abschnitt wurde gezeigt, daß zyklische Existenzabhängigkeiten im SERM nicht modellierbar sind und damit eine Quelle von Inkonsistenzen ausgeschlossen ist. Aus graphentheoretischer Sicht ist ein Zyklus eine zusammenhängende Folge von gerichteten Kanten, die unter Beachtung der Kantenrichtung geschlossen ist. SER-Diagramme enthalten keinen Zyklus, da zu seiner Darstellung wenigstens eine Kante von rechts nach links verlaufen müßte. Ohne Beachtung der Kantenrichtung kann ein SER-Diagramm allerdings geschlossene Kantenfolgen enthalten. Eine solche Kantenfolge wird graphentheoretisch als Kreis bezeichnet.

Kreise in SER-Diagrammen sind mögliche Quellen redundanter Beziehungsstrukturen und bedürfen daher einer sorgfältigen Analyse. Der Kreis in Bild 2.33 enthält eine redundante Beziehung zwischen *Kunde* und *AuftrPos*. Die in dieser Beziehung enthaltene Information, die Zuordnung von Auftragspositionen zu einem Kunden, kann transitiv über die Beziehungen zwischen *Kunde* und *Auftrag* sowie zwischen *Auftrag* und *AuftrPos* abgeleitet werden.

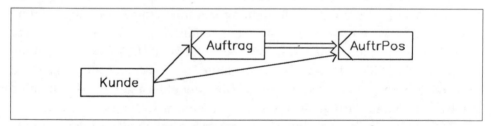

Bild 2.33: Kreisanalyse: redundante Beziehung

Dagegen ist in Bild 2.34, das einen Ausschnitt des Beispiels *Vertrieb* zeigt, keine der Beziehungen redundant. Beide Wege von *Kunde* zu *RechPos* enthalten unterschiedliche Informationen. Der eine Weg beschreibt die einzelnen Aufträge eines Kunden, deren Auftragspositionen und in welchen Rechnungspositionen diese berechnet wurden. Umgekehrt beschreibt der andere Weg die Rechnungen eines Kunden, deren Rechnungspositionen und welche Auftragspositionen diese berechnen.

Die Kreisanalyse macht aber hier eine weitere Integritätsbedingung deutlich: Die Schlüsselreferenzen zwischen den Objekten der am Kreis beteiligten Objekttypen müssen stets die in Bild 2.34 gezeigte Ringstruktur erfüllen. Dadurch wird verhindert, daß Auftragspositionen, die zu Aufträgen eines Kunden A gehören, in Rechnungspositionen von Rechnungen eines Kunden B berechnet werden.

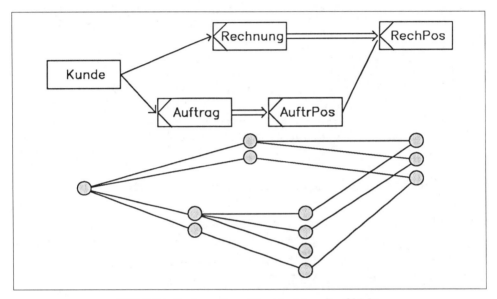

Bild 2.34: Kreisanalyse: Ringstruktur der Objekte

Bild 2.35 zeigt eine weitere Kreisstruktur. Zugunsten eines Kontos A wird ein Scheckeinreichungsauftrag (*ScheckEin*) mit ggf. mehreren Schecks (*Scheck*) erteilt, die den Konten B, C usw. belastet werden sollen. Auch hier ist keine der Beziehungen redundant. Im Gegensatz zu Bild 2.34 liegt hier auf Instanzenebene eine Schraubenstruktur vor. Jeder Scheck wird einem bestimmten Konto gutgeschrieben und einem anderen Konto belastet.

Das im Abschnitt 3.3.3 eingeführte Werkzeug zum SERM unterstützt die Kreisanalyse durch Auffinden aller in einem SER-Diagramm enthaltenen Kreise. Diese werden nach ihrer Weglänge aufsteigend sortiert angeboten.

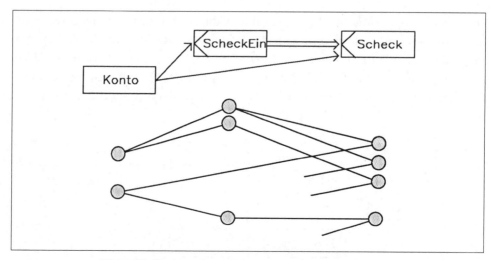

Bild 2.35: Kreisanalyse: Schraubenstruktur der Objekte

3.4.4 Strukturtransformation in das Relationenmodell

Im ERM wird jeder Entity-Typ und jeder Relationship-Typ durch Zuordnung von Attributen detailliert. Jeder Entity-Typ besitzt einen Primärschlüssel. Der Primärschlüssel eines Relationship-Typs setzt sich aus den Primärschlüsseln der verknüpften Entity-Typen zusammen.

Der Übergang von einem konzeptuellen Schema im ERM zum Relationenmodell ist nun grundsätzlich dadurch möglich, daß jeder Entity-Relationstyp und jeder Relationship-Relationstyp als Relationstyp eines Datenbankschemas im Relationenmodell implementiert wird. Dabei ergibt sich allerdings in der Regel eine größere Anzahl an Relationstypen als nötig. Unnötige Relationstypen führen u.a. zu Laufzeitnachteilen bei der Verknüpfung von Relationen mit Hilfe des Verbund-Operators (Join).

Ursächlich für die unnötigen Relationstypen im ERM sind u.a. Entity- und Relationship-Typen, die durch eine (1,1)-Beziehung verbunden sind. Diese können im Relationenmodell ohne Verlust an Normalisierung zu einem Relationstyp zusammengefaßt werden.

Der Zusammenhang wird anhand der Beispiele in Bild 2.6 und Bild 2.11 deutlich. Im ERM (Bild 2.6) entstehen sieben Relationstypen, vier Entity-Relationstypen

Kunde(<u>KundNr</u>,...)
Auftrag(<u>AuftrNr</u>,...)
AuftrPos(<u>AuftrNr,AuftrPosNr</u>,...)
Artikel(<u>ArtNr</u>,...)

und drei Relationship-Relationstypen

Kunde-Auftrag(<u>KundNr,AuftrNr</u>)
Auftrag-AuftrPos(<u>AuftrNr,AuftrPosNr</u>)
Artikel-AuftrPos(<u>ArtNr,AuftrNr,AuftrPosNr</u>).

Durch die Einführung des ER-Typs im SERM werden Paare von E- und R-Typen, die durch eine (1,1)-Beziehung verknüpft sind, bereits auf konzeptueller Ebene zusammengefaßt und führen damit zu genau einem Relationstyp auf der Ebene des Datenbankschemas. Dadurch werden die Relationship-Relationstypen *Kunde-Auftrag*, *Auftrag-AuftrPos* und *Artikel-AuftrPos* überflüssig. Das Schema in Bild 2.11 führt zu folgenden Relationstypen:

Kunde(<u>KundNr</u>,...)
Auftrag(<u>AuftrNr</u>,...,KundNr)
AuftrPos(<u>AuftrNr,AuftrPosNr</u>,...,ArtNr)
Artikel(<u>ArtNr</u>,...)

Die Attribute *KundNr* in *Auftrag* und *ArtNr* sowie *AuftrNr* in *AuftrPos* stellen Fremdschlüssel dar. Dabei ist *AuftrNr* Bestandteil des Primärschlüssels von *AuftrPos*. *AuftrPos* ist in der Terminologie des ERM ein schwacher Entity-Typ, da mit seinen eigenen (natürlichen) Attributen kein Schlüssel gebildet werden kann.

Die quasi-hierarchische Struktur der ersten Modellierungsebene bleibt somit auf der zweiten Modellierungsebene erhalten. Jede Schlüsselreferenz zwischen zwei in Beziehung stehenden Relationstypen wird durch Attribute des im SER-Diagramm rechts angeordneten Objekttyps realisiert. Kein Objekt eines rechts angeordneten Objekttyps kann ohne ein zugehöriges Objekt des links angeordneten Objekttyps existieren. Für den Einsatz eines relationalen Datenbanksystems, wo Objekte als Tupel (Zeilen) einer Relation dargestellt werden, folgt daraus, daß in den Spalten der Fremdschlüsselattribute keine Nullwerte auftreten können.

```
REM  ddl specification of:  O R A C L E
REM  conceptual objectschema: c:\som\handel1.cos
REM  date: 28.04.1992
REM  time: 19:15:47
REM  ================================================================

CREATE TABLE Kunde
                        (
                        KundNr INTEGER NOT NULL,
                        NameK CHAR(30),
                        AnschriftK CHAR(50),
                        SaldoK FLOAT
                        );

CREATE UNIQUE INDEX IxKunde
                        ON Kunde (KundNr ASC);

CREATE TABLE Artikel
                        (
                        ArtNr INTEGER NOT NULL,
                        Bezeichnung CHAR(40),
                        Bestand FLOAT,
                        VK-Preis FLOAT
                        );

CREATE UNIQUE INDEX IxArtikel
                        ON Artikel (ArtNr ASC);

CREATE TABLE Auftrag
                        (
                        KundNr INTEGER NOT NULL,
                        AuftrNr INTEGER NOT NULL,
                        BestNrK CHAR(20),
                        AuftrDat DATE
                        );

CREATE UNIQUE INDEX IxAuftrag
                        ON Auftrag (AuftrNr ASC);

CREATE TABLE AuftrPos
                        (
                        ArtNr INTEGER NOT NULL,
                        AuftrNr INTEGER NOT NULL,
                        AuftrPosNr INTEGER NOT NULL,
                        MengeK FLOAT
                        );

CREATE UNIQUE INDEX IxAuftrPos
                        ON AuftrPos (AuftrNr ASC, AuftrPosNr ASC);

CREATE TABLE KundRech
                        (
                        KundNr INTEGER NOT NULL,
                        RechNrK INTEGER NOT NULL,
                        RechDatK DATE,
                        BetragK FLOAT
                        );
```

Bild 2.36: Datenbankschema »Vertrieb« (Ausschnitt)

```
CREATE UNIQUE INDEX IxKundRech
                ON KundRech (RechNrK ASC);

CREATE TABLE KdRePos
                (
                AuftrNr INTEGER NOT NULL,
                AuftrPosNr INTEGER NOT NULL,
                RechNrK INTEGER NOT NULL,
                RechPosK INTEGER NOT NULL
                );

CREATE UNIQUE INDEX IxKdRePos
                ON KdRePos (RechNrK ASC, RechPosK ASC);
(...)

REM END OF DDL-SPECIFICATION
```

Bild 2.36 (Fortsetzung): Datenbankschema »Vertrieb« (Ausschnitt)

Aus der Datenbanktheorie sind zwei Arten von Nullwerten bekannt: (1) Wert existiert, ist aber zur Zeit nicht bekannt und (2) Wert existiert nicht. Im vorliegenden Zusammenhang handelt es sich um die zweite Art von Nullwerten. Da Nullwerte eine Reihe methodischer und praktischer Probleme verursachen, sollten sie nach Möglichkeit vermieden werden. Für Primärschlüsselattribute sind Nullwerte ohnehin nicht zulässig.

Bild 2.36 zeigt einen zur Attributliste aus Bild 2.27 korrespondierenden Ausschnitt des Datenbankschemas, das mit Hilfe des SERM-Tools für das Datenbankmanagementsystem ORACLE generiert wurde. Hier wurde jeder Objekttyp des konzeptuellen Schemas in einen Relationstyp des Datenbankschemas transformiert. Darüber hinaus bietet das SERM-Tool auch die Möglichkeit, Generalisierungshierarchien nach unterschiedlichen Kriterien zu aggregieren sowie Objekttypen, die durch (0,1)-Beziehungen verknüpft sind, unter bewußter Inkaufnahme von Nullwerten zusammenzufassen.

3.4.5 SERM-Meta-Modell

Zum Abschluß der Darstellung der speziellen Modellierungs- und Analyseeigenschaften von SERM wird nun das SERM-Meta-Modell vorgestellt (Bild 2.37). Dieses stellt eine Beschreibung von SERM mit Hilfe von SERM dar.

Jeder Objekttyp (*Node*) wird beschrieben durch seinen Typ (*Type*), einen Primärschlüssel (*PrimKey*), ggf. mehrere Nichtschlüsselattribute (*Attr*) und ggf. mehrere Fremdschlüssel (*ForKey*). Jede Beziehung (*Edge*) verknüpft zwei Objekttypen (parallele Kanten zwischen *Node* und *Edge*). Eine Bezie-

113

hung wird beschrieben durch ihre Konnektivität (*Connect*), ihre Komplexität (*Card*), ihre SOM-Interpretation (*SOM-Type*) und die Art der Schlüsselvererbung (*ForKey*). Im unteren Teil von Bild 2.37 ist die Primärschlüsselvererbung geregelt.

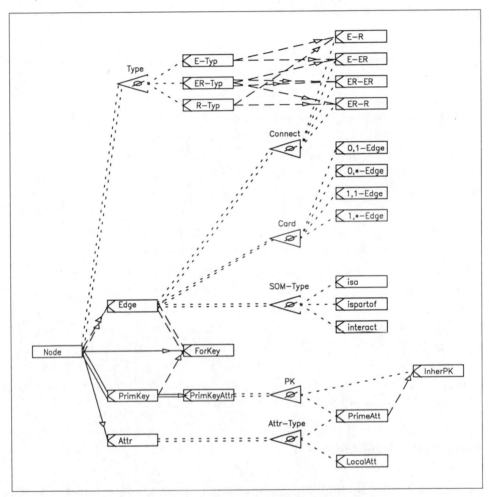

Bild 2.37: SERM-Meta-Modell

4 Kopplung von Datenmodellierung und Funktionsmodellierung durch Spezifikation fachlicher externer Schemata

Dieser letzte Abschnitt der Arbeit beschäftigt sich mit der Zusammenführung von Datenmodellierung und Funktionsmodellierung in der Analysephase der Anwendungsentwicklung. Mit Blick auf marktgängige CASE-Tools dominieren als Meta-Modelle im Bereich Funktionsmodellierung die Strukturierte Analyse (SA) (siehe z.B. [MEPA 88]) und im Bereich Datenmodellierung Varianten des Entity-Relationship-Modells (ERM).

4.1 Methodische Kopplung von SA und ERM

SA und ERM sind zu unterschiedlichen Zeitpunkten entstanden und unterstützen unterschiedliche Sichten auf ein Anwendungssystem. Eine methodisch durchgängige Kopplung der beiden Meta-Modelle ist daher problematisch.

Bild 2.38 zeigt im linken Bereich das Hierarchiemodell von SA. Auf der obersten Ebene wird die Gesamtfunktion des Anwendungssystems mit ihren Umweltschnittstellen in einem Kontextdiagramm dargestellt. Auf den nächsten Hierarchieebenen wird diese Gesamtfunktion (0) hierarchisch in (Teil-) Funktionen (1, 2, ...; 1.1, 1.2, ...) zerlegt. Die Schnittstellen zwischen Funktionen werden durch Datenflüsse beschrieben. Zur Pufferung von Datenflüssen stehen Speicher zur Verfügung. Auf den Blattknoten der Funktionszerlegung werden die einzelnen Teilfunktionen in Form von Mini-Spezifikationen (Mini-Spec) definiert.

Der rechte Teil von Bild 2.38 zeigt einen Ausschnitt aus einem ER-Diagramm. Die Kopplung zwischen SA und ERM, wie sie im allgemeinen von CASE-Tools unterstützt wird, besteht nun darin, einer (Teil-) Funktion, einem Datenfluß oder einem Speicher einen bestimmten Ausschnitt eines ER-Diagramms zuzuordnen. Dieser Ausschnitt ist grundsätzlich frei wählbar. Eine Evaluierung der Zuordnung ist lediglich anhand des Fachverständnisses des Modellierers durchführbar.

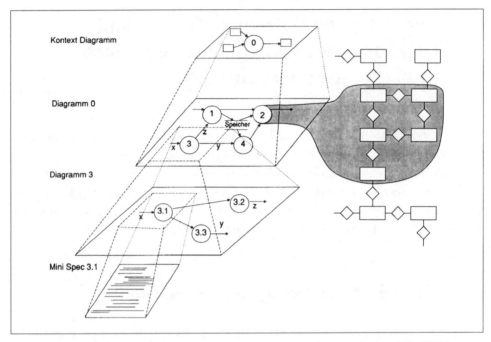

Bild 2.38: Strukturierte Analyse (SA) und Entity-Relationship-Modell (ERM)

Diese Form der Kopplung ist aus methodischer Sicht unzureichend. Jeder Ausschnitt eines ER-Diagramms bildet einen Rahmen für die auf diesem Ausschnitt zulässigen Funktionen, d.h. für die Datenmanipulationen dieser Funktionen. Die Zulässigkeit von Datenmanipulationen wird anhand der Abgrenzung des Ausschnitts des konzeptuellen Schemas und der in diesem Ausschnitt geltenden Integritätsbedingungen entschieden. Im folgenden wird ein Vorschlag unterbreitet, diesen Rahmen der zulässigen Funktionalität präzise und werkzeuggestützt zu beschreiben.

Bild 2.39 zeigt einen Ausschnitt des konzeptuellen Schemas *Vertrieb* im SERM und darüber die SA-Funktion *Auftragserfassung* mit den Input-Datenflüssen *Kundendaten* und *Artikeldaten* sowie dem Output-Datenfluß *Auftragsdaten*.

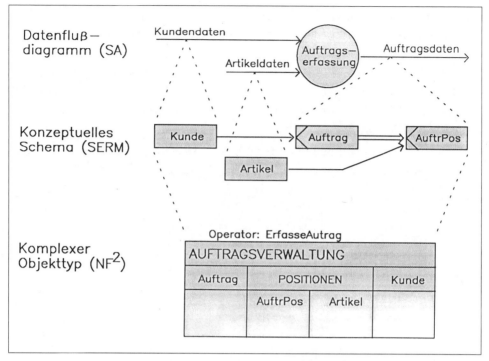

Datenfluß— diagramm (SA)

Kundendaten

Artikeldaten

Auftrags— erfassung

Auftragsdaten

Konzeptuelles Schema (SERM)

Kunde   Auftrag   AuftrPos

Artikel

Komplexer Objekttyp (NF^2)

Operator: ErfasseAutrag

AUFTRAGSVERWALTUNG		
Auftrag	POSITIONEN	Kunde
	AuftrPos	Artikel

Bild 2.39: Komplexer Objekttyp »Auftragsverwaltung«

Bezüglich der Zuordnung zwischen der SA-Funktion bzw. ihren Datenflüssen und dem SER-Diagramm gelten nun folgende Überlegungen zur Kopplung zwischen Funktions- und Datenmodellierung:

1. Jeder SA-Datenfluß enthält nur solche Attribute, die sich auf eine lückenlos zusammenhängende Folge von SERM-Objekttypen beziehen. Anderenfalls wäre die Beziehung zwischen den Attributen, d.h. der Datenfluß aus fachlicher Sicht, nicht interpretierbar.

2. Die in einer SA-Funktion verknüpften Datenflüsse beschreiben im SERM-Schema einen lückenlos zusammenhängenden Teilgraphen. Anderenfalls wäre die SA-Funktion aus der Sicht des SERM-Schemas, d.h. aus fachlicher Datensicht, nicht interpretierbar.

Aufgrund dieser beiden Überlegungen ist nun im Beispiel von Bild 2.39 folgende Transformation der Fragestellung möglich. Aus der Sicht von SA transformiert die Funktion *Auftragsverwaltung* die Input-Datenflüsse *Kundendaten* und *Artikeldaten* in den Output-Datenfluß *Auftragsdaten*. Aus der Sicht von SERM wird der zugrundegelegte Ausschnitt des SERM-Schemas in den komplexen Objekttyp *Auftragsverwaltung* transformiert, auf dem der Operator *ErfasseAuftrag* durchgeführt wird.

Bild 2.40 zeigt weitere Beispiele für fachliche externe Schemata auf der Basis des konzeptuellen Schemas *Handelsunternehmen* aus Bild 2.28.

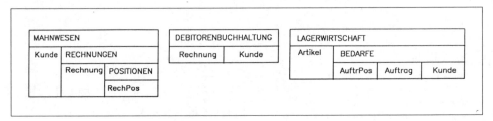

Bild 2.40 Beispiele für weitere fachliche externe Schemata

4.2 Modellierung komplexer Objekttypen als externe Schemata im NF²-Relationenmodell

Der komplexe Objekttyp *Auftragsverwaltung* stellt ein fachliches externes Schema (View-Schema) für die SA-Funktion *Auftragserfassung* dar. Zur Darstellung des komplexen Objekttyps wird das NF²-Relationenmodell verwendet (NF² = NF * NF = Non First Normal Form) (siehe z.B. [SCSC 86]). Dieses unterscheidet sich vom (flachen) Relationenmodell durch den Verzicht auf die erste Normalform. Der Wertebereich eines Attributs enthält nicht notwendig elementare Werte, sondern kann aus Werten bestehen, die selbst wiederum Tabellen sind. Z.B. ist in Bild 2.39 ein Wert des Attributs *POSITIONEN* eine Tabelle mit Werten zu den einzelnen Auftragspositionen eines Auftrags samt ihren zugehörigen Artikeln.

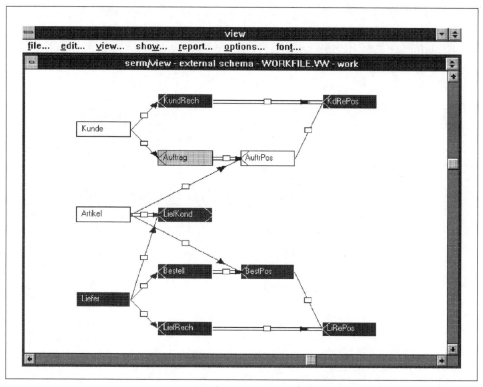

Bild 2.41: Spezifikation des SERM-Teilgraphen für den komplexen Objekttyp
»Auftragsverwaltung«

Die Spezifikation des komplexen Objekttyps wird nun unter Verwendung des SERM-Tools durchgeführt. Bild 2.41 zeigt die Spezifikation des SERM-Teilgraphen. Hierzu wird zunächst der SERM-Objekttyp *Auftrag* als Wurzelknoten und Bezugspunkt der Auftragsverwaltung festgelegt. Anschließend werden alle weiteren, zur Auftragsverwaltung benötigten Objekttypen auf einem eindeutigen Weg in den Teilgraphen aufgenommen. Bild 2.42 zeigt den Teilgraphen in hierarchischer Darstellung.

Neben der Abgrenzung des Teilgraphen kann die Spezifikation des komplexen Objekttyps Einschränkungen der auf den einzelnen SERM-Objekttypen zulässigen Manipulationsoperatoren (Insert, Update, Delete) umfassen. Im folgenden wird angenommen, daß im Rahmen der Auftragsverwaltung weder Insert- noch Delete-Operationen auf *Kunde* und *Artikel* zulässig sein sollen (Bild 2.42).

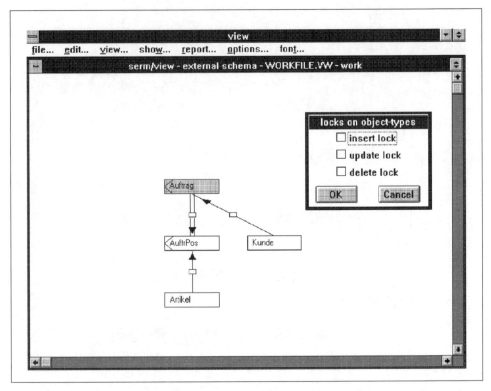

Bild 2.42: SERM-Teilgraph für den komplexen Objekttyp »Auftragsverwaltung« in hierarchischer Darstellung

4.3 Werkzeuggestützte Generierung komplexer Objekttypen und der zugehörigen Operatoren

Aus der beschriebenen Spezifikation wird nun mit Hilfe des SERM-Tools eine fachliche Beschreibung des komplexen Objekttyps *Auftragsverwaltung* generiert (Bild 2.43). Unter mehreren Möglichkeiten wurde Modula-2 als Pseudo-Sprache gewählt (zum generierten Text siehe Bild 2.44). Die Auftragspositionen zu einem Auftrag werden als »offenes Array« mit dem Symbol »##« als Obergrenze des Indexbereichs dargestellt.

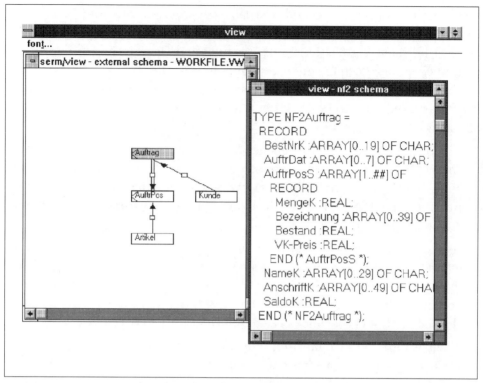

Bild 2.43: Generierung des komplexen Objekttyps »Auftragsverwaltung«

```
TYPE NF2Auftrag =
 RECORD
  BestNrK :ARRAY[0..19] OF CHAR;
  AuftrDat :ARRAY[0..7] OF CHAR;
  AuftrPosS :ARRAY[1..##] OF
   RECORD
    MengeK :REAL;
    Bezeichnung :ARRAY[0..39] OF CHAR;
    Bestand :REAL;
    VK-Preis :REAL;
   END (* AuftrPosS *);
  NameK :ARRAY[0..29] OF CHAR;
  AnschriftK :ARRAY[0..49] OF CHAR;
  SaldoK :REAL;
 END (* NF2Auftrag *);
```

Bild 2.44: Komplexer Objekttyp »Auftragsverwaltung«

Ein Operator auf einem komplexen Objekttyp besteht aus einer Folge von Operatoren auf den im komplexen Objekttyp enthaltenen SERM-Objekttypen. Die Ableitung des Rahmens für zulässige Operatorfolgen beruht auf dem Konzept der Fortpflanzung von Operatoren. Dieses Fortpflanzungskonzept kann hier nur anhand eines Beispiels erläutert werden. Eine ausführliche Darstellung ist in [SINZ 87] enthalten. Es werden drei Arten der Fortpflanzung unterschieden:

- Unbedingte Fortpflanzung. Beispiel: Wird eine Insert-Operation auf einem Objekt des Typs *Auftrag* durchgeführt, so muß auch mindestens ein Objekt des Typs *AuftrPos* in die Datenbasis eingefügt werden. Falls dies nicht verfügbar ist, wird der gesamte Operator *ErfasseAuftrag* abgebrochen und zurückgesetzt.

- Bedingte Fortpflanzung. Beispiel: Wird ein Objekt des Typs *Auftrag* eingefügt, so muß geprüft werden, ob das zugehörige Objekt des Typs *Kunde* bereits in der Datenbasis existiert. Falls nicht, muß dieses aufgenommen werden. Falls, wie hier, die Operation *Insert* auf *Kunde* gesperrt ist, erfolgt Abbruch und Rücksetzen des gesamten Operators *ErfasseAuftrag*.

- Datengesteuerte Fortpflanzung. Beispiel: Obwohl zur Erfüllung der Referenzbedingungen nur eine Auftragsposition je Auftrag erforderlich ist, sollen auch alle anderen, von der Anwendung bereitgestellten Auftragspositionen aufgenommen werden.

Eine Fortpflanzung von Operatoren auf SERM-Objekttypen, die nicht im Teilgraph enthalten sind, wird ausgeschlossen (Prohibit-Regel). Dadurch wird sichergestellt, daß die Operatoren frei von unerwünschten Seiteneffekten sind.

Bild 2.45 zeigt nun die mit Hilfe des SERM-Tools in der Notation von Modula-2 generierten Ablaufstrukturen für die Operatoren Fetch (*LeseAuftrag*) und Insert (*ErfasseAuftrag*).

```
(*Fetch-Operator*)
IF NOT UserSupplied(Auftrag) THEN Abort; RETURN END;
dbFetch(Auftrag);
REPEAT
  dbFetch(AuftrPos);
  dbFetch(Artikel); (*f,rl,cm*)
UNTIL NOT Referenced(AuftrPos,Auftrag) (*f,lr,m*);
dbFetch(Kunde); (*f,rl,cm*)
```

Bild 2.45: Operatoren »LeseAuftrag« und »ErfasseAuftrag«

```
(*Insert-Operator*)
TrBegin;
IF NOT UserSupplied(Auftrag) THEN Abort; RETURN END;
dbInsert(Auftrag);
IF NOT UserSupplied(AuftrPos) THEN Abort; RETURN END;
REPEAT
 dbInsert(AuftrPos);
 IF UserSupplied(Artikel) THEN
   IF ExistsInDB(Artikel) THEN
    dbUpdateLocal(Artikel);
   ELSE
    Abort; RETURN (*Insert Lock on Artikel*);
   END;
 ELSE
   Abort; RETURN
 END (*i,rl,cm*);
UNTIL NOT UserSupplied(AuftrPos) (*i,lr,m*);
IF UserSupplied(Kunde) THEN
 IF ExistsInDB(Kunde) THEN
   dbUpdateLocal(Kunde);
 ELSE
   Abort; RETURN (*Insert Lock on Kunde*);
 END;
ELSE
 Abort; RETURN
END (*i,rl,cm*);
Commit;
```

Bild 2.45 (Fortsetzung): Operatoren »LeseAuftrag« und »ErfasseAuftrag«

In den Ablaufstrukturen werden folgende Operatoren verwendet:

- *TrBegin, Commit, Abort* (Steuerung von Datenbanktransaktionen).
- *dbFetch, dbInsert, dbUpdateLocal, dbDelete* (Operatoren zum Lesen und Manipulieren von Teilobjekten der Datenbasis).
- *UserSupplied* (Prädikat zum Testen der Verfügbarkeit von Teilobjekten eines komplexen Objekts).
- *Referenced* (Prädikat zum Testen der Schlüsselreferenz zwischen Teilobjekten in der Datenbasis).
- *ExistsInDB* (Prädikat zum Testen der Existenz von Teilobjekten in der Datenbasis).

Die generierten Ablaufstrukturen bilden aus der Sicht von SA den Rahmen für die Mini-Spezifikationen der jeweiligen Funktionen. Diese Spezifikationen sind vollständig und korrekt bezüglich der zugrundeliegenden fachlichen Datensicht.

5 Literatur

[CHEN 76]
CHEN P.P.-S.:
The Entity-Relationship Model –
Toward a Unified View of Data. In:
ACM Transactions on Database
Systems, Vol. 1, No. 1,
March 1976, 9 – 36

[CHEN 83]
CHEN P.P.-S.:
A Preliminary Framework for
Entity-Relationship Models. In:
Chen P.P.-S. (ed.): Entity-Relation-
ship Approach to Information
Modeling and Analysis. Proc. 2.
Int. Conf. on Entity-Relationship
Approach 1981. North-Holland,
Amsterdam 1983, 19 – 28

[FESI 90]
FERSTL O.K., SINZ E.J.:
Objektmodellierung betrieblicher
Informationssysteme im Semanti-
schen Objektmodell (SOM). In:
Wirtschaftsinformatik 6/90 (1990),
566 – 581

[FESI 91]
FERSTL O.K., SINZ E.J.:
Ein Vorgehensmodell zur Objektmodellierung betrieblicher Informationssysteme im Semantischen
Objektmodell (SOM). In: Wirtschaftsinformatik 6/91 (1991),
477 – 491

[GEB 87]
GEBHARDT F.:
Semantisches Wissen in Daten-
banken – Ein Literaturbericht. In:
Informatik-Spektrum, Band 10,
Heft 2, April 1987, 79 – 98

[HUKI 87]
HULL R., KING R.:
Semantic Database Modeling:
Survey, Applications, and Rese-
arch Issues. In: ACM Computing
Surveys, Vol. 19, No. 3, September
1987, 201 – 260

[MEI 92]
MEIER A.:
Relationale Datenbanken.
Springer, Berlin 1992

[MEPA 88]
MCMENAMIN S.M.,
PALMER J.F.:
Strukturierte Systemanalyse.
Hanser, München 1988

[NEU 75]
NEUMANN K.:
Operations Research Verfahren
Band III, Graphentheorie,
Netzplantechnik. München 1975

[PEMA 88]
PECKHAM J., MARYANSKI F.:
Semantic Data Models. In: ACM
Computing Surveys, Vol. 20, No. 3,
September 1988, 153 – 189

[SCSC 86]
SCHEK H.-J., SCHOLL M.H.:
The Relational Model with
Relation-Valued Attributes. In:
Information Systems, Vol. 11, No. 2
(1986), 137 – 147

[SCST 83]
SCHLAGETER G., STUCKY W.:
Datenbanksysteme: Konzepte und
Modelle. 2. Auflage, Teubner-
Verlag, Stuttgart 1983

[SINZ 87]
SINZ E.J.:
Datenmodellierung betrieblicher
Probleme und ihre Unterstützung
durch ein wissensbasiertes
Entwicklungssystem. Habilita-
tionsschrift, Regensburg 1987

[SINZ 88]
SINZ E.J.:
Das Strukturierte Entity-Relation-
ship-Modell (SER-Modell). In:
Angewandte Informatik 5/1988,
191 – 202

[SINZ 89]
SINZ E.J.:
Konzeptionelle Datenmodellie-
rung im Strukturierten Entity-
Relationship-Modell (SER-Modell).
In: Müller-Ettrich G. (Hrsg.):
Effektives Datendesign. Verlag
Müller, Köln 1989, 76 – 108

[SMSM 77]
SMITH J.M., SMITH D.C.P.:
Database Abstractions: Aggrega-
tion and Generalization. In: ACM
Transactions on Database
Systems, Vol. 2, No. 2, June 1977,
105 – 133

[SSW 80]
SCHEUERMANN P.,
SCHIFFNER G., WEBER H.:
Abstraction Capabilities and
Invariant Properties within the
Entity-Relationship Approach. In:
Chen P.P. (ed.): Entity-Relation-
ship Approach to Systems Analysis
and Design. Proceedings of the
International Conference on
Entity-Relationship Approach to
Systems Analysis and Design 1979,
Amsterdam 1980, 121 – 140

[TEO+ 87]
TEOREY T.J.,
YANG D., FRY J.P.:
A Logical Design Methodology for
Relational Databases Using the
Extended Entity-Relationship
Model. In: ACM Computing
Surveys, Vol. 18, No. 2, June 1986,
197 – 222. See also: Surveyors'
Forum. ACM Computing Surveys,
Vol. 19, No. 2, June 1987, 191 – 193

[VRT 82]
VINEK G.,
RENNERT P.F., TJOA A.M.:
Datenmodellierung: Theorie und
Praxis des Datenbankentwurfs.
Physica-Verlag, Würzburg 1982

[ZEHN 85]
ZEHNDER C.A.:
Informationssysteme und Daten-
banken. 3. Auflage, Teubner-
Verlag, Stuttgart 1985

TEIL III

MISTELBAUER

Vom Datenmodell zur Datenintegration
Datenmanagement im Industriebetrieb

1   Datenmanagement als strategisches Konzept

Datenmanagement als Teil des Informationsmanagements

Datenmanagement ist ein Begriff, der zumindest seit Beginn der 80er Jahre in deutschen Unternehmen etabliert ist und seitdem zunehmend an Bedeutung gewann. In einem Unternehmensbereich von MBB z.B. wurde 1984 eine entsprechende Stelle eingerichtet, die der Verfasser von Beginn bis 1991 leitete. Auch sie stellte entsprechend der begrifflichen Einordnung von Ortner [ORT 91] die Weiterentwicklung einer bis dahin projektmäßig betriebenen Datenadministration und einen weiteren Schritt in der Betonung der Datenorientierung der IV-Anwendungen dar.

Schwarze [SCHW 90] beschreibt Datenmanagement als Teilaufgabe des Informationsmangements sowohl im strategischen als auch im administrativ-operativen Bereich und betont die »Notwendigkeit für das strategische Datenmanagement, anwendungsunabhängige Datenmodelle und -strukturen zu konzipieren und darauf aufbauend die speziellen Datenbedürfnisse der einzelnen Anwendungen festzulegen«.

Auch Schulte [SCHU 87] erkennt in der Tendenz zu fachbereichsübergreifenden Anwendungssystemen einen wesentlichen Anlaß für die Auseinandersetzung mit diesem Thema, und Thanheiser [THA 90] sieht wichtige Aufgaben in der zentralen Koordination der fachlichen Informationsstrukturen, der Bereitstellung eines Datenlexikons, dem Aufbau des Unternehmensdatenmodells sowie in der Dokumentation der Referenz zu physischen Datenbanken.

Eine umfassendere Auswertung der umfangreichen Literatur ergibt eine beeindruckende Fülle von Aufgaben und Begriffsvariationen, die in ihrer Summe einerseits ein beachtliches Gewicht, andererseits jedoch auch ein großes Konfliktpotential zu fast allen anderen Stellen der Informationsverarbeitung beinhalten.

Das Verständnis des Datenmanagements als Teil eines umfassenden Informationsmanagements verlangt deshalb die Konzentration auf wesentliche Elemente, die an anderer Stelle nicht oder nicht so gut wahrgenommen werden können. Das bedeutet aus unserer Sicht, daß vor allem die integrativen und anwendungsübergreifenden Aufgaben im Rahmen des zentralen Datenmanagements betont werden.

Ziele des Datenmanagements

Im Mittelpunkt unseres Verständnisses von Datenmanagement steht deshalb als Zielsetzung:

Datenmanagement soll erreichen, daß die Daten des Unternehmens optimal genutzt werden.

Diesem Ziel liegt die Erkenntnis zugrunde, daß die Daten der unterschiedlichen Anwendungssysteme wichtige Unternehmensinformationen beinhalten, die aber wegen der anwendungsspezifischen Organisation und Speicherung unternehmensweit nicht (nicht schnell genug, nicht billig genug oder nicht in geeigneter Form) verfügbar gemacht werden können. Andererseits wächst das Bewußtseins im Unternehmen, daß wohlorganisierte Daten zusätzliche Nutzung ermöglichen und damit Wettbewerbsvorteile und strategische Chancen eröffnen. Daten haben eine Bedeutung, die unabhängig von der ursprünglich definierten funktionalen Verwendung ist.

Man erkennt, daß eine optimale unternehmensweite Datennutzung neben der Verfügbarkeit der Daten im Rahmen einer geregelten Datenversorgung auch ihre Interpretierbarkeit durch festgelegte Datendefinitionen sowie ihre Kombinierbarkeit durch strukturelle Kompatibilität und semantische Vergleichbarkeit erfordert. Anwendungsübergreifend benötigt man deshalb:

- ein Methodenangebot zur allgemeinen Interpretation und Nutzung von Unternehmensdaten,
- die Organisation einer gemeinsamen Datenressource für alle IV-Anwendungen,
- den Aufbau einer Informationsversorgung für IDV-Anwender,
- die datenorientierte Unterstützung von Vorhaben zur Integration von Unternehmensprozessen.

Voraussetzung dafür ist, daß eine zentrale Kontrolle über die unternehmensweite Datenressource besteht.

Methoden des Datenmanagements

Der Weg zur Erreichung dieses Ziels heißt: Vom Datenmodell zur Datenintegration. Er beschreibt ein Programm, das von Projektdatenmodellen zur anwendungsspezifischen Beschreibung der jeweiligen Datenressource ausgeht und über die Integration dieser Datenmodelle zu einem »Unternehmensweiten Datenmodell« (UWDM) die Voraussetzungen schafft, um letztendlich auch zur systematischen Integration der Daten selbst zu gelangen.

Natürlich beinhaltet dieses Programm auch die Beseitigung des vielzitierten Datenchaos (z.B. [VETT 88]), das unkontrollierte Datenredundanzen mit zu hohem Pflege- und Verwaltungsaufwand, Anwendungsinseln mit fehlenden oder unzulänglichen Daten-Schnittstellen sowie inkonsistente und widersprüchliche Auswertungen von Unternehmensdaten bezeichnet.

Im einzelnen enthält unser Programm drei Methodenkomponenten, die auch den Inhalt der drei zentralen Kapitel dieses Beitrags darstellen. Es sind:

– Datenmodellierung in der Systementwicklung
  zur Entwicklung genauer, personenunabhängiger und integrationsfähiger Datenmodelle.

– Datenmodellverdichtung
  zur Generierung von Verdichtungsebenen, die die Begreifbarkeit und Überschaubarkeit großer Datenmodelle unterstützen.

– Datenmodellintegration
  für die Integration von Projektdatenmodellen zu oder mit einem detaillierten unternehmensweiten Datenmodell.

Diese Methodenkomponenten ermöglichen gemeinsam die Kontrolle und Beseitigung von Datenredundanzen sowie den Aufbau einer Datenarchitektur, die durch Repräsentation eines umfassenden unternehmensweiten Datenmodells auf unterschiedlichen Detaillierungsebenen sowohl die globale Begreifbarkeit als auch die detaillierte Abstimmung und Prüfung der Datenstrukturen erlaubt.

Mit Struktur und Inhalt dieser Datenarchitektur werden wir uns im letzten Kapitel eingehender beschäftigen. Sie umfaßt einerseits die Sollstrukturen einer strategischen Informationsplanung, vor allem aber auch die Datenstrukturen der Anwendungen, denn zur Kontrolle der Datenressource des Unternehmens gehört nicht nur die Beschreibung eines Wunschbildes, sondern vor allem auch die Beschreibung der bestehenden Informationsrealität.

2 Datenmodellierung in der Systementwicklung

In der voranstehenden Diskussion der Ziele und Methoden des Datenmanagements haben wir auf die Bedeutung der Datenmodellierung für ein integrationsorientiertes Datenmanagement hingewiesen. Datenmanagement kann seinen Unternehmensauftrag nur erfüllen, wenn es von den Systementwicklungsprojekten mit integrationsfähigen Datenmodellen versorgt wird.

2.1 Bedeutung der Datenmodellierung in SE-Projekten

Unglücklicherweise ist jedoch die Erstellung integrationsfähiger Datenmodelle für die SE-Projekte selbst nicht von primärer Bedeutung. Projektteams sind verantwortlich für die Erstellung von Anwendungssystemen, die im Rahmen von Kosten- und Terminrestriktionen optimale Leistungsfähigkeit und Qualität für die Anwender bieten sollen. Projektübergreifende Zielsetzungen sind zwar Inhalt von Strategie-Papieren, spielen jedoch im harten Alltag der Projektrealisierung zumindest dann eine nachgeordnete Rolle, wenn die Fachabteilung direkter Auftraggeber für IV-Projekte ist.

Aus meinen Gesprächen mit vielen Kollegen des Datenmanagements in deutschen Unternehmen gewinne ich den Eindruck, daß Datenmodellierungserfolge in Projekten (Unternehmensdatenmodelle im Zusammenhang mit strategischer Informationsplanung sind ein anderes Thema) in den meisten Fällen in engem Zusammenhang mit einer starken Datenbankadministration erreicht wurden. Häufig ist die Einführung eines relationalen Datenbanksystems oder der Aufbau eines Management-Informations-Systems der Anlaß, um eine bessere Dokumentation der Datenbankstrukturen und eine Design-Vorgabe in Form von semantischen Datenmodellen durchzusetzen.

Die fachliche Anforderungsspezifikation

Die Motivation einer besseren Datenbankadministration für die Erstellung von Datenmodellen ist zwar wichtig, jedoch nicht ausreichend.

➡ *Datenmodelle stellen einen wichtigen und unverzichtbaren Bestandteil der fachlichen Anforderungsspezifikation dar und sind Voraussetzung für das technische Design.*

Als solche sollten sie ausschließlich Struktur und Logik der Anwendung, nicht jedoch technische Restriktionen und Realisierungsentscheidungen beinhalten. Sinz (vgl. [SI 89]) spricht von der Überwindung der semantischen Lücke zwischen der realen Welt und dem sie beschreibenden Informationssystem, Münzenberger (vgl. [MÜ 89]) benutzt in Vorträgen den Vergleich mit Konstruktionszeichnungen der Ingenieurtechnik.

Die Bedeutung der Anforderungsspezifikation für die Qualität der Anwendungen ist seit Ende der 70er Jahre bekannt und viel diskutiert. Man erkannte insbesondere:

– spät entdeckte Fehler sind teuer,
– früh begangene Fehler werden spät entdeckt.

➡ *Es ist eine besonders wichtige und durch unsere Projektpraxis bestätigte Erkenntnis, daß Datenmodelle ein geeignetes Instrument sind, um schwerwiegende frühe Fehler zu verhindern.*

Dies erklärt sich daraus, daß Datenmodelle Systemzusammenhänge beschreiben, die unterschiedliche Funktionen miteinander verbinden. Semantisch auch nur geringfügige Unterschiede der Dateninterpretation durch beteiligte Funktionen sind jedoch eine häufige Ursache für fehlerhaftes Systemverhalten.

Dazu kommt, daß fachliche Partner für die Abstimmung von Einzelfunktionen und ihrer Dateninterpretation vergleichsweise leicht zu finden sind, weil es zu jeder Funktion einen definierten Verantwortlichen gibt. Die Verantwortlichkeit für die funktionsübergreifende Konsistenz der Datendefinitionen ist viel schwieriger zuzuordnen, weshalb der methodischen Unterstützung durch abstimmfähige Datenmodelle jedoch eine besondere Bedeutung zukommt.

Daten und Informationen

Wir modellieren Daten bzw. die durch Daten vermittelten Informationen. Da das Verständnis dieser Begriffe nicht immer ganz einheitlich ist, unterstützen wir unsere Erklärung durch die Definitionen von ISO 2382 (aus: [IBM 85]):

– information, Information:
   The meaning that a human assigns to data by means of the conventions used in their representation.
   (ISO 2382/I)

– data, Daten
   A representation of facts, concepts, or instructions in a formalised manner suitable for communication, interpretation, or processing by humans or automatic means.
   (ISO 2382/I)

In Einschränkung dieser Definition gehen wir davon aus, daß Datenmodelle keine Instruktionen beschreiben, sondern vor allem Fakten, aber auch gedankliche Konzepte wie Planwerte und Zielvorgaben, sowie daraus abgeleitete, verdichtete Werte. Sie beschreiben Daten, die für Programme und Menschen interpretierbar sind.

➡ *Das Datenmodell stellt eine für den Menschen (des Fachbereichs) verständliche Interpretationsvorschrift dar.*

Wir sprechen deshalb von »semantischen Datenmodellen«, die die Brücke von den Daten der Anwendungssysteme zu den Informationen der Anwender darstellen. In unserem Verständnis von Anwendungssystemen als sozio-technische Systeme stellen die Datenmodelle ein wesentliches Hilfsmittel für die Harmonisierung und das geregelte Zusammenwirken dieser unterschiedlichen Systemkomponenten dar.

Designverbesserungen durch semantische Datenmodelle

Semantische Datenmodelle sind entsprechend den Aussagen des vorigen Abschnitts Bestandteil der Anforderungsspezifikation, Anforderungsspezifikationen sind nach gängigen Konzepten des Software Engineering Voraussetzung für eine anforderungsgerechte, zielorientierte und kostenoptimale Systemrealisierung.

Sie haben die Aufgabe,

- eine verbindliche und stabile Spezifikation der Systemanforderungen für den gesamten Prozeß der Systemrealisierung vorzugeben,

- und vor dem Beginn der eigentlichen Systemrealisierung einen umfassenden technischen Designprozeß zu unterstützen.

➡ *Semantische Datenmodelle unterstützen nicht nur den Entwurf von Datenbanken, sondern haben wegen ihrer funktionsübergreifenden Festlegung systemrelevanter Informationskonzepte auch für den Entwurf anderer Systemkomponenten sehr große Bedeutung.*

- Programm-Design

 Gutes Programmdesign bezweckt eine klare und stabile Modularisierung des Anwendungssystems. Bekanntermaßen sind die Datenstrukturen besonders stabil, so daß die Ausrichtung der Modularisierung an den Objektstrukturen von Datenmodellen oft sinnvoll ist.

 Insbesondere durch ein derartig systematisiertes Programmdesign erscheint schon heute ein Vorgriff auf derzeit in Arbeit befindliche Konzepte des objektorientierten Designs möglich.

- Benutzeroberflächen-Design

 Benutzeroberflächen sollten zumindest innerhalb einzelner Anwendungssysteme, möglichst sogar anwendungsübergreifend, einheitlich gestaltet sein.

 Dazu gehört auch eine möglichst einheitliche Gestaltung von Masken und Listen für gleiche Objekte in unterschiedlicher Funktionalität.

 Es ist offensichtlich, daß das Wissen um die insgesamt verfügbaren Daten eines Objekttyps (und seiner Umgebung) eine wichtige Voraussetzung für Einheitlichkeit und Stabilität von Masken und Listen darstellt.

- Funktionen-Design

 Funktionen benötigen Beziehungen, um Daten unterschiedlicher Objekte kombinieren zu können. Häufig liegen Verwaltung und Auswertung von Beziehungen nicht in einer Hand, sondern erfolgen durch unterschiedliche Funktionen oder sogar Teilsysteme.

Die exakte Festlegung der Semantik von Beziehungen verhindert schwerwiegende Fehler in der Gesamtkonzeption eines Systems, die zu einem späteren Zeitpunkt nur sehr aufwendig behoben werden können.

– Prozeß-Design
Die Gestaltung von IV-Systemen regelt Abläufe, auch wenn ein entsprechender Design-Prozeß bisher kaum explizit stattfand.

Datenmodelle mit ihren Objekt-Beziehungs-Strukturen geben eine gute Voraussetzung, um über alternative Ablauffolgen (und die Parallelisierung sequentieller Prozesse) systematisch nachzudenken. Insbesondere die nachfolgend erläuterte SER-Methode mit ihrer expliziten Modellierung von Existenzvoraussetzungen bietet hier beachtliche Unterstützung.

Im übrigen findet diese über die Daten hinausgehende Bedeutung von Objekt-Beziehungsstrukturen zur Zeit ihren Niederschlag in der Diskussion um objektorientierte Systementwicklung, deren Analyse- und Modellierungstechniken durchaus als Weiterentwicklung der Datenmodellierung verstanden werden können [FESI 90].

2.2 Methodenanforderungen und Organisation

Datenmodellierung im Projektteam

Die vorangegangenen Ausführungen sollten deutlich machen, daß eine richtig verstandene (semantische!) Datenmodellierung ein wichtiger Teil der Anforderungsanalyse ist. Damit ist sie nach unseren Erfahrungen Bestandteil der schwierigsten und für den Entwicklungserfolg entscheidenden Phase der Anwendungsentwicklung. Die Anforderungsanalyse erfordert eine enge Zusammenarbeit mit dem eigentlichen Bedarfs- und Wissensträger, nämlich dem Fachbereich. Sie kann nur gelingen, wenn Kommunikationsfähigkeit im Team und systematische Dokumentation der Ergebnisse gleichermaßen gefördert und erreicht werden.

Daraus folgt, daß Datenmodellierung ein integrierter Bestandteil der Projektarbeit sein muß und nicht von Spezialisten außerhalb der eigentlichen Projektorganisation betrieben werden darf.

Methodenspezialisten können durchaus Unterstützung geben, aber die eigentliche Modellierungsarbeit sollte innerhalb des Projektteams erfolgen, und vor allem das Ergebnis muß dort verantwortet werden.

Ein weiterer Grund für die organisatorische Verankerung der Datenmodellierung in der Projektarbeit liegt in der gegenseitigen Abhängigkeit des Verständnisses von Funktionen und Daten. Es ist unmöglich, mit einem Anwender über Daten zu reden, ohne gleichzeitig Erkenntnisse über Funktionen zu erhalten, und umgekehrt gilt das gleiche. Natürlich ist die Frage nach der Beherrschbarkeit der vielfältigen Systementwicklungsmethoden berechtigt, die beispielsweise schon vor fünf Jahren in einer Arbeitsgruppe des Deutschen G.U.I.D.E., einer IBM-Benutzerorganisation, gestellt wurde. Ohne das Thema hier weiter vertiefen zu wollen, verweise ich einerseits auf die verbesserte Werkzeugunterstützung durch CASE-Tools und andererseits auf die Spezialisierung in Anforderungsanalyse und Systemrealisierung, die durch formalere Spezifikationsmethoden attraktiver werden könnte.

Anforderungen an Datenmodelle

Die Ziele der Datenmodellierung, ihre Organisation und ihre methodische Ausgestaltung bedingen und beeinflussen sich wechselseitig. Die genannten Vorstellungen haben Auswirkungen auf die Methodenanforderungen und auf die Art, wie Datenmodellierung betrieben und durch Werkzeuge unterstützt werden sollte. Die Anforderungen an Datenmodelle, die wir 1989 in [MI 89] formulierten, sind weiterhin gültig und sollen hier verkürzt angesprochen werden. Sie bestimmen im Detail, welche Aspekte bei der Wahrnehmung der Datenmodellierung wichtig sind, und worauf bei der methodischen Unterstützung besonders zu achten ist.

– Anwenderorientierung
  Datenmodelle müssen für den Anwender gut verständlich sein. Er muß daran überprüfen können, ob seine Informationsbedürfnisse und seine Anforderungen an Datenzusammenhänge erfüllt sind.

– Grafik
  Datenmodelle beschreiben die Semantik von Informationsstrukturen. Sie sind deshalb nur zu einem sehr geringen Teil automatisch prüfbar, sondern müssen vom Fachbereich verifiziert werden.

Da die Strukturen komplex und vernetzt sind, ist eine Prüfung nur über die Visualisierung der Strukturzusammenhänge möglich.

– Objektivität und Genauigkeit
Datenmodelle sind Abstimmungsgrundlage zwischen allen Beteiligten. Sie sollen deshalb möglichst personenunabhängig die relevanten Informationsstrukturen des Unternehmens, nicht aber Sichten des Modellierers beschreiben.
Da sie eine verbindliche Spezifikation darstellen und Mißverständnisse vermeiden sollen, müssen sie detailliert und präzise sein.

– Integrationsfähigkeit und Stukturierbarkeit
Über die unternehmensweite Integration wird später gesprochen. Aber auch innerhalb von Projekten ist es erforderlich, daß unterschiedliche Sichten integrierbar sind und Gesamtmodelle in überschaubare Teile unterteilt werden können.

– Maschinelle Unterstützung
Datenmodellierung ist nur mit maschineller Unterstützung möglich. Viele Anforderungen sind heute schon erfüllt, trotzdem gibt es aus unserer Sicht noch wichtige Verbesserungsmöglichkeiten für CASE-Tools (z.B. Grafik für große Modelle, Datenmodellverdichtung, Datenmodellintegration).

2.3   Datenmodellierungspraxis

Die genannten Ziele, Beobachtungen und Erfahrungen haben uns schon sehr früh dazu gebracht, über Verbesserungen der Datenmodellierungs-Methoden nachzudenken und mit unseren Praxiserfahrungen zur Entwicklung der SER-Methode beizutragen (vgl. [MI 89]). Während einerseits wegen der gebotenen Anwendernähe die semantische Orientierung des Entity Relationship Modells unverzichtbar ist, fehlen darin andererseits Konzepte zur Unterstützung von Personenunabhängigkeit und Genauigkeit des Modellierungsergebnisses. Zu kritisieren sind insbesondere:

– die unbestimmte Detaillierungstiefe, da es keine Festlegungen darüber gibt, wann und inwieweit Subtypen gebildet werden müssen,
– die fehlende Abgrenzung zwischen Objekttypen und Beziehungen, da auch Beziehungen Attribute tragen und somit wiederum Objekttypen darstellen können,
– die vollständige Willkür der grafischen Anordnung.

Das Strukturierte Entity Relationship Modell als Präzisierung und Weiterentwicklung des ERM (vgl. dazu [SI 92] in diesem Buch sowie [SI 88], [SI 89] und [SI 90]) unterstützt unsere methodischen Anforderungen in hervorragender Weise, wobei wir neben einigen anderen Anregungen in Bezug auf die Modellierungspraxis (Interview-Technik und Beschreibung der Objekttypen) insbesondere das Konzept der Mengenabgrenzung (Extension) aus der Objekttypenmethode von Ortner (vgl. [ORT 85] und [ORSÖ 89]) übernehmen.

SER-Methode und Existenzvoraussetzungen

➡ *Das wichtigste Konzept zur Verbesserung von Aussagekraft, Personenunabhängigkeit und Genauigkeit von Datenmodellen ist die Modellierung von Existenzabhängigkeiten im SERM.*

Es erzwingt einerseits eine hohe Modellierungsgenauigkeit und läßt sich andererseits gegenüber dem Fachbereich sehr genau hinterfragen, denn Existenzabhängigkeiten können und müssen logisch begründet werden.

➡ *Ihre grafische Darstellung in einer quasi-hierarchischen Struktur, in der der unabhängige Objekttyp einer Beziehung immer links und der abhängige immer rechts dargestellt wird, ist einleuchtend und sprechend, so daß auch dadurch die Kommunikation und Abstimmung zwischen Fachbereich und Systemanalyse erleichtert wird.*

Ein zusätzlicher Grund für die inzwischen stark wachsende Verbreitung dieser Modellierungsmethode ist, daß auch die Formulierung referentieller Integritätsbedingungen durch SER-Modelle wesentlich unterstützt und mit dem Fachbereich in seiner Bedeutung diskutierbar gemacht wird.

Auch Wiborny [WI 91] benutzt in seinem aus langjähriger Praxis bei BMW entwickelten »Relationen-Relationship-Modell« für die grafische Darstellung eine quasi-hierarchische Struktur auf der Basis »abgeschwächter« Existenzvoraussetzungen mit Zusatznotierungen für referentielle Integritätsbedingungen.

Erläuterung der Modelldarstellung

Wir erläutern unser Methodenverständnis an einem kleinen Beispiel (Bild 3.1), das einige allgemeine Aussagen zu einem Unternehmen modelliert. Dabei benutzen wir trotz fehlender grafisch-interaktiver Benutzeroberfläche und einer optisch nicht optimalen Darstellung (insbesondere der Beziehungen) das Netzplan-Werkzeug GRANEDA ((GRA), vgl. auch [MI 89]) und nicht eines der üblichen CASE-Tools. GRANEDA bietet als besonders wichtigen Vorteil die automatische Grafik-Generierung für beliebige Modell-Ausschnitte und für automatisch erstellte verdichtete Datenmodelle. Außerdem bietet es eine sehr einfache vertikale Strukturierung der Datenmodelle, die wir zur Darstellung von Themenbereichen oder Verdichtungsstrukturen benutzen.

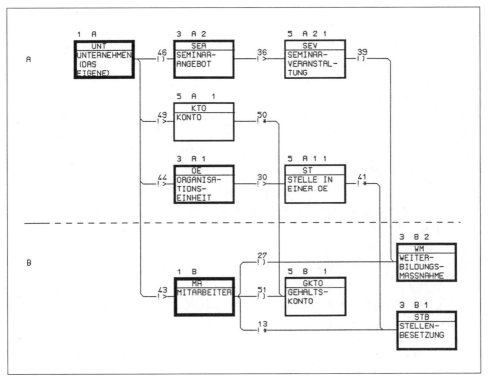

Bild 3.1: Datenmodell »Unternehmen«

GKTO   Gehalts-/Lohnkonto

Der Objekttyp umfaßt alle *Gehalts-/Lohnkonten* des *Unternehmens*. Typische Attribute sind laufende Gehalts- und Lohnsummen.

Kto   Konto

Der Objekttyp umfaßt alle *Konten* des *Unternehmens*. Typische Attribute sind laufende Jahrssalden.

MA   Mitarbeiter

Der Objekttyp umfaßt alle *Mitarbeiter*, die von der Personalabteilung als Arbeitnehmer des *Unternehmens* geführt werden.

OE   Organisationseinheit

Der Objekttyp umfaßt alle *Organisationseinheiten* des *Unternehmens* entsprechend freigegebenen Organisationsanweisungen.

SEA   Seminarangebot

Der Objekttyp umfaßt alle (*internen und externen*) *Seminarangebote*, die vom *Unternehmen* als *Weiterbildungsmaßnahme* angeboten werden.

SEV   Seminarveranstaltung

Der Objekttyp umfaßt alle (terminierten) *Seminarveranstaltungen* im Rahmen der *Seminarangebote* des Unternehmens.

ST   Stelle

Der Objekttyp umfaßt alle *Stellen* von *Organisationseinheiten* entsprechend genehmigter Personalanforderungen. Bei Ausscheiden eines *Mitarbeiters* entscheidet die Personalabteilung über den Fortbestand der Stelle.

STB   Stellenbesetzung

Der Objekttyp umfaßt alle *Mitarbeiter* mit ihrer aktuellen Stellenzuordnung (*Stellenbesetzung*). Fehlende Zuordnungen von Mitarbeitern zu einer *Stelle* stellen Ausnahmen dar.

UNT   Unternehmen

Der Objekttyp umfaßt lediglich ein einziges Objekt, nämlich das eigene Unternehmen. Typische Attribute sind errechnete Kennzahlen.

WM   Weiterbildungsmaßnahme

Der Objekttyp umfaßt alle *Weiterbildungsmaßnahmen*, die für *Mitarbeiter* im Rahmen von *Seminarveranstaltungen* eingeplant sind.

Tafel 3.1: Objekttypen-Definition

13 -->	Mitarbeiter	NIMMT WAHR	Stellenbesetzung
27 -->	Mitarbeiter	PLANT	Werterbildungsmaßnahme
30 -->	Organisationseinheit	UMFASST	Stelle
36 -->	Seminarangebot	FINDET STATT ALS	Seminarveranstalung
39 -->	Seminarveranstaltung	REALISIERT	Weiterbildungsmaßnahme
41 -->	Stelle	WAHRGENOMMEN DURCH	Stellenbesetzung
43 -->	Unternehmen	HAT	Mitarbeiter
44 -->	Unternehmen	UMFASST	Organisationseinheit
46 -->	Unternehmen	BIETET	Seminarangebot
49 -->	Unternehmen	BESITZT	Konto
50 -->	Konto	KANN SEIN	Gehaltskonto-/Lohnkonto
51 -->	Mitarbeiter	HAT	Gehaltskonto-/Lohnkonto

Tafel 3.2: Beziehungsliste

Vorzugsweise verwenden wir GRANEDA lediglich als Zeichenmaschine und arbeiten mit einem Basiswerkzeug wie IEW/ADW (IEW), IEF (IEF) oder SDW (SDW), um daraus die GRANEDA-Eingaben zu generieren. In den Beispielen dieses Beitrags arbeiten wir ausschließlich mit GRANEDA-Grafik und normalem Text zur Zuordnung eindeutiger Objekttyp-Definitionen.

In Bezug auf die Interpretation von Knoten und Kanten entspricht die GRANEDA-Grafik weitgehend den Konventionen verbreiteter Modellierungs-Werkzeuge wie IEW/ADW oder IEF. Folgende werkzeug- und verfahrensbedingte Besonderheiten und Konventionen unserer Darstellung sind zu beachten:

– Objekttypen sind im Rechteck mit 8-stelligem Kurz- und 32-stelligem Langnamen notiert. Oberhalb des Rechtecks sind Verdichtungsangaben notiert, auf die ebenso wie auf die unterschiedliche Dicke der Kästchen erst bei der Beschreibung der Datenmodellverdichtung eingegangen werden soll.

– Der Kurzname stellt lediglich eine mnemonische Kurzbezeichnung dar, die die Arbeit mit GRANEDA erleichtert und beim Verfahren der Datenmodellintegration nützlich ist. Er darf zwar durch die Projekte vorgegeben, dann aber auch vom Datenmanagement beliebig geändert werden.

– Der Langname stellt die unternehmensweit eindeutige Identifikation eines Objekttyps dar. Er wird zunächst vom Projekt vorgegeben und muß auf Homonym-Konflikte abgeglichen werden. Änderungen können nur im Einvernehmen zwischen Projekt und zentralem Datenmanagement erfolgen.

– Ein besonders wichtiger Dokumentationsbestandteil – insbesondere für die personenunabhängige Interpretierbarkeit und damit auch Integrierbarkeit von Datenmodellen – ist die eindeutige Definition der Objekttypen. Wir zeigen die Definitionen des Beispiels in Tafel 3.1.

– Die Semantik der Beziehungen wird in den Modellgrafiken durch eine max. dreistellige Nummer als Verweis auf eine Beziehungsliste (Tafel 3.2) notiert. Wegen der methodisch bedingten geringen Komplexität der Beziehungen in der SER-Methode genügen hier immer sehr einfache Beschreibungen, die durch ein Prädikat vom unabhängigen zum abhängigen Objekttyp gebildet werden.

– Die Beziehungskardinalitäten, die durch die gängigen Werkzeuge jeweils am Knoten dargestellt sind, werden bei uns durch zwei Symbole im horizontalen Kantenbereich beschrieben.
Das linke Symbol bestimmt die Anzahl der Partner-Objekte des linken Objekttyps, die zu einem einzigen Objekt des rechten Typs in Beziehung stehen können. Das rechte Symbol bestimmt in entsprechender Weise die Anzahl rechter Partner-Objekte in Bezug auf ein Objekt des linken Typs.

– Übersetzt in die bekannte (min,max)-Notation bedeuten die Kardinalitätssymbole:

!	(1,1)-Beziehung
	Es gibt genau 1 Partner-Objekt
*	(0,1)-Beziehung
	Es gibt kein oder 1 Partnerobjekt
< bzw. >	(1,N)-Beziehung (links bzw. rechts)
	Es gibt 1 oder mehrere Partnerobjekte
(bzw.)	(0,N)-Beziehung (links bzw. rechts)
	Es gibt kein, 1 oder mehrere Partnerobjekte

– Für Basisdatenmodelle (unser Beispiel Bild 3.1, im Gegensatz zu verdichteten Datenmodellen) gelten natürlich die SERM-Restriktionen in Bezug auf die Beziehungs-Kardinalitäten.

144

Danach ist jede Beziehung als Existenzvoraussetzung eine (1,1)-Beziehung von rechts nach links, so daß nur die Kardinalität von links nach rechts wählbar bleibt.

Die vier Beziehungsarten des SERM [SI 88] sind dementsprechend in unserer Notation:

!!	bei uns nicht benutzt, jedoch
	(1,1)-Beziehung der SER-Notation
!*	1-Kann-Beziehung
	(0,1)-Beziehung der SER-Notation
!>	N-Muß-Beziehung
	(1,*)-Beziehung der SER-Notation
!)	N-Kann-Beziehung
	(0,*)-Beziehung der SER-Notation

Semantische Diskussion des Beispiels

Die inhaltliche Beschreibung unseres Beispiels ergibt sich ziemlich vollständig aus

– der grafischen Darstellung in Bild 3.1
– der Objekttypen-Definition in Tafel 3.1
– der Beziehungsliste in Tafel 3.2

Wir erkennen, daß der MITARBEITER ausschließlich von dem UNTERNEHMEN selbst existenzabhängig ist, nicht aber von einer ORGANISATIONSEINHEIT. Dies entspricht der Sachlogik, daß auch die Auflösung oder sogar generelle Abschaffung von Organisationseinheiten nichts daran ändern würde, daß der MITARBEITER Mitarbeiter des UNTERNEHMENS ist.

➡ *Existenzvoraussetzungen bedeuten, daß ein Objekt des abhängigen Objekttyps während seiner gesamten Lebensdauer zu einem und demselben Objekt des unabhängigen Objekttyps in Beziehung steht.*

Daraus resultiert, daß durch Auflösen von Beziehungen [MI 89] weitere Objekttypen erkannt und mit dem Fachbereich analysiert werden, die für die Personenunabhängigkeit und Integrationsfähigkeit des Datenmodells oft besonders wichtig sind.

In diesem Beispiel führt das zu der Erkenntnis, daß ORGANISATIONSEINHEITEN STELLEN umfassen, die STELLENBESETZUNGEN erlauben. STELLENBESETZUNGEN

bestehen nur dann, wenn es dafür sowohl eine STELLE als auch einen MITAR-
BEITER gibt. In gleicher Weise erkennt man, daß in unserem Beispiel eine
WEITERBILDUNGSMAßNAHME stets die Existenz sowohl eines MITARBEITERS als
auch einer SEMINARVERANSTALTUNG voraussetzt. (Bei anderen fachlichen
Gegebenheiten müßten wir z.B. die WEITERBILDUNGSMAßNAHME durch den
Subtyp TERMINIERTE WEITERBILDUNGSMAßNAHME spezialisieren, der dann die
Beziehung zur SEMINARVERANSTALTUNG übernehmen könnte.)

Die Frage an den Fachbereich »Setzt eine WEITERBILDUNGSMAßNAHME immer
eine terminierte SEMINARVERANSTALTUNG voraus?« erzwingt Entscheidungen,
die für die Datenstrukturen, aber auch für die mögliche Funktionalität, sowie Bildschirmmasken- und Listengestaltung einer Anwendung bestimmend
sind. In derartigen frühzeitigen Klarstellungen ist der Grund dafür zu sehen,
daß Datenmodelle eine wichtige Grundlage für den gesamten Entwurfs-
prozeß einer Software und ein Mittel zur Qualitätsverbesserung darstellen
(vgl. Abschnitt »Designverbesserungen durch semantische Datenmodelle« in
Kapitel 2).

Eine weitere wichtige Frage im Zusammenhang mit Existenzvoraussetzungen bezieht sich auf ihre Vollständigkeit. In unserem Beispiel sind SEMINAR-
ANGEBOTE, KONTEN, ORGANISATIONSEINHEITEN und MITARBEITER nur vom
UNTERNEHMEN und von keinem anderen Objekttyp abhängig. Insbesondere
kann man hier die Frage stellen, ob nicht externe Seminarveranstalter als
mögliche Existenzvoraussetzung für SEMINARVERANSTALTUNGEN mit zum
Informationsbestand dieser Anwendung bzw. des Unternehmens gehören.

Datenmodell-Beschreibungsebenen

In der Praxis der Projektarbeit zeigt sich sehr häufig, daß die mangelhafte
Eindeutigkeit von Spezifikationen ein besonders großes systemanalytisches
Problem darstellt. Dies gilt im Prinzip auch für Datenmodelle, jedoch wegen
der gegebenen methodischen Formalisierung in vergleichsweise geringerem
Maß. Die Schwachstelle von Datenmodellen ist die Genauigkeit der verbalen
Definition von Objekttypen. Ortner [ORT 92] unterscheidet dabei die
»Intension« mit der Festlegung der inhaltlichen Aussage eines Objekttyps
und die »Extension« zur Bestimmung der unter dem Objekttyp verstandenen
Objektmenge. Beide gilt es, in der Definition hinreichend deutlich zu
machen.

Wir haben festgestellt, daß die inhaltliche Bestimmung durch Definition und Beschreibung in der Realität oft zu wenig aussagefähig ist. Der den Objekttyp beschreibende Satz ist so wenig selektiv, daß unterschiedliche Gesprächspartner von unterschiedlichen Dingen reden, ohne daß es für sie selbst oder den Systemanalytiker unbedingt erkennbar sein muß. Von Praktikern wird deshalb häufig empfohlen, das Schwergewicht auf die Festlegung der Attribute zu legen und letztendlich den Objekttyp durch die Gesamtheit seiner Attribute zu definieren. Diese Methode verlagert jedoch einerseits Definitionsaufwand und fachliche Abstimmung auf die Detailebene der Attribute und macht sie deshalb aufwendig und schwierig, andererseits fehlt dann der Bezugspunkt, um die relationale Eindeutigkeit der Objekttypen (vgl. übernächster Abschnitt) zu hinterfragen.

> *Wir empfehlen deshalb für die Datenmodellierung als Bestandteil der fachlichen Anforderungsdefinition die klare Unterscheidung von zwei Detaillierungsebenen, die jeweils für sich eindeutig bestimmt sein müssen.*

Die obere (globale) Ebene legt die allgemeinen begrifflichen Zusammenhänge zwischen Objekttypen und Beziehungen fest, während die untere (lokale) Ebene die Zuordnung von Attributen zu den auf der globalen Ebene definierten Objekttypen beschreibt. Konkret ordnen wir der oberen Ebene den quasi-hierarchischen Graphen des SERM einschließlich Definition und Beschreibung von Objekttypen und Beziehungen zu und bezeichnen dies als »konzeptionelles Schema«, während die untere Ebene durch ein »logisches Schema« definiert wird, das die Beschreibung und Zuordnung von Attributen zu den auf der globalen Ebene definierten Objekttypen umfaßt.

Mit dieser Begriffsfestlegung in Bezug auf das konzeptionelle und logische Schema werden die ursprünglichen, am Datenbankentwurf orientierten, Begriffsdefinitionen (vgl. [ANS 75], [SCHS 83] und [LOS 87]) eingeschränkt, damit durch zwei Detaillierungsebenen eine größere Differenzierung im Bereich der datenbankunabhängigen fachlich-semantischen Datenmodellierung dargestellt werden kann.

> *Während das konzeptionelle Schema durch Objekttypen und ihre Beziehungen eine globale Abgrenzung der Diskurswelt leistet, bestimmt das logische Schema durch die Festlegung der Attribute die im einzelnen verfügbaren Informationen.*

Mengenabgrenzung von Objekttypen

Das konzeptionelle Schema besteht aus Objekttypen als Träger von Informationen und Beziehungen zwischen diesen Objekttypen. Jeder Objekttyp repräsentiert eine Menge von Einzelobjekten, wobei alle Einzelobjekte eines Typs in Bezug auf Informationsinhalte und Beziehungen gleichartig sein müssen. Für das globale Verständnis eines Datenmodells als Abbild einer realen Diskurswelt ist es deshalb entscheidend zu wissen,

➡ *welche konkreten Objekte der realen Welt tatsächlich durch einen bestimmten Objekttyp repräsentiert werden und welche nicht.*

Für eine korrekte Modellierung muß deshalb im Einklang mit Ortners »extensionaler Definition« diese Frage konzeptionell, also im Datenmodell festgelegt und nicht lediglich durch den faktischen Inhalt von Datenbanken gegeben sein. Konkret heißt das, daß besonderes Gewicht auf die präzise Mengenabgrenzung bei der Objekttypendefinition zu legen ist (vgl. Tafel 3.1). In Anlehnung an eine sehr empfehlenswerte Darstellung von Qualitätssicherungsmaßnahmen für Datenmodelle [GUI 91a], die von der Arbeitsgruppe Datenmanagement im Deutschen G.U.I.D.E. erarbeitet wurde, fordern wir, daß die mengenabgrenzende Definition klaren Aufschluß darüber gibt, ob ein bestimmtes konkretes Objekt Bestandteil des definierten Objekttyps ist oder nicht. Gegebenenfalls sollte im Sinne der G.U.I.D.E.-Empfehlung in einer ergänzenden Beschreibung je ein Beispiel für ein zugehöriges und ein nicht zugehöriges Objekt genannt werden.

Relationale Eindeutigkeit von Objekttypen

Die Mengenabgrenzung von Objekttypen auf der globalen Beschreibungsebene steht in engem Zusammenhang zur relationalen Eindeutigkeit des logischen Schemas auf der lokalen Beschreibungsebene. Damit wird die Personenunabhängigkeit des Datenmodells sowie die Stabilität und Wartbarkeit des Systems gefördert und der oben angesprochene Mangel der unbestimmten Detaillierungstiefe des ERM beseitigt. Das logische Schema legt fest:

– welche Attribute es zu einem Objekttyp gibt,
– welche der Attribute Primärschlüssel bzw. Primärschlüsselanteil sind,
– welche Attribute als Fremdschlüssel Beziehungen des konzeptionellen Schemas repräsentieren.

➡️ *Relationale Eindeutigkeit des logischen Schemas bedeutet, daß es Attributzuordnungen beschreibt, die semantisch eindeutige Relationen mit gleichartigen Informationsinhalten in allen Zeilen definieren.*

Dabei sind Relationen Erklärungsmodelle für Daten, unabhängig von ihrer physischen Realisierung.

Die Attribute müssen deshalb für alle Objektinstanzen (= Tupel der Relation)

– semantisch definiert und
– semantisch einheitlich sein.

➡️ *Die Forderung der semantischen Definiertheit legt fest, daß es keine Objektinstanzen gibt, für die die Aussage des Attrituts prinzipiell keinen Sinn macht.*

Das Attribut »Eheschließungsdatum« als Attribut einer »Person« wäre prinzipiell undefiniert für alle Personen mit dem Familienstand »ledig«. Es ist deshalb nicht zulässig und muß einem weiteren Objekttyp »Ehe« oder »Ehepartner« zugeordnet werden.

➡️ *Die Forderung der semantischen Einheitlichkeit verbietet die verbreitete (für Stabilität und Wartbarkeit eines Systems jedoch sehr nachteilige) Praxis der Zweckentfremdung von Attributen,*

wodurch beispielsweise das oben angesprochene »Eheschließungsdatum« für die Verschlüsselung einer Aussage über »lebende Elternteile« bei ledigen Personen alternativ genutzt werden könnte. Inhaltlich unterschiedliche Aussagen müssen durch unterschiedliche Attribute formuliert werden.

Die korrekte Modellierung teilweise undefinierter oder mehrdeutiger Tatbestände verlangt die Einführung weiterer Objekttypen, bis jedem Objekttyp eine semantisch eindeutige und vollständig definierte Relation entspricht. (Dies gilt natürlich auch für Fremdschlüssel und ist insofern lediglich eine erweiterte Formulierung der Restriktion des SERM in Bezug auf die Beziehungen zwischen Objekttypen.)

Andererseits dürfen auch gleichartige Attribute (oder Beziehungen) nicht Bestandteil unterschiedlicher Relationen sein. Das »Einstellungsdatum« eines Personalinformationssystems darf beispielsweise nicht sowohl bei den Objekttypen »Arbeiter« und »Angestellter« vorkommen, weil es in beiden Objekttypen gleichartige Informationen beschreibt. Zur Aufnahme derartiger Attribute muß deshalb ein Objekttyp formuliert werden, der genau die

Objektinstanzen umfaßt, die dieses Attribut besitzen. In diesem Fall ist es der Objekttyp »Arbeitnehmer«, der als Existenzvoraussetzung für die Subtypen »Arbeiter« und »Angestellter« eingeführt werden muß.

Man erkennt, daß die Erstellung des konzeptionellen Schemas im Bewußtsein des resultierenden logischen Schemas erfolgt, und daß die Erarbeitung des logischen Schemas eine letzte Überprüfung des konzeptionellen Schemas darstellt.

2.4 Methoden-Fazit

– Datenmodelle sind Teil der Anforderungsspezifikation bei der Entwicklung von IV-Anwendungen.

– Datenmodellierung findet in den Projektteams statt.

– Grundlage der Datenmodellierungs-Praxis ist das Strukturierte Entity Relationship Modell (SERM).

– SER-Modelle sind Entity Relationship-Modelle und damit fachlich-semantisch orientiert, sie sind jedoch determinierter, personenunabhängiger und präziser als ER-Modelle.

– Ein wichtiges Methodenelement ist die Existenzvoraussetzung als normalisierte Beziehung zwischen Objekttypen.

– Existenzvoraussetzungen können objektiv und semantisch eindeutig analysiert werden.

– Existenzvoraussetzungen werden durch quasi-hierarchische Strukturen grafisch eindeutig und überprüfbar dargestellt.

– Die Beschreibung der Datenmodelle erfolgt auf zwei Modellierungsebenen. Die globale Ebene beinhaltet das konzeptionelle Schema mit Objekttypen und Beziehungen, die lokale Ebene das logische Schema mit der Zuordnung von Attributen.

– Objekttypen müssen durch Mengenabgrenzungen fachlich eindeutig definiert sein, so daß interpretationsfreie Klarheit über zugehörige und nicht zugehörige Objekte besteht.

– Objekttypen müssen relational eindeutig sein. Das bedeutet, daß Attribut-werte für alle Objekte semantisch gleich interpretiert werden müssen und nicht undefiniert sein dürfen.

– Semantisch gleiche Attribute dürfen lediglich bei einem Objekttyp vor-kommen. Andernfalls müssen Supertypen zur Aufnahme gleicher Attri-bute gebildet werden.

– Explizite Subtypenkonstruktoren und die Objekttypenunterscheidung der SER-Methode werden nicht angewandt.

3 Datenmodellverdichtung

3.1 Die Bewältigung der Komplexität

Im letzten Abschnitt wurde deutlich gemacht, warum Datenmodelle für die Verwendung als Teil der Anforderungsspezifikation in Projekten präzise, detailliert und personenunabhängig sein müssen.

Diese Erkenntnisse stellen allerdings nur einen Teil der Wahrheit dar. Der andere Teil der Wahrheit folgt daraus, daß Datenmodelle zur Darstellung und Vermittlung fachlicher Informationszusammenhänge zwischen unter-schiedlichen Anwendungen sowie für die globale Informationsplanung auch einfach und übersichtlich sein sollten.

Große Datenmodelle jedoch sind ohne Unterstützung durch weitere Struktu-rierung für Außenstehende schwer zu begreifen. Dies gilt sowohl für die Datenmodellerklärung bei projektübergreifenden Planungs- und Abstim-mungsaufgaben, als auch für die im nächsten Abschnitt zu behandelnde Datenmodellintegration.

Erfahrungen zeigen, daß bei etwas größeren Integrationsprojekten durchaus Datenmodelle entstehen, die mehrere hundert Objekttypen (und meist ca. eineinhalb mal so viel Beziehungen) umfassen. Die Grenzen der Verwend-barkeit von Basisdatenmodellen dieser Größe ergeben sich daraus, daß:

– sie für Außenstehende aufgrund ihrer Komplexität unverständlich und abstoßend sind,

– Redundanzfreiheit und Konsistenz derartig großer Datenmodelle nur mit sehr großem Aufwand sichergestellt werden können,

– der Abgleich überlappender Modellierungsbereiche zwischen verschiedenen Projektteams extrem schwierig ist.

➡ *Datenmodelle sollten demnach als Teil der Anwendungsspezifikation einerseits genau und vollständig, zur Vermittlung globaler fachlicher Informationszusammenhänge andererseits aber auch einfach und übersichtlich sein.*

Da diese Anforderungen offensichtlich nicht durch ein einziges Datenmodell gleichermaßen erfüllt werden können, wird vielfach die Erstellung mehrerer Datenmodelle unterschiedlicher Detaillierung vorgeschlagen, z.B. bei [MEI 87], [PLOE 90], [GUI 91] und [WI 91].

Daraus ergibt sich jedoch die durchaus nicht triviale Anforderung, diese Datenmodelle konsistent und widerspruchsfrei zu halten.

Das nachfolgend vorgestellte Verfahren geht davon aus,

– daß die Beschreibung der Sachverhalte eines Realitätsausschnitts durch ein einziges Datenmodell größter Genauigkeit und Differenzierung erfolgt,

– daß aber dieses Datenmodell mittels automatischer Transformation auf unterschiedlichen Präsentations- und Detaillierungsebenen dargestellt werden kann.

Wir werden zeigen, wie auf der Grundlage eines nach unseren Modellierungsprinzipien entwickelten Basisdatenmodells durch Datenmodellverdichtung eine Folge abstrakterer Datenmodelle erzeugt wird, die ein zunehmend umfassenderes und weniger detailliertes Informationsverständnis vermitteln.

➡ *Wichtig ist, daß derartige Orientierungspräsentationen eines Datenmodells sich systematisch aus dem detaillierten Basismodell ableiten lassen und nicht etwa eigenständige Modelle sind.*

Nur dadurch kann sichergestellt werden, daß die Modelle konsistent sind und keine widersprüchlichen Sachzusammenhänge auf unterschiedlichen Detaillierungsstufen zum Ausdruck bringen.

3.2 Grundlagen der Datenmodellverdichtung

Clusterbildung als Verdichtungsprinzip

Die eigentliche Datenmodellverdichtung kann man sich vorstellen als Zusammenfassung jeweils mehrerer Objekttypen des Basisdatenmodells zu einem einzigen komplexen Objekttyp des verdichteten Modells.

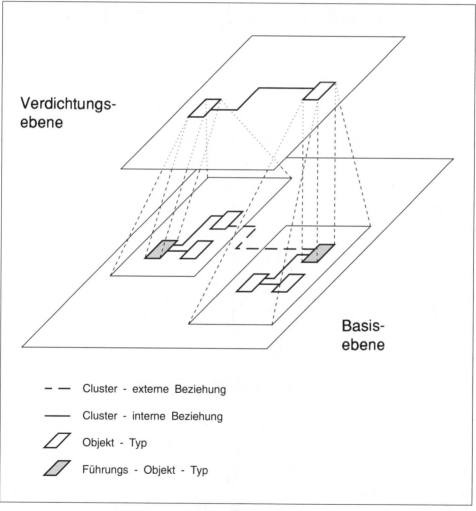

Bild 3.2: Datenmodellverdichtung im Prinzip

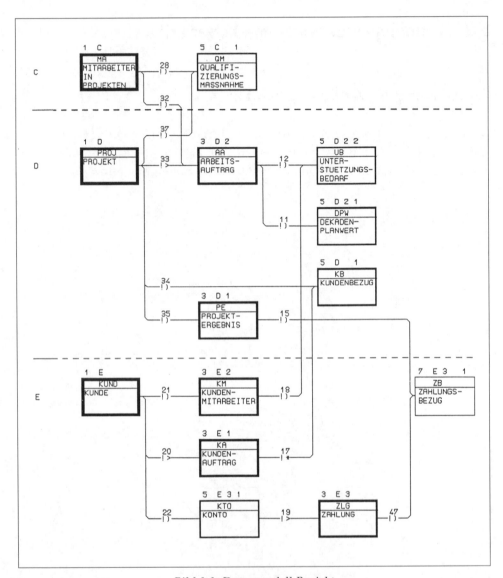

Bild 3.3: Datenmodell-Projekt

➡ *Dazu wird das Basisdatenmodell in eine Anzahl überschneidungsfreier Ausschnitte aufgeteilt, die dann jeweils zu einem einzigen Objekttyp der Verdichtungsebene zusammengefaßt werden können (Bild 3.2).*

Derartige Datenmodellausschnitte werden »Cluster« genannt. Damit bei der Verdichtung methodisch sinnvolle und über alle Verdichtungsebenen hinweg konsistente Ergebnisse erzeugt werden, müssen einige, später zu behandelnde formale Eigenschaften beachtet werden.

Zur Erklärung dieses Verdichtungsverfahrens betrachten wir als kleines Beispiel Bild 3.3 zusammen mit Tafel 3.3 und Tafel 3.4, die wir anschließend in Ergänzung zu unserem Datenmodell des vorangegangenen Abschnitts auch zur Demonstration der Integration verwenden werden. Es beschreibt Informationszusammenhänge im Kontext eines Projektauftrags- und Abwicklungssystems, die hier zur besseren Verständlichkeit stark vereinfacht werden mußten. Wir appellieren deshalb an die Vorstellungskraft des Lesers in Bezug auf die Schwierigkeiten, die ohne verdichtete Datenmodelle bei der inhaltlichen Durchdringung eines mehr als zehn mal so großen Datenmodells auftreten müssen.

AA   Arbeitsauftrag

Der Objekttyp umfaßt alle *Arbeitsaufträge*, die im Rahmen eines Projekts eingeplant oder zur Durchführung freigegeben sind.

DPW   Dekadenplanwert

Der Objekttyp umfaßt alle *Dekadenplanwerte*, die für einen Arbeitsauftrag geplant sind.

KA   Kundenauftrag

Der Objekttyp umfaßt alle *Kundenaufträge*, die durch die Auftragsverwaltung registriert werden.

KB   Kundenbezug

Der Objekttyp umfaßt alle *Kundenbezüge*, die die auftragsmäßige Beteiligung eines *Kunden* an einem Projekt beschreiben.

KM   Kundenmitarbeiter

Der Objekttyp umfaßt alle *Kundenmitarbeiter*, die von Kunden für die Mitarbeit in *Projekten* bereitgestellt werden.

KTO   Konto

Der Objekttyp umfaßt alle *Konten*, auf denen *Zahlungen von Kunden* eingehen (können).

KUND Kunde

Der Objekttyp umfaßt alle *Kunden*, die vom Vertrieb registriert sind.

MA   Mitarbeiter in Projekten

Der Objekttyp umfaßt alle Personen, die im Rahmen von *Projekten* zur Bearbeitung von *Arbeitsaufträgen* eingesetzt werden (können).

Tafel 3.3: Objekttypen-Definition (1)

PE   **Projektergebnis**

Der Objekttyp umfaßt alle *Projektergebnisse*, die im Rahmen eines *Projekts* registriert werden.

PROJ   **Projekt**

Der Objekttyp umfaßt alle *Projekte*, die von der Projektverwaltung eingeplant oder zur Durchführung freigegeben sind.

QM   **Qualifizierungsmaßnahme**

Der Objekttyp umfaßt alle *Qualifizierungsmaßnahmen*, die für *Mitarbeiter in Projekten* zur Durchführung ihrer Projektarbeit erforderlich sind.

UB   **Unterstuetzungsbedarf**

Der Objekttyp umfaßt alle *Unterstuetzungsbedarfe*, die die Beteiligung eines *Kundenmitarbeiters* für die Bearbeitung eines *Arbeitsauftrags* beschreiben.

ZB   **Zahlungsbezug**

Der Objekttyp umfaßt alle *Zahlungsbezüge*, die die Zuordnung einer Zahlung zu einem *Projektergebnis* beschreiben.

ZLG   **Zahlung**

Der Objekttyp umfaßt alle *Zahlungen*, die von *Kunden* geleistet werden.

Tafel 3.3: Objekttypen-Definition (2)

11 -->	Arbeitsauftrag	PLANT	Dekadenplanwert
12 -->	Arbeitsauftrag	ERFORDERT	Unterstuetzungsbedarf
15 -->	Projektergebnis	BEGRUENDET	Zahlungsbezug
17 -->	Kundenauftrag	BEGRUENDET	Kundenbezug
18 -->	Kundenmitarbeiter	DECKT	Unterstuetzungsbedarf
19 -->	Konto	ERHAELT	Zahlung
20 -->	Kunde	ERTEILT	Kundenauftrag
21 -->	Kunde	STELLT	Kundenmitarbeiter
22 -->	Kunde	BEGRUENDET	Konten
28 -->	Mitarbeiter	PLANT	Qualifizierungsmaßnahme
32 -->	Mitarbeiter	NIMMT WAHR	Arbeitsauftrag
33 -->	Projekt	REALISIERT DURCH	Arbeitsauftrag
34 -->	Projekt	BEGRUENDET DURCH	Kundenbezug
35 -->	Projekt	ERZEUGT	Projektergebnis
37 -->	Projekt	ERFORDERT	Qualifizierungsmaßnahme
47 -->	Zahlung	REGELT	Zahlungsbezug

Tafel 3.4: Beziehungsliste

Das vorliegende Datenmodellbeispiel beschreibt also Informationsstrukturen von PROJEKTEN mit ihren ARBEITSAUFTRÄGEN und PROJEKTERGEBNISSEN,
den daran beteiligten MITARBEITERN mit durch PROJEKTE geforderten QUALI-
FIZIERUNGSMAßNAHMEN sowie KUNDEN, KUNDENAUFTRÄGEN und ihren ZAHLUN-
GEN. Man erkennt, daß es in drei Segmente unterteilt ist, die unterschiedliche Informationsbereiche betreffen, nämlich:

– mitarbeiterbezogene Informationen
– projektbezogene Informationen
– kundenbezogene Informationen.

Natürlich ist es naheliegend, derartige themenorientierte Segmente als
Cluster zu betrachten, die auf einer höheren Verdichtungsebene lediglich
durch einen einzigen Objekttyp repräsentiert werden. Wir werden sehen,
daß auf der höchsten Verdichtungsebene genau dieses Ergebnis der Datenmodellverdichtung erreicht wird (Bild 3.7).

Wir sind jedoch der Meinung, daß unser Anspruch der Unterstützung von
projektübergreifenden bzw. sogar unternehmensweiten Abstimmungs- und
Integrationsprozessen eine stärkere Systematik und Objektivität der Clusterbildung und damit auch der Verdichtung erfordert.

Die Clusterbildung muß danach ebenso wie das Datenmodell selbst ein
abstimmfähiges Ergebnis des Modellierungsprozesses sein, das am Informationsverständnis des Unternehmens gemessen werden kann.

Führungsobjekttypen und komplexe Objekte

Eine wichtige Clustereigenschaft, durch die sich unser Verdichtungsverfahren von anderen Ansätzen gleicher Zielrichtung ([VER 83], [FEMI 86] und
[TEO+ 89]) unterscheidet, ist die Hervorhebung eines Objekttyps im Cluster
als Führungsobjekttyp.

➡ *Dieser Führungsobjekttyp wird auf der Verdichtungsebene als primärer
Repräsentant des Clusters angesehen, gewissermaßen als Nukleus einer
durch die Verdichtung erweiterten Information (vgl. Bild 3.2).*

Wir erreichen dadurch, daß auch verdichtete Datenmodelle durch wohldefinierte Objekttypen und nicht durch unklare und undefinierte Begriffsbildun-
gen gebildet werden. In unserem Beispiel (Bild 3.3) stellen die Objekttypen

MITARBEITER, PROJEKT und KUNDE die Führungsobjekttypen für die höchste Verdichtungsstufe (Bild 3.7) dar.

Durch einige Restriktionen in Bezug auf erlaubte Zuordnungen (es muß für jedes einzelne Objekt stets einen Zuordnungsweg im Cluster geben, vgl. [MI 91]) wird sichergestellt, daß verdichtete Objekttypen als nicht normalisierte komplexe Objekttypen verstanden werden können.

Sie übernehmen ihren Primärschlüssel vom Führungsobjekttyp, während ihre inneren Strukturen den gesamten Informationsinhalt des Clusters repräsentieren. Datenmodellverdichtung bedeutet dementsprechend Vergröberung der Darstellung, nicht jedoch Informationsverlust.

Diese Aussage wird durch eine instanzenorientierte Präzisierung der Definition komplexer Objekttypen als Menge komplexer Objektinstanzen verdeutlicht.

➡️ *Jede dieser Objektinstanzen umfaßt einerseits genau eine Instanz des Führungsobjekttyps, darüber hinaus aber eine variable Anzahl zusätzlicher Instanzen der anderen Objekttypen des Clusters.*

Die Identifikation der komplexen Objektinstanzen erfolgt jeweils durch die Instanz des Führungsobjekttyps.

Die Zuordnung der Instanzen anderer Objekttypen des Clusters ist festgelegt durch Referenzen, wobei in bestimmten Fällen auch Mehrfachzuordnungen möglich sind. Für eine mögliche Erklärung der komplexen Objekttypen als NF2-Typen sei auf [SCH+ 90] verwiesen.

Mehrstufigkeit der Verdichtung

➡️ *Eine weitere wesentliche Eigenschaft des Verdichtungsverfahrens besteht in seiner Mehrstufigkeit.*

Für große Datenmodelle mit mehreren hundert Objekttypen und erst recht für unternehmensweite Datenmodelle mit vielen tausend Objekttypen reicht eine einzige Verdichtungsebene nicht aus, um Transparenz und Verständlichkeit sicherzustellen. Das Verdichtungsverfahren bietet die Möglichkeit, aus einem einzigen, um Zusatzinformationen erweiterten Basisdatenmodell je nach Bedarf bis zu sechs Verdichtungsebenen automatisch zu erzeugen.

Diese die Datenmodellverdichtung steuernden Zusatzinformationen verstehen wir als eine pragmatische Bewertung der Unternehmensdaten, die im Rahmen der Datenmodellierung festgelegt und unternehmensweit abgestimmt werden muß. Sie beinhaltet für jeden Objekttyp zum einen eine Wertigkeit und zum anderen eine Zuordnung zu einem anderen, höherwertigen Objekttyp, der ihn auf höheren Abstraktionsebenen der Verdichtung vertritt.

➡ *Verdichtete Datenmodelle enthalten jeweils alle Objekttypen, deren Wertigkeit gleich oder höher als die Verdichtungsebene ist.*

Die Festlegung von Verdichtungsebenen

Aus der Sicht des Basismodells als Ausgangspunkt der Verdichtung bedeutet das, daß seinen Objekttypen eine unterschiedliche pragmatische Wertigkeit zugewiesen werden muß.

Während einige von ihnen sehr allgemeine und in unterschiedlichen Sachzusammenhängen erforderliche Informationen vertreten und deshalb auch auf höheren Verdichtungsebenen erhalten bleiben, haben die Informationen anderer Objekttypen nur bei detaillierterer Betrachtung oder in spezifischem Kontext eigenständige Bedeutung.

➡ *Diese pragmatische Wertigkeit wird durch eine Ebenenzuordnung für jeden Objekttyp festgelegt. In Bezug auf betriebliche Informationssysteme wollen wir damit die nachfolgende Erklärung verbinden.*

Ebene 1   beschreibt Top-Informationen des Unternehmens
Ebene 3   beschreibt Informationen der Funktionsbereiche des Unternehmens (Entwicklung, Fertigung etc.)
Ebene 5   beschreibt Informationen der Fachfunktionen des Unternehmens (Zeichnungsverwaltung, Fertigungssteuerung etc.)
Ebene 7   beschreibt Informationen der Modellierungsebene (Basismodell entsprechend der SER-Methode)

Die Zuordnung der Informationswertigkeiten erfolgt in einem Abstimmungsprozeß durch die Fachfunktionen bzw. das Unternehmensmanagement, wobei Mitarbeiter des Datenmanagements wesentliche methodische Unterstützung geben müssen. Bei größeren Datenmodellen und daraus resultierendem höheren Strukturierungsbedarf werden auch die Ebenen

2,4,6 mit jeweils zwischen den Ebenen 1,3,5,7 liegendem Informationsgewicht benutzt. Dies ist insbesondere bei Unternehmensdatenmodellen erforderlich, die bei vollem Ausbau viele Tausend Objekttypen umfassen werden.

Wir erkennen in unserem Beispiel (Bild 3.3), daß die zugeordneten Wertigkeiten jeweils links oberhalb eines Objekttyps vermerkt sind. MITARBEITER IN PROJEKTEN, PROJEKT und KUNDE sind Objekttypen der Ebene 1, die deshalb auch auf allen Verdichtungsebenen erhalten bleiben. Dem Projekt zugeordnet ist auf Ebene 3 ARBEITSAUFTRAG und PROJEKTERGEBNIS, während UNTERSTUETZUNGSBEDARF, DEKADENPLANWERT und KUNDENBEZUG nur in Bezug auf Ebene 5 als relevant erkannt wurden. ZAHLUNGSBEZUG wurde als Objekttyp der Ebene 7 eingestuft, weil er lediglich als Zuordnungsinformation und ansonsten nicht als fachbereichsrelevant angesehen wurde.

Die Zuordnung von Objekttypen

Neben der Bestimmung der Ebenenzuordnung für jeden einzelnen Objekttyp des Basismodells erfordert die Systematisierung und Automatisierung des Verdichtungsverfahrens noch eine zweite Festlegung, nämlich seine Zuordnung zu einem umfassenderen und höherrangigen komplexen Informationsobjekt, das ihn auf höheren Verdichtungsebenen repräsentiert.

Da durch diese Zuordnungen die Cluster der Verdichtungsebenen bestimmt werden, muß die voranstehend angesprochene Restriktion für die Zuordnung der Objektypen beachtet werden, nach der jede Objekt-Instanz mit einer Instanz seines Führungsobjekttyps durch einen gültigen clusterinternen Beziehungsweg verbunden sein muß.

➡ *Die beiden Festlegungen der Verdichtungsebene und der Objekttyp-Zuordnung definieren eine hierarchische Struktur aller Objekttypen des Basismodells mit den komplexen Objekttypen der ersten (obersten) Verdichtungsebene als Gipfel.*

Wegen ihrer Orientierung an der Bewertung, Gewichtung und Zuordnung von Informationen, die sich aus gegebenen, geplanten und beabsichtigten Informationsverwendungen im Unternehmen ergeben, bezeichnen wir diese Struktur als pragmatische Objekttypen- oder Begriffshierarchie.

3.3 Ergebnisse der Datenmodellverdichtung

Pragmatische Begriffshierarchie

Das erste Ergebnis der automatischen Datenmodellverdichtung ist die oben angesprochene Begriffshierarchie (Bild 3.4), die alle Objekttypen des Basis-datenmodells umfaßt und auf Grund der hierarchischen Struktur eine leicht verständliche Übersicht über ein Informationsgebiet vermittelt. Das Hierar-chiediagramm enthält Objekttyp-Rechtecke (wie im konzeptionellen Schema, jedoch ohne Beziehungen) in hierarchischer Anordnung. Oberhalb der Rechtecke sind links die Ebenen-Angabe und rechts die Ordnungsziffer der Dezimalklassifikation (vgl. unten) vermerkt.

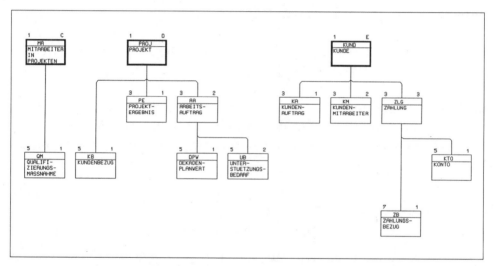

Bild 3.4: Begriffshierarchie »Projekt«

> *Bei der praktischen Arbeit mit Datenmodellen zeigt sich, daß diese prag-matische Begriffshierarchie nicht nur im Zusammenhang mit der Verdich-tung, sondern auch als eigenständiges Erklärungsmodell der Informationen des Unternehmens von Bedeutung ist.*

Die hierarchische Begriffserklärung kommt unserem normalen Lernverhal-ten sehr nahe. Wir erkennen Gruppen zusammengehörender Begriffe, die in sich wiederum strukturell geordnet sind. Der bewußte Verzicht auf die Darstellung der Gesamtheit aller Beziehungen zwischen den Objekttypen macht die primären Strukturen der Untergliederung und Spezialisierung von Informationen besonders deutlich.

Entsprechend dieser pragmatischen Begriffshierarchie lassen wir durch das Verdichtungsverfahren einen dezimalklassifizierenden Schlüssel generieren, den wir auch in den Datenmodellen als Orientierungshilfe darstellen (Bild 3.3 und 3.5; über den Objekttyp-Rechtecken, rechts neben der Ebenenangabe). Er hat in der ersten Stelle immer einen Buchstaben und in den folgenden sechs Stellen entweder eine Ordnungsziffer oder eine Leerstelle, wenn bei der hierarchischen Zuordnung Ebenen übersprungen werden. In Datenmodell-Diagrammen wird die hierarchische Einordnung der Objekttypen außerdem durch die Dicke der Umrahmung visualisiert.

Strukturierung großer Datenmodelle

Der Hierarchieschlüssel bestimmt auch die vertikale Segmentierung (z. B. in Bild 3.3) und die Ausschnittbildung (Bild 3.5) der Datenmodelle, die für Übersichtlichkeit und Verständlichkeit insbesondere bei großen Datenmodellen äußerst nützlich sind. Entsprechend diesem Schlüssel legen wir bearbeitungsfähige Datenmodellausschnitte fest, die einschließlich ihrer Interfaces auf einem DIN-A4-Blatt dargestellt werden können und die wir als Elementardatenmodelle bezeichnen.

➡️ *Elementardatenmodelle entsprechen Teilbäumen der pragmatischen Begriffshierarchie und sind die wichtigste Grundlage für Feinabstimmung und Weiterentwicklung von Datenmodellen.*

Ihre lineare Anordnung stellt ein globales Ordnungsraster dar, das als globale Struktur des Gesamtdatenmodells und für die Verknüpfung von Einzeldiagrammen sehr wertvoll ist. Im Hierarchiediagramm werden die Gipfel-Objekttypen der Elementardatenmodelle durch dickere Umrahmung hervorgehoben. Zur Demonstration dieser Funktionalität wurde auch bei dem kleinen Datenmodell unseres Beispiels die Teilhierarchie des Projekts als Elementardatenmodell dargestellt (Bild 3.9). Die Selektierung der Ausschnitte und der Interfaces, die Segmentierung sowie die Generierung der jeweiligen Topologie erfolgen automatisch durch unser Werkzeug auf der Basis von GRANEDA (GRA). Besonders wichtig für die praktische Arbeit mit den Elementardatenmodellen sind folgende Eigenschaften:

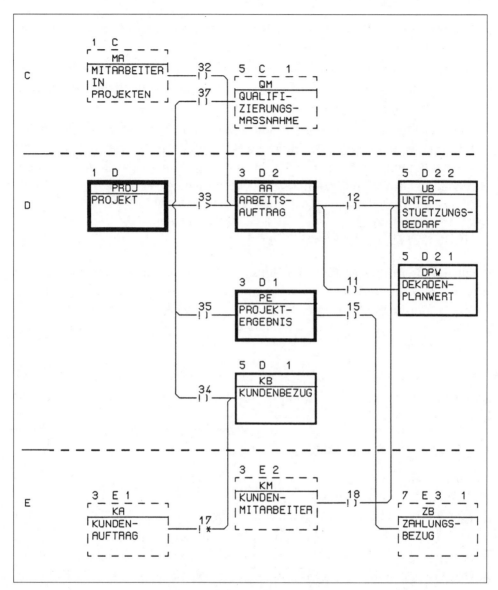

Bild 3.5: Datenmodell-Ausschnitt

- Die Beschränkung auf einen kleinen, semantisch aber eng verbundenen Informationsausschnitt fördert die Ergebnisfindung.

- Die Darstellung aller Beziehungen zur vollständigen Umgebung des Elementardatenmodells mit (gestrichelten) Interface-Objekttypen ermöglicht die Beachtung von Gesamtzusammenhängen.

- Die durchgängige und einheitliche Segmentierung unter Einschluß der Interface-Objekttypen vermittelt eine Ordnung und Überschaubarkeit des Gesamtdatenmodells auch dann, wenn es in Form von Elementardatenmodellen auf vielen einzelnen DIN-A4-Seiten dargestellt ist.

Objekttypen verdichteter Datenmodelle

Nach der Begriffshierarchie und den Elementardatenmodellen als äußerst nützlichen »Abfallprodukten« der Datenmodellverdichtung betrachten wir nun die verdichteten Datenmodelle selbst. Dabei beschränken wir uns wegen der geringen Größe des Beispiels auf die Verdichtungsebenen 3 (Bild 3.6) und 1 (Bild 3.7).

➡ *Verdichtete Datenmodelle sind normale ER-Modelle (und keine SER-Modelle), wobei höhere Abstraktionsstufen nur wenige, allgemein bekannte und verständliche Objekttypen benutzen. Auf den Detaillierungsebenen kommen Objekttypen hinzu, die interne Strukturen oder Spezialisierungen der allgemeineren Objekttypen darstellen.*

Im einzelnen gelten auf Grund der voranstehend erläuterten Verdichtungssystematik folgende Eigenschaften:

- Die Verdichtungsebenen entsprechen den Ebenen der pragmatischen Begriffshierarchie. Somit sind jeweils die Objekttypen der entsprechenden oder höherer Begriffsebenen Bestandteil eines verdichteten Datenmodells.
- Objekttypen sind vertikal durchgängig, bleiben also bei höherer Detaillierung eines Modells semantisch konsistent erhalten. Zu jedem Objekttyp eines verdichteten Datenmodells gibt es einen eindeutig zugeordneten Objekttyp des Basdisdatenmodells gleichen Namens.

– Die Bäume und Teilbäume der pragmatischen Begriffshierarchie (Bild 3.4) bestimmen den Informationsinhalt der komplexen Objekttypen verdichteter Datenmodelle. Danach umfaßt PROJEKT auf Ebene 1 in (Bild 3.7) die zugeordneten Objekttypen KUNDENBEZUG, PROJEKTERGEBNIS, ARBEITSAUFTRAG, DEKADENPLANWERT und UNTERSTUETZUNGSBEDARF. Auf Ebene 3 (Bild 3.6) dagegen umfaßt PROJEKT lediglich KUNDENBEZUG, weil PROJEKTERGEBNIS und ARBEITSAUFTRAG als Teilbaum der Ebene 3 eigenständig vorhanden sind.

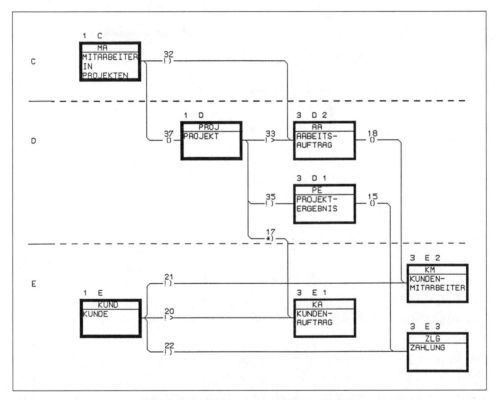

Bild 3.6:Verdichtungsmodell der Ebene 3

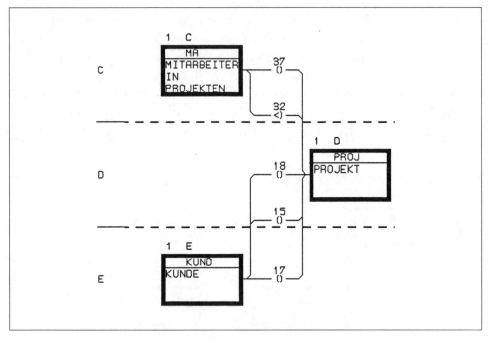

Bild 3.7: Verdichtungsmodell der Ebene 1

Die Bedeutung von Beziehungen

Bei der bisherigen Beschreibung des Verdichtungsverfahrens und der Ver-
dichtungsergebnisse haben wir ausschließlich über die Behandlung und die
Eigenschaften der Objekttypen, nicht jedoch über die Beziehungen gesprochen.

Der Grund liegt darin, daß die verdichtungsbestimmenden »Cluster« (siehe
oben) ausschließlich durch die Zugehörigkeit von Objekttypen bestimmt
werden. Die Zuordnung von Beziehungen dagegen wird nicht eigenständig
definiert, sondern ist eine Folge der Zuordnung von Objekttypen (Bild 3.2).
Danach gehören zu einem Cluster genau die Beziehungen, die zwei zum
Cluster gehörende Objekttypen verbinden. Wir nennen sie cluster-interne
Beziehungen und betrachten sie als Teil der Strukturbeschreibung des
Clusters.

➡ *Daneben gibt es cluster-externe Beziehungen, die zwei Objekttypen aus unterschiedlichen Clustern verbinden. Sie werden in Beziehungen zwischen verdichteten Objekttypen transformiert (Bild 3.2).*

Wir verifizieren diese Aussage beispielhaft durch Vergleich der Beziehungen Nr. 37, 32, 18, 15 und 17 im verdichteten Datenmodell (Bild 3.7) und im Basisdatenmodell (Bild 3.3). Dies sind einerseits genau die vom Verdichtungsverfahren ausgewiesenen Beziehungen zwischen den komplexen Objekttypen der Ebene 1 und andererseits genau die Beziehungen, die Objekttypen aus unterschiedlichen Segmenten (=Cluster für die Verdichtung auf Ebene 1) miteinander verbinden.

Während also cluster-interne Beziehungen verschwinden, behalten cluster-externe Beziehungen im verdichteten Datenmodell ihre Identität und damit auch ihre Semantik.

➡ *Auch in Bezug auf Beziehungen ist damit die Systematik und Durchgängigkeit des Verdichtungsverfahrens sichergestellt.*

Wegen detaillierterer Aussagen in Bezug auf die Konsistenz von Semantik und Kardinalität der Beziehungen sei auf [MI 91] verwiesen.

3.4   Zusammenfassung

– Es gibt ein Basisdatenmodell mit Zusatzinformationen für die Verdichtung, aus dem mehrere Verdichtungsebenen automatisch abgeleitet werden können.

– Die Verdichtung wird gesteuert und beschrieben durch eine hierarchische Struktur der Objekttypen, die wir pragmatische Begriffshierarchie nennen.

– Verdichtete Datenmodelle sind methodisch ER-Modelle, nicht jedoch SER-Modelle.

– Objekttypen und ihre Beziehungen sind vertikal durchgängig, bleiben also bei höherer Detaillierung eines Modells semantisch konsistent erhalten.

– Die pragmatische Begriffshierarchie bestimmt auch eine globale Segmentstruktur des Datenmodells, die die Überschaubarkeit und Vergleichbarkeit über unterschiedliche Auswertungen (Verdichtungen, Teildatenmodelle) hinweg sicherstellt.

– Die einzelnen Segmente können einschließlich ihrer Interfaces zu anderen Segmenten als DIN-A4-Diagramm dargestellt werden und stellen damit eine bearbeitungsfähige detaillierte Gesamtdokumentation eines Datenmodells dar.

– Teildatenmodelle beinhalten immer alle internen und externen Beziehungen der darin enthaltenen Objekttypen. Sie umfassen außerdem die Interface-Objekttypen der externen Beziehungen aus anderen Segmenten.

4   Datenmodellintegration

Die Bedeutung der Datenmodellintegration

Im ersten Abschnitt, »Datenmanagement als strategisches Konzept«, hatten wir dargelegt, daß die zentrale Kontrolle der Datenressource des Unternehmens ein besonders wichtiges Ziel des Datenmanagements darstellt. Dazu ist ein unternehmensweites Datenmodell (UWDM) als konsistente, einheitliche Beschreibung der Unternehmensdaten erforderlich.

➡ *Das unternehmensweite Datenmodell ist das Instrument, mit dem Defizite, Probleme und Konsolidierungsnotwendigkeiten der Unternehmensdaten deutlich gemacht und kommuniziert werden können.*

Es muß deshalb sowohl Ziele (z.B. strategisch relevanter Informationsbedarf) als auch die durch Anwendungssysteme und organisatorische Regelungen gegebene Realität darstellen.

Seine strategische Bedeutung ergibt sich auch daraus, daß die eigentliche strukturelle Verbesserung der Datenressource (Beseitigung von Inkonsistenzen, Kontrolle von Redundanzen, Ergänzung von Daten) eine schwierige und langwierige Aufgabe ist. Sie setzt häufig neben der Veränderung von Datenstrukturen auch die Anpassung von Geschäftsprozessen und die Veränderung von IV-Systemen voraus.

➡️ *Die erforderlichen Veränderungen sind deshalb nur im Zusammenwirken von Fachabteilung, Organisation, Systementwicklung und Datenmanagement zu erreichen, wobei das UWDM die Kommunikationsgrundlage für gemeinsame Aktionen ist.*

Zur Zeit werden für die Erarbeitung eines derartigen UWDM in Arbeitsgruppen und Firmen unterschiedliche Vorgehensstrategien diskutiert, die entweder von einer Vorgabe des UWDM als Ergebnis einer vorgeschalteten Datenmodellierung oder als Ergebnis der Integration von Projektdatenmodellen ausgehen.

Auch wenn die zweite Vorgehensalternative machbarer scheint, ist die Bedeutung der Datenmodellintegration nicht ausschließlich im Zusammenhang mit dieser Vorgehensweise zu sehen. Neuere Arbeiten ([GUI 92] und [WI 91]) diskutieren Verfahren, wonach unabhängig entwickelte Projektdatenmodelle auch bei Vorgabe eines unternehmensweiten Datenmodells im Zuge seiner Weiterentwicklung integrativ hinzugefügt werden müssen.

Im Zusammenhang mit dieser Diskussion ergibt sich, daß die Entwicklung detaillierter Projektdatenmodelle als jederzeit konsistenter Ausschnitt des UWDM allein schon wegen dessen Größe und Komplexität nicht beherrschbar ist. Sie wird zusätzlich erschwert

– durch die notwendige Projekt-Verantwortung für die Entwicklung von detaillierten semantischen Datenmodellen als Bestandteil der Anforderungsspezifikation (vgl.Abschnitt »Methodenanforderungen und Organisation«)

– und durch die Vielzahl anderer betroffener Projekte mit den daraus resultierenden Abstimmnotwendigkeiten.

Eine phasenweise Eigenständigkeit und Unabhängigkeit der Entwicklung detaillierter Projektdatenmodelle von jeweils gültigen Detailfestlegungen des UWDM ist aus diesen Gründen unabdingbar.

Somit ergeben sich Vorgehensweisen, die von folgender Arbeitsteilung bestimmt sind:

– Zu Beginn wird für das Projekt ein Rahmendatenmodell als Auszug aus dem UWDM vorgegeben.

– Das Projekt verantwortet die Weiterentwicklung des Datenmodells, seine fachliche Korrektheit sowie die Einhaltung der methodischen Anforderungen.

– Datenmanagement gibt methodische Unterstützung und überprüft durch Integrationsreviews die methodische Korrektheit und die Integrationsfähigkeit der Projektdatenmodelle.

– Datenmanagement pflegt das UWDM durch Integration von Projektdatenmodellen bzw. neuen Änderungsständen.

– Datenmanagement erstellt Integrationsberichte mit Vorschlägen an die Projekte zur Verbesserung der Datenstrukturen des Unternehmens.

Das integrierte Datenmodell

Ein integriertes Datenmodell umfaßt alle Modellierungsaussagen seiner Ausgangsmodelle. Diese zunächst einleuchtende oder sogar triviale Aussage erweist sich als schwierig, wenn man sie weiter zu erklären sucht. Was ist ein integriertes Datenmodell denn wirklich?

Wir versuchen eine Annäherung durch Angabe wichtiger Integrationsziele:

– Das integrierte Modell muß alle Modellierungsaussagen seiner Ausgangsmodelle enthalten.

– Es muß den gleichen Detaillierungsgrad wie seine Ausgangsmodelle haben.

– Beziehungen zwischen den Objekttypen unterschiedlicher Ausgangsmodelle müssen Bestandteil des integrierten Modells sein.

– Identische Modellierungsaussagen der Ausgangsmodelle dürfen im integrierten Modell nur einmal vorkommen.

Die Problematik liegt in der bei der Integration zu treffenden Entscheidung, ob zwei Modellierungsaussagen unterschiedlicher Ausgangsmodelle identisch sind oder nicht. Welcher Grad von Ähnlichkeit zweier Modellierungsaussagen bedeutet Gleichheit, und welcher nicht?

Für eine genauere Erklärung unseres Integrationskonzepts greifen wir auf die im Abschnitt »Datenmodellierungspraxis« eingeführte Unterscheidung zweier Dataillierungsebenen der Datenmodellierung zurück. Die globale Modellierungsebene beschreibt in Form eines konzeptionellen Schemas Objekttypen und ihre Beziehungen, die lokale Ebene bestimmt in Form eines logischen Schemas die Attribute der durch die konzeptionelle Ebene vorgegebenen Objekttypen.

Auch die Aufgabe der Datenmodellintegration muß sich deshalb auf diesen beiden Ebenen abspielen.

➤ *Auf der globalen Ebene müssen die Objekttypen und Beziehungen zu einem integrierten konzeptionellen Schema zusammengefügt werden,*

wobei zur Beseitigung von Redundanzen einerseits Objekttypen gelöscht, zur Beschreibung integrativer Zusammenhänge andererseits aber auch neue Beziehungen und ggf. neue Objekttypen eingefügt werden müssen. Wir werden sehen, daß gerade bei dieser Integrationsaufgabe die Unterscheidung von ähnlichen und identischen Objekttypen eine sehr große Bedeutung hat.

➤ *Auf der lokalen Ebene muß innerhalb der durch die Integration entstandenen Gruppen ähnlicher Objekttypen ein Abgleich auf redundante Attribute vorgenommen werden.*

Diese zweite Aufgabe ist einerseits vergleichsweise trivial, weil sie sich nicht auf das gesamte Datenmodell, sondern lediglich auf Familien ähnlicher Objekttypen bezieht. Andererseits erfordert sie ein sehr genaues Verständnis der Attribute und ihrer Inhalte, um auch hier zwischen bloßer Ähnlichkeit und tatsächlicher Identität unterscheiden zu können. Die Integration der Attribute muß die betroffenen Funktionen und Abläufe berücksichtigen, sie ist deshalb primär eine Aufgabe der Fachabteilungen, der Systementwicklung und der Organisation, nicht jedoch des Datenmanagements.

4.1 Funktionen der Datenmodellintegration

Nachfolgend beschreiben wir die Prinzipien unserer Datenmodellintegration in Form von Einzelfunktionen, bevor wir dann ein Verfahren beschreiben, das diese Einzelfunktionen unter Nutzung der Datenmodellverdichtung praktikabel realisiert. Abschließend werden wir das Verfahren an einem kleinen Beispiel demonstrieren.

Addition der Ausgangsmodelle

In erster Annäherung stellen wir uns ein integriertes Datenmodell als simple Addition der Ausgangsmodelle vor. Dabei hilft uns der im Abschnitt »Datenmodellierungspraxis« eingeführte Kurzname von Objekttypen, der vom Datenmanagement beliebig geändert werden kann und deshalb als unternehmensweite Identifikation der Objekttypen behandelt wird. (Die Identität von Kurznamen in unterschiedlichen Datenmodellen wird deshalb für die Datenmodellintegration grundsätzlich durch Umbenennung aufgelöst.)

➡️ *Diese erste Näherung eines integrierten Datenmodells besteht demnach aus den Vereinigungsmengen von Objekttypen und Beziehungen aller Ausgangsmodelle. An der Zuordnung von Attributen zu den Objekttypen durch die logischen Schemata ändert sich nichts.*

Der Vergleich von Objekttypen

Betrachtet man das konzeptionelle Schema dieses Vereinigungsmodells, so stellt man fest, daß die Objekttypen der unterschiedlichen Ausgangsmodelle prinzipiell nicht miteinander verbunden sind. Das Vereinigungsmodell besteht aus zwei (oder mehr) voneinander isolierten Teilen. Das Ziel der Datenmodellintegration in Bezug auf das konzeptionelle Schema besteht deshalb darin, fehlende Beziehungen zu erkennen und zu ergänzen. Sie werden durch den Vergleich von Objekttypen erkannt, wobei insbesondere das Verständnis der durch einen Objekttyp repräsentierten Menge konkreter Objekte (extensionale Definition, Mengenabgrenzung) entsprechend Abschnitt »Datenmodellierungspraxis« herangezogen wird.

➡️ *Objekttypen, die zumindest teilweise identische reale Objekte beinhalten, müssen zueinander in Beziehung stehen.*

Die Modellierung dieser Beziehungen stellt die eigentliche Integrationsaufgabe dar, wobei sehr häufig nicht nur Beziehungen, sondern auch neue Objekttypen eingefügt werden müssen. Weil diese Beziehungen zur Formulierung der (Teil-)Identität von Objektmengen immer (0,1)-Beziehungen darstellen und semantische Spezialisierungen oder Rollen beschreiben, nennen wir derartig verbundene Objekttypen auch Objekttyp-Familien. Sie spielen im Zusammenhang mit der Bereinigung von Attribut-Redundanzen, insbesondere bei der Integration des logischen Schemas, aber auch bei der Vereinfachung von Spezialisierungsstrukturen des unternehmensweiten Datenmodells eine wichtige Rolle.

– Behandlung von Homonymen
Die Tatsache gleicher Namensvergabe (fachlicher Langname entspr. dem Abschnitt »Datenmodellierungspraxis«) in unterschiedlichen Projekten darf nur dann bestehen bleiben, wenn die beiden Objekttypen zusätzlich zur Namensgleichheit alle Eigenschaften von Synonymen (s.u.) aufweisen. In diesem Fall entspricht die weitere Behandlung der Integration von Synonymen, andernfalls muß die Namensgleichheit aufgelöst und der normale Objekttypenabgleich durchgeführt werden.

– Integration von Synonymen
Die offensichtlichste Redundanz sind echte Synonyme. Wegen der von uns geforderten eindeutigen Mengenabgrenzung der Objekttypen-Definition liegen Synonyme allerdings nur dann vor, wenn die Menge der Objektinstanzen beider Objekttypen wirklich identisch ist.

In diesem Fall muß ein gemeinsamer Objekttyp mit einheitlicher Beschreibung definiert werden. Er nimmt alle Beziehungen der beiden Synonyme auf, und auf lokaler Modellierungsebene muß eine Vereinigungsrelation gebildet werden, die die um Redundanzen bereinigte Vereinigungsmenge der Attribute der Synonyme aufnimmt.

– Integration echter Subtypen
Eine Spezialisierung durch Subtypen liegt vor, wenn die durch den Objekttyp des einen Teildatenmodells bezeichnete Objektmenge eine echte Teilmenge der entsprechenden Objektmenge im anderen Teildatenmodell ist. Die beiden Objekttypen müssen durch eine SER-Beziehung der Kardinalität (0,1) zwischen Supertyp und abhängigem Subtyp verbunden werden. Im Relationenschema muß festgestellt werden, welche der Attribute des Subtyps auch beim Supertyp vorhanden sind. Diese Attribute müssen beim Subtyp gelöscht werden.

– Integration überlappender Objekttypen
Bei überlappenden Objekttypen gibt es in jedem der beiden Objekttypen sowohl identische Objekte, als auch Objekte, die im anderen Objekttyp nicht vorkommen.
Meist kann ein umfassender Supertyp für die Zuordnung der Teildatenmodell-Objekttypen neu formuliert werden, wobei die Namen und Definitionen der alten Objekttypen ggf. angepaßt werden müssen. Im Relationenschema muß dann festgestellt werden, welche Attribute der Teildatenmodell-Objekttypen identisch sind. Diese Attribute müssen dem Supertyp zugeordnet und bei den Subtypen gelöscht werden.

Falls die Definition eines semantisch sinnvollen Supertyps nicht möglich ist, muß die Identität der entsprechenden Objekte durch einen Beziehungsobjekttyp modelliert werden. Gemeinsame Attribute kann es in diesem Fall nur bei unsauberer Modellierung der Teildatenmodelle geben.

– Integration existenzabhängiger Objekttypen

Bei oberflächlicher Modellierung der Teildatenmodelle kann es vorkommen, daß Existenzabhängigkeiten zu einem Objekttyp des anderen Datenmodells bestehen, ohne daß es dazu einen überlappenden Objekttyp gibt. (Ein Beispiel wäre die Modellierung der Bestellung ohne Modellierung des Kunden als seine Existenzvoraussetzung). Die entsprechende SER-Beziehung muß im integrierten Datenmodell eingefügt werden.

Außerdem muß anschließend überprüft werden, ob der Verzicht auf die Modellierung des unabhängigen Objekttyps zu Verletzungen der 2. oder 3. Normalform im logischen Schema geführt hat.

– Integration komplexer Beziehungen

Natürlich kann es vorkommen, daß bei der Integration zweier Teildatenmodelle erkannt wird, daß es weitere Beziehungen zwischen Objekttypen gibt, die bisher weder in dem einen noch in dem anderen Datenmodell dargestellt wurden. Falls es sich hierbei nicht um Existenzabhängigkeiten handelt, müssen diese Beziehungen entsprechend SER-Methode aufgelöst und durch neue Objekttypen mit ihren Existenzvoraussetzungen modelliert werden.

Die Ergänzung des konzeptionellen Schemas

Die Gesamtheit der entsprechend dem vorigen Abschnitt erkannten neuen Objekttypen und Beziehungen wird als weiteres Teildatenmodell formuliert und zu den anderen Teildatenmodellen formal addiert.

Zusätzlich ist lediglich im Fall von echten Synonymen ein Objekttyp zu löschen und in allen Beziehungen durch sein Synonym zu ersetzen. Durch diese beiden Funktionen sind alle integrativen Beziehungen zwischen den zu integrierenden Teildatenmodellen eingebracht.

Das so entstandene konzeptionelle Schema beschreibt den tatsächlichen Ist-Zustand der Ausgangsmodelle und kein idealisiertes Wunschbild.

Die Integration der Attribute

Die Integration der Attribute erfolgt im logischen Schema und erfordert, wie eingangs schon angesprochen, ein sehr genaues Verständnis ihrer Informationsinhalte, wobei zumeist auch ihre funktionale Verwendung berücksichtigt werden muß. Sie setzt deshalb eine sehr genaue Analyse durch die beteiligten Projekte voraus, wozu ein projektunabhängiges Datenmanagement sicher nicht in der Lage ist.

Wir gehen davon aus, daß Datenmanagement auf der Basis von Spezialisierungsstrukturen im konzeptionellen Schema die oben angesprochenen Objekttyp-Familien bildet, die dann durch Projektteams detailliert in Bezug auf ihre Attribute analysiert werden müssen. Die Integration auf lokaler Ebene sollte mit einer Anpassung der realen Datenressource verbunden sein und könnte als projektübergreifende Wartungsaktivität organisiert werden.

Sie ist eine Sytemgestaltungsmaßnahme, bei der

- zunächst projektübergreifend neue Soll-Relationen formuliert werden müssen,
- Views für die unterschiedlichen Projekte zu definieren sind,
- Programme verändert und schließlich auch Zuständigkeiten und Ablauforganisation angepaßt werden müssen.

Bei der nachfolgenden Verfahrensbeschreibung und bei der Darstellung des Beispiels werden wir auf diesen Integrationsschritt nicht eingehen.

4.2 Das Verfahren der Datenmodellintegration

In unserer Einführung zur Datenmodellverdichtung hatten wir darauf hingewiesen, daß große Datenmodelle ohne Unterstützung durch weitere Strukturierung für Außenstehende schwer zu begreifen sind. Dies gefährdet auch die Praktikabilität der Datenmodellintegration entsprechend den voranstehend beschriebenen Prinzipien. Danach würde die Integration zweier Datenmodelle den semantischen Abgleich aller Objekttypen des einen mit allen Objekttypen des anderen Datenmodells bedeuten. Dies ist für größere Datenmodelle weder zumutbar noch effizient.

➡️ *Eine wesentliche Unterstützung bietet das voranstehend dargestellte Verfahren der mehrstufig strukturierten Datenmodellverdichtung, deren Ergebnisse wir auch zur Grundlage eines effektiven Verfahrens der Datenmodellintegration machen.*

Ohne Einschränkung der Allgemeinheit gehen wir davon aus, daß jeweils nur genau zwei Datenmodelle integriert werden (und gegebenenfalls erst anschließend ein drittes). Sehr häufig wird eines der beiden Datenmodelle das gerade gültige unternehmensweite Datenmodell (UWDM) sein. In diesem Fall werden wir sicher den Objekttypen dieses UWDM eine größere Stabilität und Allgemeinheit zubilligen, die Prinzipien der Methode bleiben jedoch unverändert. Das Integrationsergebnis stellt dann einen neuen und erweiterten Stand des UWDM dar.

Verfahrensüberblick

Die Datenmodellintegration des konzeptionellen Schemas wird ablaufmäßig bestimmt durch die Ebenen und die hierarchische Struktur der Verdichtung. Ihr effizienter Ablauf wird dadurch ermöglicht, daß man die Integration zunächst nur auf der obersten Verdichtungsebene durchführt, wo die Anzahl der Objekttypen noch überschaubar ist.

Für die detaillierteren Datenmodellebenen bis zum Basisdatenmodell gilt dann jeweils, daß die Integration nur im Rahmen des Datenmodellausschnitts erfolgen muß, der durch die Baumstrukturen der vorher integrierten und neu verdichteten höherwertigen Objekttypen festgelegt ist. Die Anzahl der relevanten Verdichtungsebenen ergibt sich pragmatisch aus der Komplexität der zu integrierenden Datenmodelle, da ca. zehn bis zwanzig Objekttypen gut in einem Zug integriert werden können.

➡️ *Die Integration schreitet also vom Globalen und Allgemeinen voran zum Detaillierten und Spezifischen, wobei der Integrationsumfang entsprechend der pragmatischen Begriffshierarchie ständig weiter eingeschränkt wird.*

Das Verfahren beginnt mit einer Integrationsvorbereitung, in der aus den beiden zu integrierenden Datenmodellen durch reine Addition der Komponenten (Objekttypen, Beziehungen und Relationen) ein Gesamtdatenmodell erstellt und zur Datenarchitektur verdichtet wird.

Als Ergebnisse der Datenmodellverdichtung werden dann die Begriffshierarchien und das verdichtete Datenmodell der Ebene-1 benötigt, um die Integration auf Ebene-1 durchführen zu können.

Auf jeder Integrationsebene sind die nachfolgend im einzelnen beschriebenen Integrationsschritte »Objekttypenabgleich«, »Strukturintegration« und »Strukturbereinigung« durchzuführen, wobei am Ende der Strukturbereinigung jeweils der bis dahin erreichte Integrationsstand durch Datenmodellverdichtung dokumentiert und zur Ausgangsbasis der Integration auf der nächsten, detaillierteren Ebene gemacht wird.

Integrationsvorbereitung

Integrationsvoraussetzung sind zwei Datenmodelle, die jeweils als Basisdatenmodelle unseren methodischen Anforderungen aus den Abschnitten »Datenmodellierung in der Systementrichtung« und »Datenmodellverdichtung« entsprechen. Diese beiden Datenmodelle werden zunächst formal addiert. Da sowohl Objekttypen als auch Relationen durch die Kurznamen identifiziert werden, muß zufällige Namensgleichheit durch Umbenennung eliminiert werden. Außerdem müssen die Alpha-Kennzeichen bei den Objekttypen der Ebene 1 überprüft und eventuell unterschiedlich gemacht werden, damit bei einer gemeinsamen Verdichtung unterschiedliche Hierarchien erzeugt werden.

Die Verdichtung dieses durch formale Addition entstandenen Datenmodells erzeugt logischerweise Datenmodelle, die aus den zwei nicht miteinander verbundenen Teilen der Ausgangsdatenmodelle bestehen. Das Erkennen und Realisieren semantischer Zusammenhänge ist Gegenstand der Integrationsschritte »Objekttypenabgleich«, »Strukturintegration« und »Strukturbereinigung«, die für die relevanten Verdichtungsebenen durchlaufen werden müssen.

Objekttypenabgleich

➡️ *Das Ziel des Objekttypenabgleichs besteht darin, komplexe Objekttypen der Verdichtungsebenen zu identifizieren, die wegen der inhaltlichen Überlappung ihrer Begriffshierarchien zu einem einzigen komplexen Objekttyp des integrierten Datenmodells zusammenzufassen sind.*

Der Integrationsrahmen ist immer eine Verdichtungsebene und umfaßt nur auf Ebene 1 alle Objekttypen des verdichteten Modells. Für alle anderen Ebenen erfolgt der Abgleich nur innerhalb der hierarchischen Strukturen, die vorher auf der übergeordneten Ebene neu gebildet wurden.

Durch paarweisen Abgleich der komplexen Objekttypen des einen mit denen des anderen Datenmodells der Integrationsebene wird festgestellt,

– ob sie beide im integrierten Datenmodell eigenständig erhalten bleiben, und ob sie durch zusätzliche Beziehungen verbunden werden müssen,
– oder ob sie im integrierten Datenmodell auf dieser Begriffsebene lediglich durch einen einzigen Objekttyp repräsentiert werden sollen.

Strukturintegration

Für alle entsprechend Schritt 1 paarweise zusammenzufassenden Objekttypen muß eine einzige Objekttypenhierarchie gebildet werden, die einem Cluster der Datenmodellverdichtung entspricht.

➡️ *Die Restriktionen des Verdichtungsverfahrens erzwingen dabei, daß der semantische Zusammenhang zwischen den derart zusammengefaßten Objekttypen auch tatsächlich durch Beziehungen zwischen den Objekttypen des Basisdatenmodells konkret modelliert wird.*

Dazu werden kleine Integrationsmodelle erstellt, die die integrationsbestimmende Begriffsbildung exakt spezifizieren.

Sie müssen jeweils zumindest die beiden zu integrierenden Objekttypen umfassen, doch können auch weitere, durch die Integrationsanalyse erkannte Objekttypen (häufig Subtypen oder ein gemeinsamer Supertyp) enthalten sein. Außerdem müssen in diesen Integrationsmodellen die zusätzlichen Beziehungen zu anderen Objekttypen der Verdichtungsebene modelliert werden, die im Zuge des Objekttypenabgleichs erkannt wurden.

Unter Beachtung der Restriktionen des Verdichtungsverfahrens muß die pragmatische Begriffshierarchie dieses Integrationsmodells festgelegt werden, wobei selbstverständlich genau ein Objekttyp als neuer Gipfel der vereinigten Begriffshierarchie auf der Integrationsebene und die anderen darunter angeordnet sein müssen. (Das kann einer der zu integrierenden Objekttypen oder ein neu gebildeter Supertyp sein.)

➡ *Dieser Integrationsobjekttyp ersetzt die Ausgangsobjekttypen in der integrierten pragmatischen Begriffshierarchie,*

indem ihm deren untergeordnete hierarchischen Strukturen zumindest vorläufig direkt zugeordnet werden und er selbst in der pragmatischen Begriffshierarchie entsprechend nach oben eingebunden wird. Diese Zuordnung erfolgt rein formal durch Ersetzung des Zuordnungsobjekts (und könnte deshalb automatisiert werden). Die ggf. erforderlichen Korrekturen erfolgen durch die Überarbeitung in der anschließenden Strukturbereinigung bzw. durch den Objekttypenabgleich auf der nächsten Verdichtungsebene.

Strukturbereinigung

Nach Abschluß des zweiten Integrationsschrittes kann es hierarchische Zuordnungen geben, die entsprechend der Bedeutung komplexer Objekttypen des Verdichtungsverfahrens nicht korrekt sind, oder die im Kontext der neuen, integrierten Objekttypen nicht sinnvoll erscheinen.

Deshalb muß die hierarchische Zuordnung aller direkt den Objekttypen der Integrationsebene zugeordneten Teilbäume der pragmatischen Begriffshierarchie überprüft und ggf. korrigiert werden.

Wir möchten an dieser Stelle anmerken, daß die Überarbeitung der unternehmensweiten pragmatischen Begriffshierarchie in jedem Fall auch ein permanenter Prozeß ist. Sie entspricht einer Bewertung von Unternehmensinformationen in ihrem Gewicht und in ihrer Zuordnung zu umfassenderen Informationskomplexen. Im Zusammenhang mit der Pflege der Unternehmensdatenarchitektur werden wir diese Thematik vertiefen.

4.3 Die Integration in einem Beispiel

Das in den vorangegangenen Abschnitten beschriebene Verfahren der Datenmodellintegration ist relativ abstrakt und deshalb im Rahmen eines Beispiels besser zu verstehen. Wir gehen aus von den beiden inhaltlich schon diskutierten Datenmodellen entsprechend Bild 3.1 und Bild 3.3.

Schritt 1: Integrationsvorbereitung

Erster Schritt ist die rein formale Umbenennung gleicher Kurznamen, die entsprechend unseren Modellierungskonventionen Identifikatoren des zentralen Datenmanagements sind und bei der Modellintegration beliebig geändert werden dürfen. Dabei erfolgt zunächst noch keine Bereinigung fachlicher Homonyme (Langnamen) und keine Überprüfung auf Synonyme (vgl. Schritt 3).

In unserem Beispiel setzen wir:

- MA (im Teildatenmodell Projekt) wird zu PMA.
- KTO (im Teildatenmodell Projekt) wird zu DKTO (man denke an Debitor).

Die beiden Datenmodelle können nun rein formal addiert werden, indem alle Objekttypen und alle Beziehungen in ein gemeinsames Datenmodell eingebracht werden.

Die hierarchischen Zuordnungen der Teildatenmodelle werden für die Verdichtung unverändert übernommen. Auch die Alpha-Kennzeichen der Objekttypen der Ebene 1 (vgl. voriger Abschnitt) sind schon unterschiedlich und müssen deshalb nicht verändert werden.

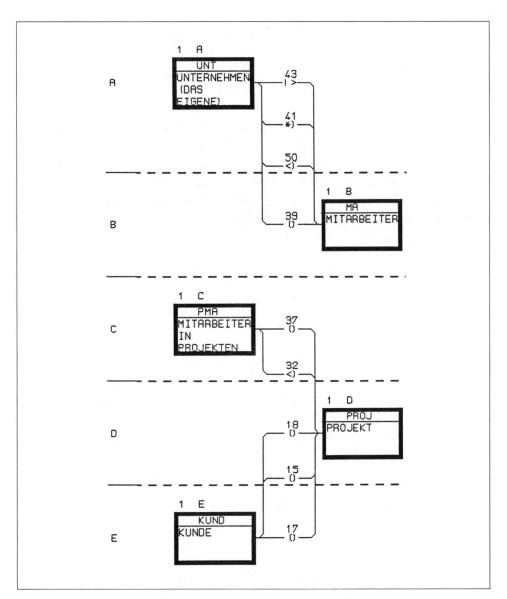

Bild 3.8: Modellintegration Schritt 1

Für dieses durch simple Addition gebildete Datenmodell führen wir die automatische Verdichtung durch. Dann beginnen wir die Integration mit dem Datenmodell der Ebene 1 (Bild 3.8). Auffällig, wenngleich nicht überraschend und in der allgemeinen Verfahrensbeschreibung als grundsätzliche Struktureigenschaft angesprochen, ist die Feststellung, daß die Objekttypen UNTERNEHMEN und MITARBEITER aus dem Teildatenmodell »Unternehmen« einerseits und die Objekttypen MITARBEITER IN PROJEKTEN, PROJEKT und KUNDE aus dem Teildatenmodell »Projekt« andererseits durch keine Beziehung miteinander verbunden sind. Die komplexen Strukturen der Objekttypen dieses verdichteten Datenmodells sind durch die fünf Teil-Hierarchien (Bild 3.9 bis Bild 3.13) erklärt.

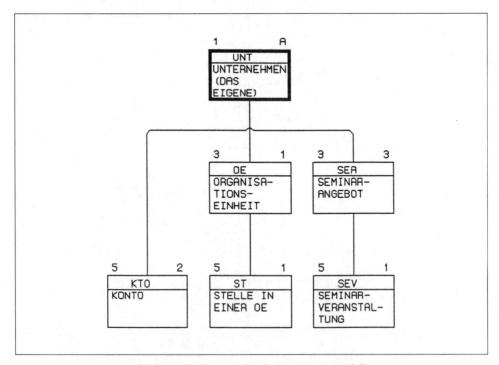

Bild 3.9: Teilhierarchie Integrationsmodell

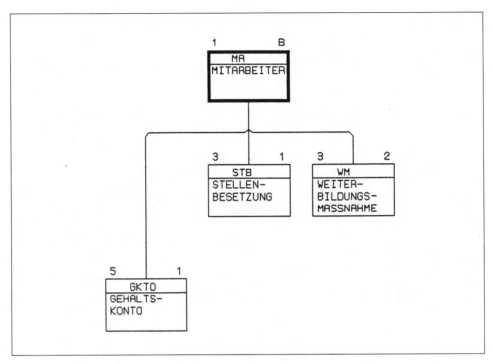

Bild 3.10: Teilhierarchie Integrationsmodell

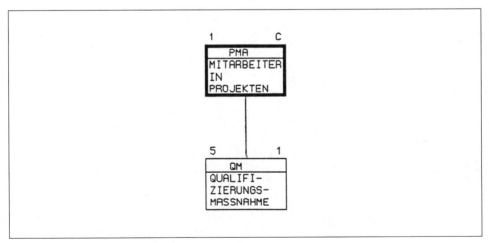

Bild 3.11: Teilhierarchie Integrationsmodell

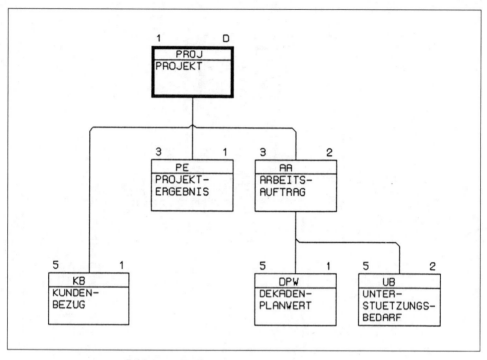

Bild 3.12: Teilhierarchie Integrationsmodell

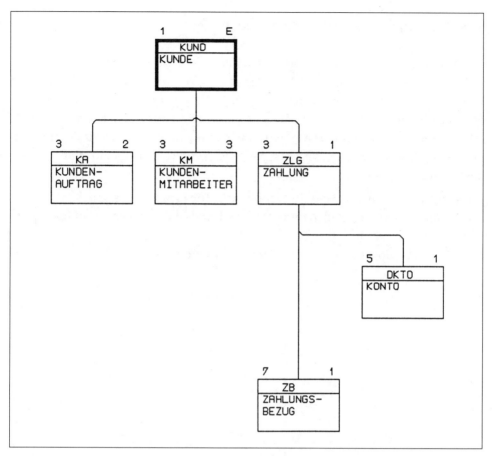

Bild 3.13: Teilhierarchie Integrationsmodell

Schritt 2: Objekttypenabgleich auf Ebene 1

Die semantische Interpretation der hinter den Objekttypen der Ebene 1 stehenden Begriffshierarchien läßt unschwer erkennen, daß die Objekttypen UNTERNEHMEN, PROJEKT und KUNDE eigenständig erhalten bleiben, während MITARBEITER und MITARBEITER IN PROJEKT zu einer einzigen Hierarchie verschmolzen und deshalb durch ein Integrationsdatenmodell zueinander in Beziehung gesetzt werden müssen. Außerdem wird festgestellt, daß globale Beziehungen fehlen,

– die die Verantwortung des Unternehmens für Projekte regeln,
– die Kundenaufträge und Zahlungen des Kunden den Strukturen des Unternehmens zuordnen,
– die die Betreuung von Kundenmitarbeitern sicherstellen.

Schritt 3: Strukturintegration auf Ebene 1

Diese fehlenden integrativen Objekttypen und Beziehungen werden durch ein zusätzliches, die Integration beschreibendes Datenmodell eingebracht (Bild 3.14; neue Objekttypen sind unterlegt, unveränderte Objekttypen des Ausgangsmodells sind durchkreuzt.). Im Beispiel werden die Objekttypen MITARBEITENDE PERSON und FREMDARBEITSKRAFT neu definiert. MITARBEITENDE PERSON ist als Generalisierung zu MITARBEITER, PROJEKTMITARBEITER und FREMDARBEITSKRAFT neuer Objekttyp der Ebene 1) Neben den Generalisierungsbeziehungen werden auch die entsprechend den oben genannten Feststellungen fehlenden Beziehungen

- ORGANISATIONSEINHEIT ist zuständig für PROJEKT
- ORGANISATIONSEINHEIT ist zuständig für KUNDENAUFTRAG
- ORGANISATIONSEINHEIT ist zuständig für FREMDARBEITSKRAFT
- KONTO (KTO) kann sein KONTO (DKTO) ergänzt.

Bei dieser semantischen Überarbeitung werden auch eventuelle Homonyme und Synonyme bereinigt. Synonyme werden vereinigt, wobei bei Unterschieden ihre Definition überarbeitet werden muß. Homonyme müssen umbenannt werden. In unserem Beispiel müssen wir uns mit dem Homonym Konto (mit den Kurznamen KTO und DKTO) beschäftigen und ändern deshalb den fachlichen Langnamen Konto (DKTO) in DEBITORENKONTO.

Auch dieses ergänzende Datenmodell wird additiv zu den beiden vorhandenen Datenmodellen hinzugefügt.

Abschließend müssen in diesem so gebildeten integrierten Datenmodell die hierarchischen Zuordnungen angepaßt werden, so daß alle Teilstrukturen der zu verschmelzenden Hierarchien direkt dem neuen Gipfel MITARBEITENDE PERSON und nicht mehr den früheren Gipfeln MITARBEITER und PROJEKTMITARBEITER zugeordnet sind. (Diese Zuordnungen erfolgen zunächst formal und werden erst mit den nächsten Integrationsschritten semantisch und pragmatisch hinterfragt.) Bild 3.15 zeigt die so entstandene neue Hierarchie des Objekttyps MITARBEITENDE PERSON und Bild 3.16 das zugehörige konzeptionelle Schema.

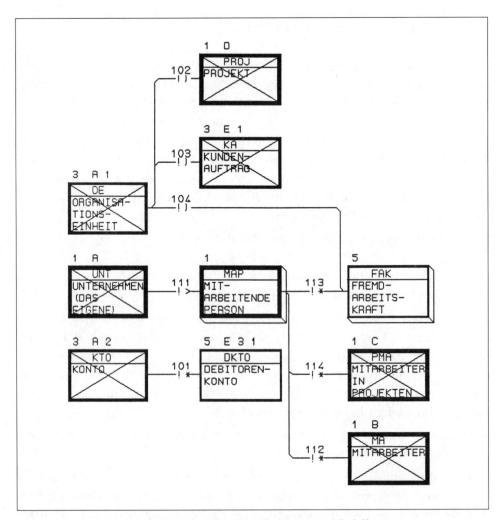

Bild 3.14: Integrations-Ergänzungs-Modell

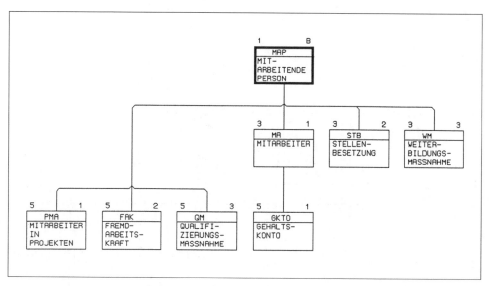

Bild 3.15: Teilhierarchie nach Schritt 3

Schritt 4: Strukturbereinigung und Ebenenübergang

Im letzten Integrationsschritt werden die globalen hierarchischen Zuordnungen (Bild 3.9, 3.12, 3.13, 3.15) überprüft und ggf. korrigiert. Unter globalen Zuordnungen verstehen wir die Zuordnung zu den jeweiligen Gipfeln der Integrationsebene, hier im Beispiel also der Ebene 1, nicht jedoch die erst im nächsten Schritt zu behandelnden internen Hierarchiezuordnungen.

Die globale Veränderung von Hierarchie-Zuordnungen kann erforderlich sein, weil sich die Datenmodelle durch die Integration jeweils inhaltlich erweitert haben und durch die neu eingeführten integrativen Beziehungen aus Schritt 3 neue Zuordnungsmöglichkeiten bestehen.

So könnte man in unserem Beispiel der Meinung sein, daß der Kundenmitarbeiter der MITARBEITENDEN PERSON und nicht dem KUNDEN, und das DEBITORENKONTO dem KONTO und nicht der ZAHLUNG primär zuzuordnen seien. Wir lassen hier die Zuordnungen unverändert bestehen, so daß Bild 3.15 und Bild 3.16 für die interne Integration des komplexen Objekttyps MITARBEITENDE PERSON weiterhin gültig sind.

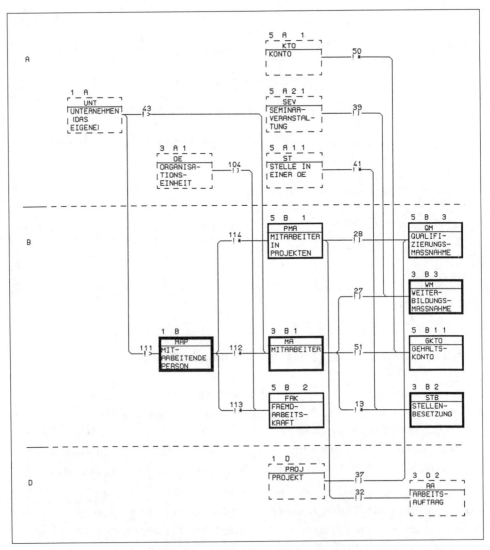

Bild 3.16: Datenmodell-Ausschnitt nach Schritt 3

Damit ist die Integration der Datenmodelle in Bezug auf die 1. Verdichtungsebene abgeschlossen. Zur Vorbereitung der weiteren Integrationsschritte auf
niedrigeren Verdichtungsebenen führen wir für dieses Zwischenergebnis
die Datenmodellverdichtung durch. Da die nachfolgenden Integrationsschritte nur mehr die internen Strukturen der komplexen Objekttypen der

Ebene 1 betreffen, haben sie keine Auswirkungen auf das neue Top-Daten-
modell des Unternehmens (Bild 3.17). Wir beachten, daß im Vergleich zum
Ausgangsmodell (Bild 3.8) als Integrationsergebnis nunmehr Beziehungen
zwischen allen Objekttypen vorhandenen sind.

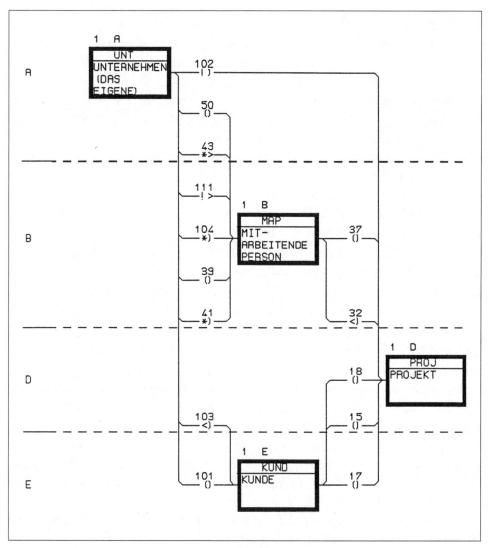

Bild 3.17: Integrationsmodell der Ebene 1

191

Schritt 5: Vereinfachter Abschluß der Integration

Der nachfolgende Schritt 5 stellt eine Vereinfachung der allgemeinen Vorge-
henssystematik dar, nach der die oben erklärten Schritte 1 bis 4 jeweils für
detailliertere Modellierungsebenen und in Bezug auf die internen Strukturen
der Objekttypen der Ebene 1 wiederholt werden müßten.

Der Umfang des einzigen in unserem Beispiel zu behandelnden Teildatenmodells in Bild 3.16 – die anderen Teildatenmodelle wurden durch die Integration nicht verändert – ist klein genug, um direkt und in einem einzigen
Schritt integriert und hierarchisch strukturiert zu werden. Zunächst fällt auf,
daß WEITERBILDUNGSMAßNAHME und QUALIFIZIERUNGSMAßNAHME synonym-
verdächtig sind, zumindest aber begrifflich eine sehr große Überlappung
aufweisen. QUALIFIZIERUNGSMAßNAHMEN setzen ein PROJEKT voraus, das sie
erforderlich macht. WEITERBILDUNGSMAßNAHMEN setzen echte MITARBEITER
des Unternehmens voraus, kommen also für FREMDARBEITSKRÄFTE nicht in
Frage. Außerdem ist bei einer QUALIFIZIERUNGSMAßNAHME nicht geklärt, auf
welches SEMINARANGEBOT sie sich bezieht.

Diese Feststellungen sind formal aus dem Datenmodell abzulesen, wobei jedoch zunächst offen bleibt, ob sie inhaltlich beabsichtigt oder aus einer be-
grenzten Modell- bzw. Projektsicht heraus lediglich unvollständig modelliert
sind. Deshalb ist zu ihrer Klärung eine fachliche Analyse erforderlich, die
alle an diesen Objekttypen beteiligten Projekte und Fachbereiche umfassen
muß. Datenkonferenzen sind dafür ein besonders geeignetes Gremium.

Wir gehen in diesem Beispiel davon aus, daß WEITERBILDUNGSMAßNAHME und
QUALIFIZIERUNGSMAßNAHME als Subtypen eines allgemeineren Objekttyps
FORTBILDUNGSMAßNAHME aufzufassen sind. FORTBILDUNGSMAßNAHME ist abhän-
gig von MITARBEITENDE PERSON und übernimmt die Abhängigkeit der WEITER-
BILDUNGSMAßNAHME von der SEMINARVERANSTALTUNG. Entsprechend dem
Schritt 3 werden auch diese Ergänzungen in das Datenmodell eingebracht,
wobei wir uns die explizite Formulierung des Integrationsmodells hier er-
sparen. Für das überarbeitete Datenmodell muß die hierarchische Struktur,
ggf. in Zusammenarbeit mit betroffenen Projekten und Fachbereichen
(Datenkonferenz), festgelegt werden.

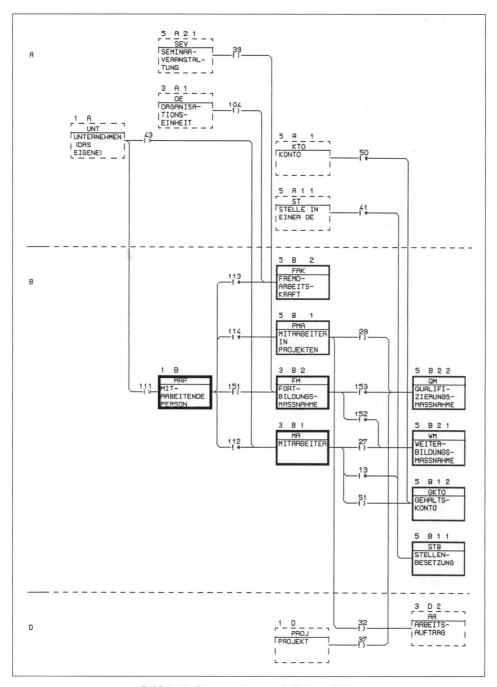

Bild 3.18: Integrationsmodell-Ausschnitt

193

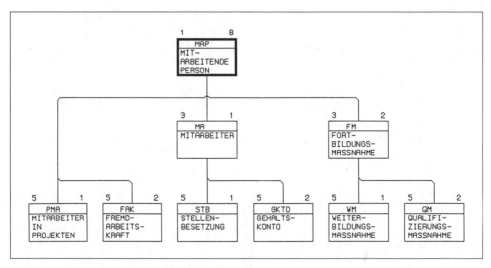

Bild 3.19: Teilhierarchie nach Integration

Das Ergebnis der Integration und der Überarbeitung der pragmatischen Begriffshierarchie zeigen Bild 3.18 (Teildatenmodell) und Bild 3.19 (Hierarchie). Zur Beurteilung der Veränderungen empfehlen wir den direkten Vergleich der Teildatenmodelle (Bild 3.16 und 3.18) sowie der pragmatischen Begriffshierarchie (Bild 3.15 u. 3.19).

Da in unserem Beispiel die anderen Datenmodelle nicht überarbeitet wurden, ist die Gesamtintegration mit der Integration der 1. Ebene und der Integration des Teildatenmodells MITARBEITENDE PERSON abgeschlossen.

Die Datenmodellverdichtung liefert die Dokumentation des Integrationsmodells als Begriffshierarchie (Bild 3.9, 3.12, 3.13 und 3.19) und als (Teil-) Datenmodelle der Verdichtungsebenen. Wir beschränken uns hier auf die Wiedergabe des Gesamtmodells auf Ebene 3 (Bild 3.20) neben dem unverändert gültigen Gesamtmodell der Ebene 1 in Bild 3.17. Außerdem dokumentieren wir das aus der Integration resultierende Basisdatenmodell in Form der Bild 3.18 ergänzenden Elementardatenmodelle in den Bildern 3.21 bis 3.23.

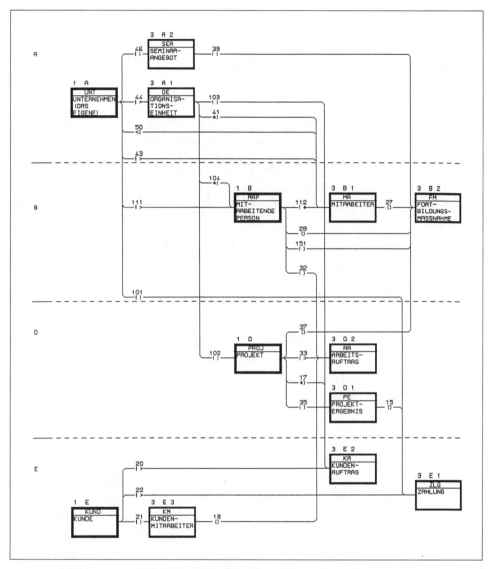

Bild 3.20: Integrationsmodell der Ebene 3

195

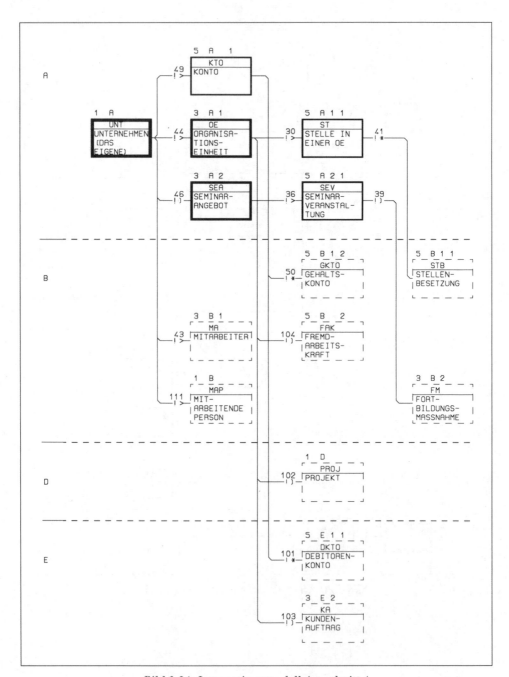

Bild 3.21: Integrationsmodell-Ausschnitt 1

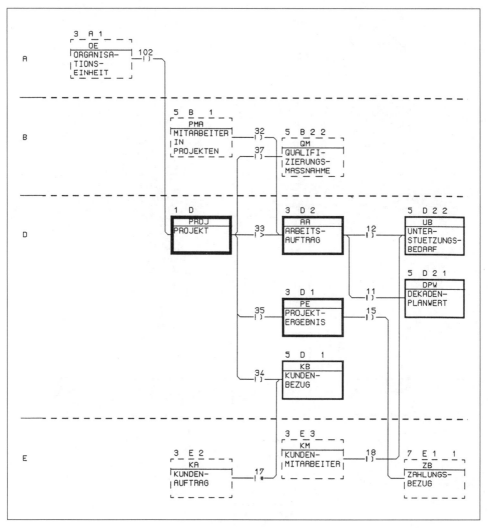

Bild 3.22: Integrationsmodell-Ausschnitt 2

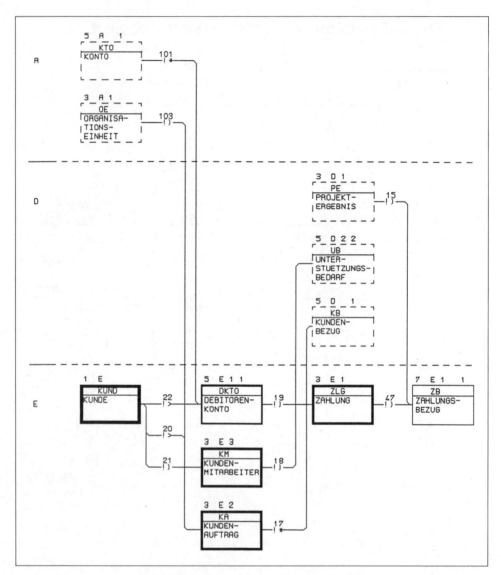

Bild 3.23: Integrationsmodell-Ausschnitt 3

4.4 Redundanzanalyse in großen Datenmodellen

Arten der Redundanz

In der Einleitung zu dem Kapitel über Datenmodellverdichtung haben wir auf die Schwierigkeit hingewiesen, Redundanzfreiheit und Konsistenz großer Datenmodelle sicherzustellen. Auch im Zusammenhang mit der Datenmodellintegration haben wir im vorigen Abschnitt die Erkennung von Synonymen und überlappenden Objekttypen sowie von identischen Attributen an mehreren Stellen angesprochen. Wir wollen nunmehr zusammenfassend einige unterschiedliche Formen der Datenmodell-Redundanz erklären, bevor wir anschließend den Beitrag der Datenmodellverdichtung für ihre Erkennung in großen, insbesondere auch durch Integration entstandenen Modellen erläutern.

Allgemein wird unter Datenmodell-Redundanzen die mehrfache Modellierung identischer Sachverhalte der Realität verstanden.

Beispiele derartiger, zu modellierender Sachverhalte sind:

– Mitarbeiter sind alle Personen, die einen Arbeitsvertrag mit dem Unternehmen haben.
– Für alle Mitarbeiter ist das Geburtsdatum bekannt.
– Jeder Arbeitsauftrag gehört zu einem Projekt.

Für die weitere Diskussion wollen wir folgende Arten der Redundanz unterscheiden:

– Objekttyp-Redundanzen
 liegen dann vor, wenn zwei unterschiedliche Objekttypen eine identische Objektmenge repräsentieren. (Die Objektbezeichnungen sind synonym.)

– Attributredundanzen
 liegen vor, wenn zwei Attribute in einem oder auch in unterschiedlichen Objekttypen semantisch gleichartige Informationen darstellen.

– Beziehungsredundanzen
 liegen vor, wenn zwei Objekttypen direkt oder indirekt durch Beziehungswege miteinander verbunden sind, die inhaltlich das gleiche bedeuten.

➡️ *Für Erkennung und Behandlung von Objekttyp-Redundanzen ist die Unterscheidung von Synonymen, Subtypen und überlappenden Objekttypen wichtig, die wir im Zusammenhang mit der Integration von Datenmodellen definiert haben.*

Ein Synonym und damit eine wirkliche Redundanz im Datenmodell liegt nur dann vor, wenn beide Objekttypen identische Objektmengen repräsentieren. Andererseits verlangen wir aber auch, daß die partielle Objekt-Identität im Fall von Subtypen und überlappenden Objekttypen durch eine direkte Beziehung semantisch geklärt und im Modell dargestellt wird.

Damit soll einerseits die grundsätzliche Vollständigkeit des Datenmodells sichergestellt werden, zum anderen sind diese Beziehungen wichtig für die zuverlässige Vermeidung von Attribut-Redundanzen. Weil diese bei Beachtung der Normalisierung nur für die durch (0,1)-Beziehungen verbundenen Objekttyp-Familien auftreten können und deshalb auch nur dort gesucht werden, hat das Fehlen derartiger Beziehungen häufig ein unklares und unvollständiges Verständnis der Objekttypen und versteckte Redundanz der Attribute zur Folge.

Auch Beziehungsredundanzen sind häufig die Folge von Unklarheiten im Verständnis der Objekttypen. Zwar können die eigentlichen Beziehungen aufgrund der Restriktionen der SER-Methode, die nur die Modellierung von Existenzvoraussetzungen zuläßt, kaum redundant sein, doch kann es natürlich vorkommen (und hat leider große praktische Bedeutung), daß unterschiedliche Beziehungswege mit eingeschlossenen Objekttypen denselben Sachzusammenhang formulieren. Die Redundanz der Beziehungswege entspricht dann unklaren Sachzusammenhängen der auf dem Weg liegenden Objekttypen.

Schleifenanalyse

Wir wollen die Zusammenhänge zwischen den angesprochenen Formen der Redundanz und Unklarheit an einem Beispiel aufzeigen und dann erläutern, wie die Datenmodellverdichtung zur Beseitigung dieser Qualitätsmängel von Datenmodellen benutzt werden kann.

Eine typische Redundanz der Datenmodellstruktur ist in Bild 3.24 dargestellt. LEISTUNGSAUFTRAG und PROJEKTAUFTRAG seien zwei unterschiedliche Namen für identische oder auch ähnliche Fachkonzepte. Dementsprechend unterstützen sie im Datenmodell zwei unterschiedliche Beziehungswege (MA-101-AA-102-PROJ und MA-104-LA-103-PROJ) zwischen dem MITARBEITER und dem PROJEKT.

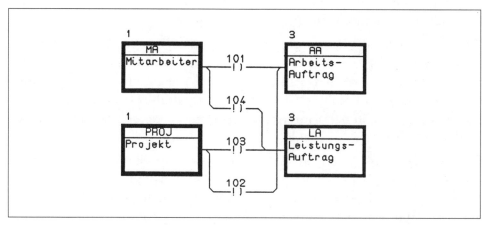

Bild 3.24: Schleifenstruktur

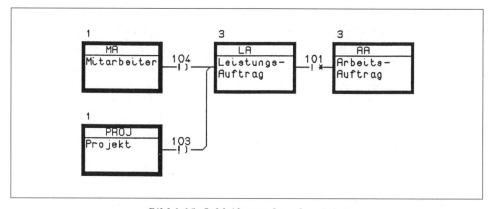

Bild 3.25: Schleifenstruktur bereinigt

Wir wollen im Rahmen dieses Beispiels davon ausgehen, daß Bild 3.25 die korrekte Modellierung des Sachverhalts beschreibt. Arbeitsauftrag ist danach ein Subtyp von Leistungsauftrag, von dem wir annehmen wollen, daß er andere Arbeitsinhalte und/oder andere Genehmigungsverfahren beinhaltet. Die Bezugnahme auf das PROJEKT, das den LEISTUNGSAUFTRAG trägt, und auf den MITARBEITER, der den LEISTUNGSAUFTRAG erfüllt, ist jedoch ein gemeinsamer Sachverhalt, der nur einmal modelliert sein darf.

Während jedoch diese Redundanz bzw. fehlende direkte Beziehung in einer isolierten Struktur vom zuständigen Fachmann leicht erkannt werden kann, sind derartige Unklarheiten offensichtlich in einem großen Datenmodell, das ggf. durch Integration unterschiedlicher Projektdatenmodelle entstanden ist, bei längeren Beziehungswegen schwer zu ermitteln.

Nehmen wir an, daß die pragmatische Begriffshierarchie MITARBEITER und PROJEKT als höherwertig definiert und PROJEKTAUFTRAG und LEISTUNGSAUF-TRAG (irgendwie) zuordnet, dann liefert die Verdichtung des redundanten Modells (Bild 3.24) immer zwei Beziehungen und die Verdichtung des korrekten Modells (Bild 3.25) immer eine einzige Beziehung zwischen MITAR-BEITER und PROJEKT.

Cluster-externe Beziehungen und damit auch alle cluster-übergreifenden Schleifen bleiben bei der Verdichtung erhalten und sind spätestens als parallele Beziehungen zwischen zwei komplexen Objekttypen leicht zu erkennen. Das Auffinden von Schleifenstrukturen in großen Modellen wird somit durch die Datenmodellverdichtung hervorragend unterstützt.

An einem beliebigen Beispiel ist leicht nachvollziehbar, daß Redundanzen bei vollständiger Modellierung der Existenzabhängigkeiten in einem SER-Datenmodell immer zu Schleifenstrukturen führen. Dem Leser bleibe es überlassen, im verdichteten Integrationsmodell des Bildes 3.17 zu überprüfen, ob die parallelen Beziehungen Redundanzen beinhalten oder jeweils eine unterschiedliche Sachlogik formulieren.

4.5 Zusammenfassung

- Ein integriertes Datenmodell muß alle Modellierungsaussagen seiner Ausgangsmodelle in einem einzigen konsistenten Integrationsmodell enthalten.
- Auf der globalen Ebene müssen die Objekttypen und Beziehungen zu einem integrierten konzeptionellen Schema zusammengefügt werden.
- Objekttypen, die zumindest teilweise identische reale Objekte beinhalten, müssen zueinander in Beziehung stehen.
- Integrative Beziehungen zwischen den Ausgangsmodellen müssen durch Ergänzungsmodelle formuliert und dem Integrationsmodell hinzugefügt werden.
- Verfahrensmäßig wird die Integration von der pragmatischen Begriffshierarchie top-down gesteuert.
- Die Schleifenanalyse ist ein wichtiges Instrument zur Erkennung von globalen strukturellen Redundanzen im integrierten Datenmodell.

5   Unternehmensdatenarchitektur

Zweck der Unternehmensdatenarchitektur ist entsprechend der Einleitung dieses Kapitels sowohl die verständliche Darstellung der globalen Informationsinhalte als auch die Unterstützung einer detaillierten Abstimmung und Prüfung der Datenmodelle des Unternehmens.

Inhalt der Unternehmensdatenarchitektur

Inhalt der Datenarchitektur sind deshalb die Ergebnisse der Datenmodellverdichtung, die auf der Grundlage eines integrierten unternehmensweiten Datenmodells gewonnen werden. Entsprechend Kap.3 gehören dazu nicht nur die sechs Verdichtungsebenen mit zunehmend abstrakteren und allgemeineren Datenmodellen, sondern auch eine umfassende hierarchisch geordnete Struktur aller Objekttypen des Unternehmens und die daraus abgeleitete einheitliche Segmentstruktur für alle Teildatenmodelle, die eine globale Orientierung und ein besseres Verständnis der segmentübergreifenden Beziehungen unterstützen.

Die methodische Striktheit der Anwendung der SER-Methode bei der Datenmodellierung in den Projekten, die detailgetreue Integration sowie die konsistenzsichernde Systematik der Datenmodellverdichtung gewährleisten, daß die Datenarchitektur auch tatsächlich Informationsstrukturen beschreibt, die den Daten der realen Systeme entsprechen.

Dabei soll die Datenarchitektur neben den Ist-Modellen der bestehenden Anwendungen durchaus auch Datenmodelle enthalten, die z.B. geforderten strategischen Informationsbedarf oder vereinheitlichte Informationsstrukturen für schlankere und straffere Unternehmensprozesse beschreiben. Diese Datenmodelle entstehen zwar in einer anderen Art von Aktivität oder Projekt und mit anderen Partnern, sie sollten zur Unterstützung der Integration jedoch vergleichbaren methodischen Anforderungen unterworfen sein. Ohne das Thema an dieser Stelle weiter zu vertiefen, wollen wir im Sinne eines Beispiels darauf hinweisen, daß auch für eine geplante Umsatzstatistik sachlogisch geklärt werden muß, daß sich seine Aussagen auf Artikel (und nicht auf Artikelgruppen) sowie auf Kunden (und nicht auf deren Einzelstandorte oder Bereiche) beziehen soll.

Die Nutzung der Unternehmensdatenarchitektur

➡️ *Bei diesem Verständnis der Datenarchitektur sollte es möglich sein, beste-hende Inkonsistenzen und Datendefizite aufzuzeigen, betroffene Unter-nehmensprozesse zu identifizieren und ggf. auch konkrete Maßnahmen zur Verbesserung der Datenressource zu planen.*

Die Planung und Abgrenzung aller IV-Projekte sollte sich in Bezug auf betroffene Datenstrukturen an der Datenarchitektur orientieren, und es sollte entscheidbar sein, ob durch Projekterweiterungen defizitäre Informa-tionsbereiche sinnvoll mit abgedeckt oder auch durch Projektbegrenzung Konflikte und Überschneidungen vermieden werden können.

Dies gilt offensichtlich nicht nur für die Entwicklung von IV-Systemen, sondern prinzipiell in gleichem Maß für den Einsatz von Standardsoftware und für den Bereich papiergestützter, aber dennoch systematisierter Infor-mationen. Auch die Daten dieser Systeme sollten in ihrer unternehmens-weiten Bedeutung geklärt und systemübergreifend nutzbar gemacht werden. Gerade die Schnittstellen zwischen den unterschiedlichen Systemkompo-nenten und Technologien des »sozio-technischen« betrieblichen Informa-tionssystems erweisen sich immer wieder als Bruchstellen, die die Kompati-bilität der Informationen stören, den Inselcharakter von Teilsystemen ver-stärken und die Qualität der Kommunikation im Unternehmen beeinträch-tigen.

Selbstverständlich stehen wir mit diesen Erwartungen an den Nutzen einer Datenarchitektur nicht allein und wollen sie deshalb auch nicht weiter ver-tiefen, sondern beziehen uns hierbei auf die umfangreiche Literatur zu den Themen der Datenmodellierung, des Datenmanagements und des Informa-tion Engineering (vgl. z.B. [SI 90], [VETT 86], [VETT 88], [MAR 88], [MÜ 89], [WI 91], [SCHE 88]), in der diese Nutzenaspekte ausführlich gewürdigt werden.

Die Entwicklung der Unternehmensdatenarchitektur

Im Zusammenhang mit der (Weiter-)Entwicklung der Unternehmensdaten-architektur wollen wir auf einen wichtigen Unterschied hinweisen, der das hier angenommene Verständnis der Datenarchitektur von anderen Autoren, insbesondere von Vetter [VETT 88] unterscheidet. Während die Datenarchitektur bei Vetter lediglich ein Grobkonzept darstellt, das als Ergebnis einer strategischen Datenplanung für die eigentliche Systementwicklung eine »Drehscheibenfunktion« wahrnimmt, ist die hier aufgezeigte Datenarchitektur eine strukturierte Abbildung aller Datenmodelle im Unternehmen, die sowohl die Ist-Strukturen der Anwendungen umfaßt, als auch die Soll-Strukturen des formulierten Informationsbedarfs.

Ihre Weiterentwicklung erfolgt deshalb durch Integration von Basisdatenmodellen.

Dieser Stärke des umfassenden und detaillierten Realitätsbezugs unserer Datenarchitektur mit unterschiedlichen Abstraktionsebenen, die den Sichtkontakt vom globalen Informationsverständnis des Managements zur Datenspezifikation von Anwendungen ermöglichen, steht allerdings auch ein gewichtiger Nachteil gegenüber. Unsere Datenarchitektur und damit auch das Unternehmensdatenmodell als oberste Verdichtungsebene umfaßt nur die Informationsstrukturen, für die ein Datenmodell erstellt und integriert wurde. Es bleibt deshalb lange unvollständig, sofern nicht die fehlenden Informationsbereiche in mehr oder weniger detaillierter Form nachdokumentiert oder als Sollvorgabe durch eine strategische Datenplanung vorgegeben werden. Auch hier müssen prinzipiell die methodischen Anforderungen eingehalten werden, um die Integrationsfähigkeit der Modelle sicherzustellen, ohne die der Begriff der Datenarchitektur seinen Sinn verliert.

Die Notwendigkeit einer derartigen Kombination von Datenplanung und Datenmodellintegration ist dann auch das Ergebnis der Arbeit mehrerer Arbeitsgruppen des G.U.I.D.E. (IBM-Benutzervereinigung), die dieser Frage der Vorgehensweise (Top-Down oder Bottom-Up) galt. Ausführliche Diskussionen finden sich in [WI 91], [RHEF 92], [GUI 91], [GUI 92] und [PLOE 90]. Außerdem möchte ich in diesem Zusammernhang auf sehr interessante Ansätze zur Entwicklung von standardisierten Branchenmodellen in Wissenschaft [SCHE 88] und Praxis [MAI 92] hinweisen, die die Erstellung einer Unternehmensdatenarchitektur unterstützen können.

Die Verbesserung der Unternehmensdatenarchitektur

Die Datenarchitektur entsprechend unserer Definition ist nie abgeschlossen. Sie verändert sich laufend durch Integration neuer Projektdatenmodelle oder neuer Änderungsstände.

Durch diese Strategie, die vor allem den Realitätsbezug der Datenarchitektur als primäres Ziel verfolgt, ist eine Verbesserung der Datenstrukturen selbst noch nicht erreicht. Wir sind allerdings der Meinung, daß die Dokumentation von Chaos eine unabdingbare Voraussetzung für die evolutionäre (und damit realistische) Durchsetzung von Ordnung ist.

Die Realität ist komplex, und so sind es auch die Informationsstrukturen, die diese Wirklichkeit beschreiben. Allerdings gilt auch, daß viele Menschen im Betrieb ihre eigenen Informationsstrukturen gestalten, um ihre Aufgaben zu erledigen. Damit sind Redundanzen vorprogrammiert und zunächst nicht zu vermeiden, insbesondere auch nicht durch eine grobe Vorgabe-Datenarchitektur, die ja nur die globalen Strukturen festlegen und einen detaillierten Redundanzabgleich sicher nicht leisten kann.

> *Durch diese realitätsbezogene, detaillierte Datenarchitektur, die das unternehmensweite Datenmodell als Verdichtungsgrundlage umfaßt, sind wir jedoch in der Lage, Qualitätsmängel aufzuzeigen und den Prozeß ihrer Beseitigung zu steuern.*

Die methodischen Hilfsmittel dafür bestehen in der pragmatischen Begriffshierarchie und in der Schleifenanalyse, die in voranstehenden Abschnitten dargestellt wurden. Gemeinsam lassen sie Begriffsstrukturen erkennen, die durch sachlogische Differenzierungsnotwendigkeiten nicht gedeckt und erforderlich sind.

Die Qualitätsverbesserung der Datenarchitektur ist deshalb eine permanente Aufgabe, die jedoch nicht vom Datenmanagement allein, sondern nur in Zusammenarbeit mit Anwendern, Systementwicklern und Organisation gemacht werden kann. Denn um den Realitätsbezug zwischen Datenarchitektur und Datenressource zu erhalten, kann die Qualitätsverbesserung der Datenarchitektur immer nur in engem Zusammenhang mit der Qualitätsverbesserung der Daten selbst erfolgen.

Ausblick: Datenarchitektur und Objektorientierung

Das Unternehmensdatenmodell, das heute in vielen Unternehmen als zentraler Bezugspunkt für die Gesamtheit der Informationssysteme angestrebt wird, wird mit Sicherheit nicht der letzte Schritt auf dem Weg zu einer modellhaften Spezifikation des Unternehmens als Gestaltungsgrundlage für Informationssysteme bleiben. Die Weiterentwicklung der Methodik in

Richtung Objektorientierte Analyse [SI 91] ist seit einiger Zeit in Arbeit und zeigt Ergebnisse, die bald auch die betriebliche Praxis verändern werden. Gemeinsam ist diesen Ansätzen (z.B. [KAR 89] oder [KAR 90], sowie [FESI 90] und [FESI 91]), daß gegenüber der eindimensionalen Welt der »passiven« Datenobjekte nunmehr auch »aktive« Komponenten wie Ereignisse und Vorgänge in das Modell einbezogen werden.

➡ *Die große Überlegenheit dieser objektorientierten Methoden scheint darin begründet, daß sie durch einen umfassenderen Bezug zur betrieblichen Realität eine größere Stabilität und Objektivität des Modellierungsergebnisses erzielen.*

Dadurch werden die für Modelle äußerst wichtigen Eigenschaften der Integrierbarkeit und Wiederverwendbarkeit entscheidend verbessert.

Für die Praxis der heutigen Arbeit besonders wichtig ist jedoch wohl der Gesichtspunkt, daß diese erkennbaren Veränderungen eine Erweiterung der bisherigen Datenmodellierung darstellen, die Verwendbarkeit bestehender Datenmodelle aber in keiner Weise in Frage stellen.

➡ *Die Schaffung einer unternehmensweiten Architektur konzeptioneller Objekttypen und ihrer Beziehungen bleibt eine relevante und wichtige Aufgabe, deren Nutzen und Notwendigkeit im Zusammenhang mit objektorientierten Methoden nicht in Frage gestellt wird.*

Wir erwarten im Gegenteil eine größere Schlagkraft der Nutzenargumentation dadurch, daß objektorientierte Methoden zu einer deutlich verbesserten Generierbarkeit von Informationssystemen führen werden. Das Unternehmensmodell als Grundlage systematischer und teilautomatisierter Systemgestaltung ist die faszinierende Zukunftsvision, die die strategische Bedeutung der diskutierten Themen bestimmt.

6   Literatur

[ANS 75]
ANSI/X3/SPARC
Study Group on Data Base
Management Systems
Interim Report 75-02-08

[FEMI 86]
P. FELDMAN, D. MILLER
Entity Model Clustering:
A Data Model By Abstraction
The Computer Journal 29/4, 1986

[FESI 90]
OTTO K.FERSTL, ELMAR J.SINZ
Objektmodellierung betrieblicher
Informationssysteme im
Semantischen Objektmodell
(SOM) In:
Wirtschaftsinformatik 6/1990

[FESI 91]
OTTO K.FERSTL, ELMAR J.SINZ
Ein Vorgehensmodell zur
Objektmodellierung betrieblicher
Informationssysteme im
Semantischen Objektmodell
(SOM)
In: Wirtschaftsinformatik 6/1991

[GRA]
GRANEDA ist ein Produkt von
NETRONIC Software, Pascalstr.
15, 5100 Aachen

[GUI 91]
GUIDE AG DATENMANA-
GEMENT/UAG DÜSSELDORF:
Erstellung eines Unternehmens-
datenmodells im Top-Down-
Ansatz Protokoll-
Veröffentlichung, 26.2.91
(Weitere Arbeitsgruppen-
ergebnisse in Arbeit)

[GUI 91a]
GUIDE AG DATENMANA-
GEMENT/UAG RHEIN/MAIN
Datenmanagement und
Qualitätssicherung
GUIDE-Publikation EGRP 99

[GUI 92]
GUIDE AG
DATENMANAGEMENT/UAG
DÜSSELDORF: Umsetzung eines
Unternehmensdatenmodells im
Top-Down-Ansatz
Vorab-Version vom 26.2.92

[HMD 90]
HMD-Theorie und Praxis der
Wirtschaftsinformatik
27/152, März 1990, Forkel-Verlag

[IBM 85]
IBM
Fachausdrücke der
Informationsverarbeitung
IBM Deutschland, 1985

[IEF]
IEF ist ein Produkt von Texas
Instruments vertreten durch JMA,
Kajen 12, 2000 Hamburg 11

[IEW]
IEW/ADW sind Produkte von
KnowledgeWare, vertreten durch
Ernst & Young CASE Services,
Ludwigstr. 26, 7000 Stuttgart

[KAR 89]
HERBERT KARGL
Die Spezifizierung fachlicher
Anforderungen für DV-Systeme
in: Angewandte Informatik 11/12-
89

[KAR 90]
HERBERT KARGL
Fachentwurf für DV-Anwendungs-
systeme Oldenbourg-Verlag, 1990

[LOS 87]
PETER C. LOCKEMANN,
JOACHIM SCHMIDT
Datenbankhandbuch
Springer Berlin, 1987

[MAI 92]
DIETER MAINZ
Der gemeinsame Nenner
Einheitliches Daten- und
Funktionsmodell für die
Versicherungswirtschaft
in: Versicherungsbetriebe 1/2-92

[MAR 88]
JAMES MARTIN
The Justification for Information
Engineering Savant Research
Studies 1988

[MEI 87]
MANFRED MEIER
Methodisches Information-
Resource-Management
Information Management 2/87

[MI 89]
HEINZ MISTELBAUER
Datenstrukturanalyse in der
Systementwicklung, in [MÜ-E89]

[MI 91]
HEINZ MISTELBAUER
Datenmodellverdichtung:
Vom Projektdatenmodell zur
Unternehmens-Datenarchitektur
in: Wirtschaftsinformatik 4/1991

[MÜ 89]
HEINZ MÜNZENBERGER
Eine pragmatische Vorgehensweise zur Datenmodellierung
in [MÜ-E89]

[MÜ-E 89]
GUNTER MÜLLER-ETTRICH (HRSG.)
Effektives Datendesign
– Praxis-Erfahrungen
Rudolf Müller Verlag, Köln 1989

[MÜ-E 92]
GUNTER MÜLLER-ETTRICH (HRSG.)
Fachliche Modellierung von
Informationssystemen
Addison Wesley Bonn, 1992

[ORT 85]
ERICH ORTNER
Semantische Modellierung –
Datenbankentwurf auf der Ebene
der Benutzer in:
Informatik-Spektrum 8:20-28, 1985

[ORT 91]
ERICH ORTNER
Informationsmanagement
Wie es entstand, was es ist und
wohin es sich entwickelt. in:
Informatik-Spektrum 14(6) 1991

[ORT 92]
ERICH ORTNER
Der Einsatz eines Dictionary-
/Repository-Systems für die
Datenmodellierung
Vortrag DECollege, EY-S0921-
2E.G001, 1992

[ORSÖ 89]
Semantische Datenmodellierung
nach der Objekttypenmethode in:
Informatik-Spektrum
12:31-42, 1989

[PLOE 90]
PLOENZKE INFORMATIK
Arbeitspapier zu Ebenen und
Ausschnitten der Informations-
struktur (Arbeitspapier der Fa.
Ploenzke, Wiesbaden, 29.6.90)

[RHEF 92]
HELMUT RHEFUS
Top-Down und/oder Bottom-Up?
Kritische Erfolgsfaktoren auf dem
Weg zu einer Unternehmens-
Daten-Architektur
24. Deutsche GUIDE-Tagung, 1992

[SCHE 88]
AUGUST-WILHELM SCHEER
Wirtschaftsinformatik
Springer-Verlag 1988

[SCHS 83]
GUNTER SCHLAGETER,
WOLFFRIED STUCKY
Datenbanksysteme: Konzepte und
Modelle Teubner Stuttgart, 1983

[SCHU 87]
ULRICH SCHULTE
Praktikable Ansatzpunkte zur
Realisierung von Daten-
management-Konzepten in:
Information Management 4/87

[SCHW 90]
JOCHEN SCHWARZE
Betriebswirtschaftliche Aufgaben
und Bedeutung des Informationsmanagement Wirtschaftsinformatik 32/2, Apr. 1990

[SCH+ 90]
MARC H. SCHOLL, HANS-JÖRG SCHEK
Evolution von Datenmodellen
in [HMD90]

[SDW]
SDW ist ein Produkt von SDW
software GmbH
Kattegatweg 7, D-4240 Emmerich

[SI 88]
ELMAR J.SINZ
Das strukturierte Entity-
Relationship-Modell
(SER-Modell),
Angewandte Informatik 88/5

[SI 89]
ELMAR J.SINZ
Konzeptionelle Daten-
modellierung im Strukturierten
Entity-Relationship-Modell
(SER-Modell), in [MÜ-E89]

[SI 90]
ELMAR J.SINZ
Das Entity-Relationship-Modell
(ERM) und seine Erweiterungen.
in [HMD90]

[SI 91]
ELMAR J. SINZ
Objektorientierte Analyse
Wirtschaftsinformatik 5/91

[SI 92]
ELMAR J.SINZ
Datenmodellierung im
Strukturierten Entity-
Relationship-Modell (SERM)
in [MÜ-E92]

[TEO+ 89]
TOBY J.TEOREY, GUANGPING WEI,
DEBORAH L. BOLTON, JOHN A. KOENIG
ER Model Clustering as an Aid for
User Communication and
Documentation in Database
Design Communications of the
ACM 32/8, 1989

[THA 90]
LOTHAR THANHEISER
Organisation des Daten-
management... in [HMD90]

[VETT 86]
MAX VETTER
Aufbau betrieblicher
Informationssysteme
Teubner Stuttgart, 1986

[VETT 88]
MAX VETTER
Strategie der Anwendungs-
software-Entwicklung
Teubner Stuttgart, 1988

[VETT 90]
MAX VETTER
Datenorientierte Anwendungs-
entwicklung in [HMD90]

[VER 83]
DIRK VERMEIR
Semantic hierarchies and
abstractions in conceptual
schemata
Inform. Systems 8/2, 1983

[WI 91]
WERNER WIBORNY
Datenmodellierung CASE
Datenmanagement
Addison Wesley, 1991

TEIL IV

Helmut Thoma

Integration von Applikationen und Datenbanken mit Hilfe einer Applikations-Architektur

Zusammenfassung

Heute eingesetzte Applikationen sind in der Praxis üblicherweise für einzelne Aufgabenbereiche einer Wertschöpfungskette und damit orthogonal zu dieser entwickelt worden. Um der Informatik ein strategisch größeres Gewicht im Wettbewerb um Marktanteile zukommen zu lassen als in der Vergangenheit, müssen mit integrierter Informationsverarbeitung die Grenzen heutiger Applikationen überwunden werden. Bevor diese aber integriert betrieben werden können, bedarf es einer gesamtheitlichen Sicht bei der Analyse und der Definition von Benutzer-Anforderungen.

Im nachstehenden Beitrag werden zunächst die Bedeutung einer integrierten Sichtweise für das Unternehmen besprochen und die daraus ableitbaren Anforderungen an den Informatik-Einsatz sowie die methodischen und technischen Voraussetzungen dargestellt. Es wird ein Konzept der Applikations-Architektur vorgestellt, ein Prozeß zur Definition von globalen Datenbeständen, von Applikationen und von applikationsspezifischen Datenbasen. Auf die Integration existierender Applikationen und Datenbasen wird ebenso eingegangen wie auf die Ableitung von Migrations-Plänen mit Hilfe der Architektur. Diskussionen andersartiger Ansätze runden den Beitrag ab.

1   Einleitung

Als das »Jahrhundertproblem der Informatik« bezeichnet Vetter die Situation vorhandener Datenbestände in der Praxis [VET 91]. Und er beschreibt damit Verhältnisse, die es in der Praxis zu überwinden gilt: Das Datenchaos, das durch historisch bedingte und unkontrolliert gewachsene Datenbestände entstanden sei, sei zu bewältigen und es müsse eine Basis für den effizienten Einsatz zukunftsträchtiger Hard- und Software geschaffen werden. Ähnliche Probleme sind in [BOU 89] angesprochen. Die Analyse und der Entwurf für Datenbanken erfolgen auch noch heutzutage meistens nur für einzelne Funktionen oder Anwendungsgebiete. Beim Einsatz von relationalen Datenbanken birgt dies die Gefahr in sich, daß Tabellen lediglich ad-hoc oder nur aus einem lokalen Anwendungsbedarf heraus definiert werden. Eine unkontrollierte Inflation von Tabellen mit gegenseitig sich überlappenden oder mehrdeutigen Tabelleninhalten ist die Folge und führt zwangsläufig zu einem Datenchaos [MEI 92].

Eine 1988 durchgeführte eigene Studie sowie weitere Erfahrungsberichte bestätigen den skizzierten Eindruck im großen und ganzen. Häufig werden Datenbestände zentralen Interesses (Personal-, Geschäftspartner-, Produkte-Daten, Codes etc.) mit ähnlichem Inhalt separat für unterschiedliche Applikationen geführt und sind damit mehrfach vorhanden. Solche Daten sind oft derart applikationsspezifisch definiert (Inhalte, Formate) und die Struktur der Datenbasis ist derart applikationsspezifisch performanceorientiert entworfen, daß es beinahe unmöglich wird, Daten unabhängig von denjenigen Applikationen zu nutzen, für die sie entworfen wurden. Diese Situation ist auf technische, organisatorische oder arbeitsmethodische Ursachen zurückzuführen.

Im Widerspruch zu den applikationsspezifischen Implementationen der Datenbestände steht die heutige Forderung nach vermehrter Integration von Informations-Systemen: Der Informatik soll strategisch mehr Gewicht beigemessen werden im Wettbewerb um Marktanteile [MCF 83]. Kunden- und Produktorientierung stehen im Blickfeld vieler Unternehmen, Konzepte wie CIM (Computer Integrated Manufacturing) erfordern die integrierte Betrachtung und Nutzung von Information. Wichtig in diesem Zusammenhang wird das umfassende Wissen um den Werdegang eines Produktes, also die Information über die gesamte Wertschöpfungskette eines Produktes. Die Verfügbarkeit aller benötigten Daten – zusammen mit ihrer Definition (Semantik) – in gewünschtem Aktualitätsgrad am gewünschten Ort zur Erzeugung der Information ist hierfür eine Voraussetzung. Da heute eingesetzte Informations-Systeme üblicherweise für einzelne Aufgabenbereiche einer Wertschöpfungskette und damit orthogonal zu dieser entwickelt wurden, müssen die Grenzen heutiger Applikationen überwunden werden. Hierfür würde sich die gemeinsame Nutzung integrierter Datenbestände in Datenbanksystemen aufdrängen – falls diese vorhanden wären.

Im zweiten Kapitel werden wir die Bedeutung einer gesamtheitlichen, integrierten Sichtweise für Unternehmungen beleuchten. Anschließend diskutieren wir im dritten Kapitel, welche unterschiedlichen Möglichkeiten mit welchen Voraussetzungen und Konsequenzen zur Realisierung integrierter Sichten denkbar sind. Danach befassen wir uns im vierten Kapitel ausgiebig mit der Applikations-Architektur: Die Erfassung der Anforderungen, die Ermittlung neuer Applikationen sowie globaler und applikationsspezifischer

Datenbestände, die Frage gemeinsam benutzter oder redundanter Datenbasen, die Berücksichtigung existierender Applikationen und Datenbanken. Die weiteren Kapitel befassen sich dann kurz mit den Fragen des an die Architektur anschließenden weiteren Vorgehens, mit andersartigen Ansätzen für eine Applikations-Architektur sowie mit einer Beurteilung des hier Diskutierten aus der Sicht unterschiedlicher Vorgehensmodelle.

2 Die Bedeutung einer integrierenden Sicht für das Unternehmen

Die Betrachtung einzelner Aspekte der betrieblichen Arbeitsabläufe und deren Unterstützung durch die Informatik führte – wie der Werdegang der Datenverarbeitung in den Unternehmungen zeigt – zur Rationalisierung einzelner Arbeitsgänge und damit häufig zur Senkung der Kosten operativer, betrieblicher Tätigkeiten. Die bestehende Ablauforganisation wurde hierbei in der Regel nur marginal korrigiert, eine hohe Arbeitsteilung wurde durch derartige Applikationen quasi »betoniert«.

Neue Ziele des Einsatzes der Informatik haben in vielen Unternehmen Einzug gehalten: Die Informatik soll dazu führen, den Betrieben neue Chancen am Markt zu schaffen. Tritt in der Weise, wie das Unternehmen bei der Anforderungsanalyse und -definition betrachtet wird, jedoch keine Veränderung ein, dann führt der Einsatz neuerer Methoden und Mittel der Informatik (z.B. von Expertensystemen) lediglich zu einer lokalen Optimierung einzelner Arbeitsgänge. Dieses kann unerwünschte Nebenwirkungen hervorrufen (z.B. Lieferschwierigkeiten durch Produktionsengpässe als Folge eines offensiven Verhaltens des Verkaufs ohne begleitende Massnahmen in der Produktion).

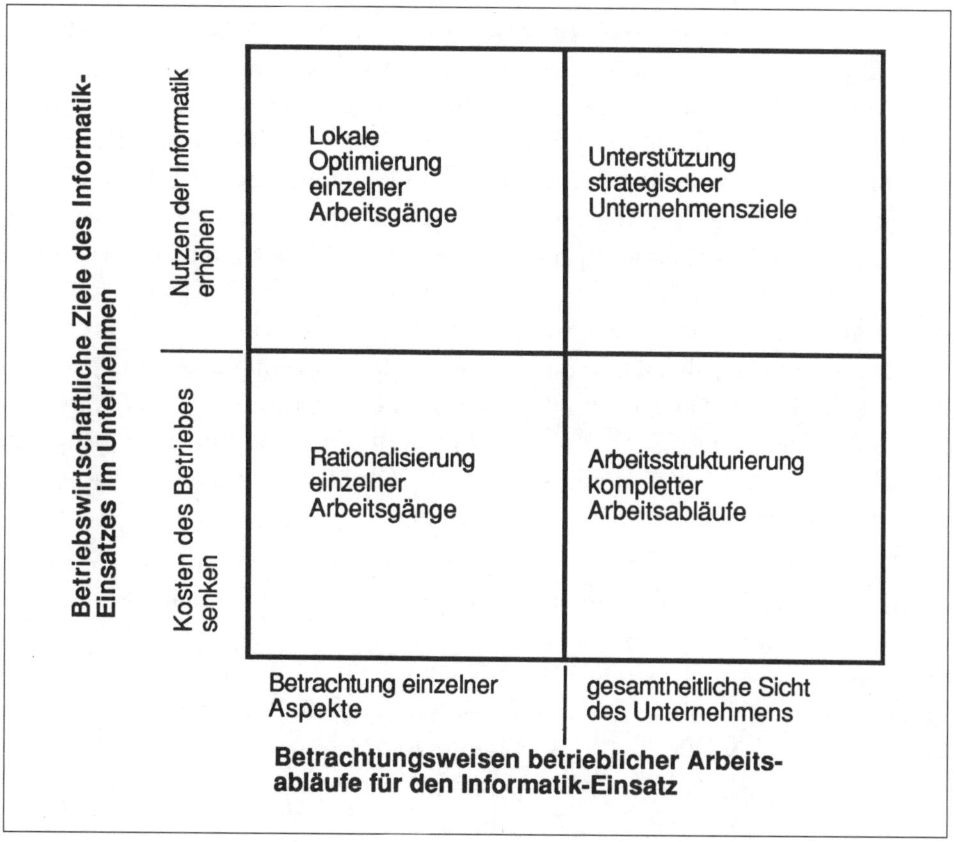

Bild 4.1: Wirkungen des Informatik-Einsatzes im Unternehmen bei unterschiedlichen Betrachungsweisen und Zielen

Befriedigende Lösungen des Einsatzes der Informatik werden sich längerfristig an einer gesamtheitlichen Sicht des Unternehmens orientieren müssen. Mit einer gesamtheitlichen Sichtweise meinen wir eine die Arbeitsabläufe verbindende und integrierende Sichtweise. Hierfür müssen häufig neue Konzepte der Arbeitsstrukturierung einzelne Arbeitsgänge »ohne Zwischenbruch« verbindbar machen durch neue Formen der Ablauforganisation. Der Taylorismus und das Inseldenken müssen überwunden werden mit dem Ziel, die Möglichkeiten zu nutzen, die die Informatik zur Unterstützung der Geschäftsentwicklung bieten kann. Strategische Geschäftsziele müssen formuliert werden, neue Methoden und Mittel der Informatik die Umsetzung dieser Geschäftsziele unterstützen und damit den Nutzen der Informatik im Unternehmen erhöhen. Hierfür ist eine gesamtheitliche Sicht des Unternehmens Voraussetzung (vgl. Bild 4.1).

Solch eine gesamtheitliche Sichtweise sollte von den Visionen und Strategien des Unternehmens ausgehen. Strategische Unternehmensziele sollten gesetzt werden. Der Entwurf neuer Aufgaben und Organisationen sollte durchaus nicht vor radikalem Umdenken zurückschrecken, im Gegenteil! »Reengineering the Business« [HAM 90] eröffnet mit systematischem Vorgehen neue Wege und damit ungeahnte Möglichkeiten. Ein einfaches, grobes Unternehmensmodell, hiervon abgeleitete Prinzipien für das Unternehmen und – hieraus abgeleitet – Prinzipien für die eingesetzten Techniken der Informatik sollten zur technischen Sicht des Soll-Zustandes führen. Die Aufgaben und Datenbestände der Zukunft sind während dieses Prozesses zu entwickeln. Gegenwärtige Applikationen, Datenbanken und sonstige technische Lösungen, die auch in der Zukunft Bestand haben sollen, sind zu berücksichtigen. Neue Datenbestände und Applikationen sind – wie später noch zu beschreiben sein wird – zu ermitteln.

Zur Unterstützung einer die Arbeitsabläufe verbindenden Sichtweise in Informatik-Implementationen sind zwei prinzipiell unterschiedliche Ansätze denkbar: Der elektronische Datenaustausch zwischen Applikationen und die gemeinsame Nutzung gleicher Datenbestände durch mehrere Applikationen in einem zentralen oder verteilten Datenbanksystem. Beide Prinzipien haben ihre Vor- und Nachteile, unterschiedliche Voraussetzungen und unterschiedliche Auswirkungen. Dies wird im nächsten Abschnitt diskutiert.

3 Stufen der Integration von Applikationen

An dieser Stelle führen wir zunächst noch kurz einige Begriffe ein. Im folgenden benutzen wir den Begriff »Applikation«, um eine wohldefinierte Menge von Online- oder Batch-Programmen zu umschreiben, die Aufgaben organisatorischer Einheiten eines Unternehmens unterstützen und die beispielsweise in Form von ausprogrammierten Online-Transaktionen benützt werden können. In der Literatur wird anstelle von Applikationen auch häufig von rechnergestützten Informations-Systemen gesprochen. Den Begriff der »funktionalen Abhängigkeit«, den wir aus der Relationentheorie kennen, dehnen wir auf Datenbasen aus und sagen, daß eine Datenbasis D von einer Datenbasis S funktional abhängig sei, wenn die Werte definierter Datentypen in D aus S unmittelbar übernommen werden. Wenn wir von den

»Daten einer Applikation« sprechen, dann kann dieses zweierlei bedeuten: In einem strengen Sinn meinen wir, daß die betreffende Applikation Eigentümer (owner) der Daten ist, also Daten nach freiem Belieben erzeugen und löschen kann. In einem weniger strengen Sinn drücken wir damit auch die reine Verfügungsgewalt einer Applikation über diese Daten aus (Besitzer, nicht Eigentümer von redundanten Daten in einer funktional abhängigen Datenbasis).

Applikationen und Datenbanken können in der Praxis nicht nur via gemeinsamer Nutzung derselben physischen Datenbasis integriert werden. Vielmehr verstehen wir unter der Integration von Applikationen und Datenbanken sowohl

– die gemeinsame Nutzung derselben (physisch zentralen oder verteilten) Daten durch unterschiedliche Applikationen einerseits als auch

– den Austausch von Daten zwischen unterschiedlichen Applikationen andererseits (innerhalb einer Gesellschaft, zwischen unterschiedlichen Werken oder Gesellschaften desselben Unternehmens oder zwischen unterschiedlichen Unternehmen).

Konventionen über die betreffenden Daten bilden die Grundlage für Operationen über Applikationsgrenzen hinaus. Diese Datenkonventionen können – abhängig von der gewählten Art gemeinsamer Nutzung – Datendefinitionen (Namen, Bedeutung und Format von Datenelementen), Datenbank-Strukturen, Strukturen ausgetauschter Datensätze, Code-Definitionen und (organisatorische und technische) Prozeduren zur Sicherung der Datenkonsistenz beinhalten.

Die gemeinsame Nutzung derselben Datenbestände durch mehrere Applikationen bedeutet die Integration von Applikationen über ihre gemeinsamen Daten. Die betreffenden Datenbanken können hierzu in zentralen oder verteilten Datenbanksystemen realisiert sein. Neben den Datendefinitionen und den Codes sind hierfür jedoch (minimale) gemeinsame Datenbank-Strukturen zu vereinbaren.

Somit bietet diese Art der Integration die folgenden Vor- und Nachteile: Vorteile: Dieselbe Realität ist nur einmal modelliert. Die Sicherung der Datenkonsistenz wird durch die Datenbanksysteme, die die Datenbanken führen, selbständig vorgenommen. Nachteile: Zusätzlich zu den Datendefinitionen und Codes sind gemeinsame Datenbankschemata für die betreffenden Datenbanken zu entwerfen und zu implementieren. Diese Aufgabe ist in großen Unternehmen, wenn unterschiedliche organisatorische Einheiten beteiligt sind, nur aufwendig zu erledigen. Wenn die Infrastrukturen hierbei noch unterschiedlich sind, können technische Probleme hinzukommen. Und über Unternehmensgrenzen hinweg werden kaum je gemeinsame Datenbank-Strukturen angestrebt.

Der Datenaustausch zwischen kommunizierenden Applikationen sollte rechnergestützt und ohne manuelle Eingriffe – etwa zur Interpretation der Daten – erfolgen. Hierzu müssen die Datendefinitionen, die Codes und die Strukturen der ausgetauschten Datensätze allen beteiligten Applikationen bekannt sein. Aus Gründen der Wirtschaftlichkeit, der Betriebssicherheit und der Flexibilität für zukünftige Alternativen sollten allgemein gültige Datenstandards geschaffen und benutzt und nicht bilaterale Datendefinitionen, Codes und Datensatz-Strukturen für die Paare kommunizierender Applikationen entwickelt werden. Ein Beispiel für solche Standards sind die Datendefinitionen, Codes und Strukturen ausgetauschter Datensätze für internationale Normen wie UN/TDED: Daten für Angebot, Vertrag, Bestellung, Lieferabruf, Liefermeldung, Rechnung, Zahlung, Frachtbuchung, Frachtrechnung, Zollabfertigung (vgl. [EGKS 89]). Intern in einer einzelnen Applikation oder Datenbank können durchaus eigene Datenkonventionen gelten. Dann sind die betreffenden Daten jedoch an der Schnittstelle zu transformieren (interne Konvention in den extern gültigen Standard und umgekehrt).

Die Integration via Datenaustausch hat Vor- und Nachteile. Vorteile: Die beteiligten Datenbanken können völlig unabhängig voneinander strukturiert und implementiert sein, lediglich die zwischen den Partnern verwendeten Datendefinitionen, die Codes und die Strukturen ausgetauschter Datensätze sind zu standardisieren. Auch die Infrastrukturen für die Implementation der betreffenden Applikationen und Datenbanken müssen in der Regel nicht aufeinander abgestimmt sein. Nachteile: Dieselbe Realität ist in mehreren Datenbeständen applikationsspezifisch modelliert. Die betreffenden Datenbestände derselben Realität sind temporär inkonsistent – bis alle auf denselben Stand nachgeführt sind. Die beteiligten Applikationen müssen selbst geeignete Prozeduren für das nachträgliche Erreichen der Datenkonsistenz realisieren (»Stolpersteine« für die Maintenance).

In diesem Sinne unterscheiden wir unterschiedliche Stufen der Integration von Applikationen:

– Voll integriert: Applikationen sind voll integriert, wenn sie dieselben gespeicherten Daten verwenden (shared database) oder wenn sie innerhalb eines verteilten Datenbanksystems mit replizierten Daten arbeiten. Zu jedem beliebigen Augenblick verfügt jede Applikation über den aktuellen Zustand der Datenbasis (permanente Datenkonsistenz).

– Update-getriggert: Wenn Daten der Datenbasis einer Applikation verändert werden, veranlaßt diese Applikation die Modifikation der diesen entsprechenden Daten in der funktional abhängigen Datenbasis einer mit ihr mittels Update-Triggerung integrierten Applikation. Die Daten der funktional abhängigen Datenbasis sind temporär nicht aktuell (geringe Verzögerung um die Zeit für die Weitergabe der Modifikation).

– Update-getriggertes Mailing: Wenn Daten der Datenbasis einer Applikation verändert werden, veranlaßt diese Applikation einen File Transfer dieser Daten zu einer Mailbox, auf die auch die mit ihr durch update-getriggertes Mailing integrierte Applikation zugreifen kann. Bei Bedarf übernimmt jene Applikation die Veränderungen in ihre funktional abhängige Datenbasis, deren Aktualität vom Zeitpunkt des lesenden Zugriffs in der Mailbox bestimmt wird.

– Zeit-getriggert: Zu definierten Zeitpunkten werden Veränderungen in der Datenbasis einer Applikation in der entsprechenden funktional abhängigen Datenbasis einer anderen Applikation nachgeführt, die mit ersterer zeitgetriggert integriert arbeitet. Die Aktualität der funktional abhängigen Datenbasis wird vom Zeitpunkt der Nachführung bestimmt.

Die letzten drei Integrations-Stufen arbeiten mit dem Austausch von Daten in redundanten Datenbasen. Im folgenden wird, wenn wir eine beliebige dieser drei Integrations-Stufen meinen, von »getriggert integriert« gesprochen.

Wichtig für die Eignung einer bestimmten Integrations-Stufe ist der Bedarf, den der Benutzer einer Applikation an die Aktualität der von dieser Applikation gelieferten Information hat. Es müssen also bestimmte Integrations-Stufen implementiert sein, um die Anforderungen an die Aktualität der betreffenden Datenbasen integrierter Applikationen zu gewährleisten (vgl. Bild 4.2).

Muß eine Datenbasis aktuelle, d. h. jederzeit gültige Daten aufweisen, darf sie nicht funktional von der Datenbasis einer anderen Applikation abhängen. Hier führt ausschließlich die volle Integration von Applikationen zu korrekten Resultaten.

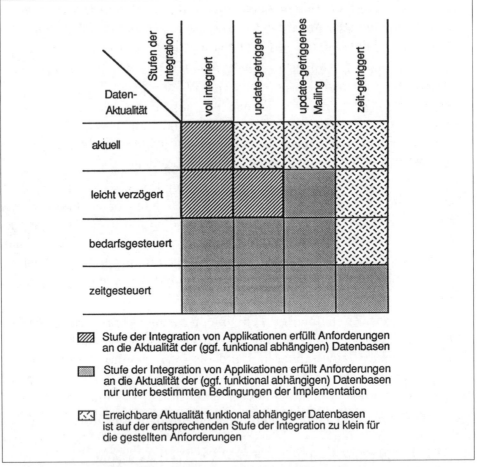

Bild 4.2: Integrierte Applikationen auf unterschiedlichen Integrations-Stufen und Erfüllbarkeit von Forderungen an die Aktualiät von Datenbasen

Im Falle getriggert integrierter Applikationen nennen wir die Aktualität der Daten einer funktional abhängigen Datenbasis

- leicht verzögert, wenn bis auf wenige Ausnahmen die Daten aktuell sind,

- bedarfsgesteuert, wenn die Datenbasis (dynamisch) bei Bedarf aktualisiert werden kann,

- zeitgesteuert, wenn die Datenbasis zu definierten Zeitpunkten aktualisiert wird.

Bild 4.2 zeigt, welcherart integrierte Applikationen welche Anforderungen an ihre – gegebenenfalls funktional abhängigen – Datenbasen

- erfüllen können,

- unter bestimmten Bedingungen wie einer geeigneten Ablaufsteuerung der Applikationen oder einer geeigneten Zeitmarkierung von Datenbeständen erfüllen können oder

- nicht erfüllen können.

Die besondere Aufmerksamkeit verdienen Datenbasen, die getriggert integriert sind mit solchen, die ihrerseits mit Dritten ebenfalls getriggert integriert sind etc. Bei derartigen, transitiv funktional abhängigen Datenbasen muß die Verträglichkeit von Aktualitätsbedarf und Implementation der kompletten »Integrations-Sequenz« geprüft werden. Solch eine transitiv funktionale Abhängigkeit von Datenbasen könnte in einem Unternehmen aber auch mit entsprechenden Richtlinien untersagt werden.

4 Applikations-Architektur

Die Planung der Implementation von Applikationen und von Datenbeständen für ein Unternehmen oder für eine größere organisatorische Einheit eines Unternehmens aus gesamtheitlicher Sicht wird durch einen top-down-orientierten Ansatz zur Modellierung von Applikations-Architekturen unterstützt, der von uns entwickelt und in mehreren Projekten erprobt wurde. Die Modellierungsebenen der Applikations-Architektur beinhalten im allgemeinen grobe Funktions- und Dateneinheiten.

Mit diesem Ansatz sind wir in der Lage, aus betrieblichen Aktivitäten und den hierbei erzeugten oder benutzten Informationen Applikationen und Datenbestände zu bestimmen. Der Entwurf von Daten, die von unterschiedlichen Benutzerkreisen resp. Applikationen verwendet werden und die ähnliche Fakten der Realität in einer Datenbasis abbilden, kann aufeinander abgestimmt werden. Es können lokal von einer Applikation genutzte Daten dargestellt werden. Und es können zur Realität jederzeit konsistente und aktuelle Datenbestände in physisch integrierten Datenbanken oder in verteilten Datenbanksystemen modelliert werden, die durch beliebig viele Applikationen gemeinsam benutzt werden können (voll integrierte Applikationen). Modellierbar sind jedoch auch redundante Datenbestände, die einzelnen Applikationen – eventuell in unterschiedlichen Infrastrukturen oder an unterschiedlichen Orten – zugeordnet sind und deren Aktualisierung mit Hilfe applikationsspezifischer Maßnahmen erfolgen muß, z. B. getriggert integriert via Electronic Data Interchange oder manuell.

Existierende Applikationen und Datenbanken, gekaufte Software-Pakete, bereits geplante Applikationen und zukünftige Anforderungen an Funktionen und Daten können bei diesem Ansatz berücksichtigt werden. Hierfür sind die in einer Soll-Architektur festgehaltenen neuen und geplanten Anforderungen mit einer Ist-Architektur zu vergleichen, die unter Umständen in einer Art »Jo-jo-Einlage« aus implementierten Applikationen mit einem bottom-up-orientierten Ansatz zu ermitteln ist (vgl. z. B. [MIS 91]).

Wichtig in diesem Zusammenhang ist die Anforderung an die Aktualität der Daten, um die Aktivitäten korrekt ausführen zu können. Hiermit und mit dem Wissen um die Zugriffs-Kompatibilität aus unterschiedlichen Infrastruktur-Umgebungen – in denen betriebene oder geplante Applikationen implementiert sind resp. werden sollen – auf Datenbanken in unterschiedlichen Datenbanksystemen kann über eine anforderungskonforme Verfügbarkeit und Nutzung der Daten diskutiert werden.

4.1 Applikations-Architektur und Systementwicklungs-prozeß

Wenn wir von dem heutigen »Stand der Technik« bei der Entwicklung von Applikationen und von dazugehörigen Datenbanken ausgehen, so führt innerhalb eines betrieblichen Bereiches, der eine Applikation definiert, eine Analyse detaillierter Anforderungen auf ein logisches Prozeßmodell auf der Funktionsseite sowie auf ein semantisches Datenmodell, das beispielsweise mit Hilfe einer Entity-Relationship-Notation erfaßt werden kann. In einer nächsten Stufe kann dieses Entity-Relationship-Modell (ERM) in ein Relationenmodell in vierter Normalform transformiert werden, was einem konzeptuellen Datenmodell entspricht (von der Technik des DB-Systems abstrahierend). Gesteuert durch die Erfordernisse der Prozeße und die Modellierungs-Schnittstelle des Datenbanksystems erfolgt dann die Abbildung auf ein konzeptuelles Datenbank-Schema.

Dieses Vorgehen kann bei der Entwicklung von Applikationen für unterschiedliche betriebliche Bereiche immer wieder beobachtet werden. Selbst wenn Applikationen auf gemeinsamen Objekten der Realität arbeiten, so werden ihre Datenbestände häufig applikationsspezifisch und zunächst ohne gegenseitige Koordination entworfen und strukturiert.

Die Applikations-Architektur stellt diesem hier kurz skizzierten Entwicklungsprozeß einen »Architektur-Prozeß« voran. Auf der Grundlage einer größeren betrieblichen Organisationseinheit, die mehrere Bereiche der vorgenannten Art umfaßt, werden nach einer groben Informationsbedarfs-Analyse und weiterer Abklärungen, die im folgenden noch genauer beschrieben sind, zunächst die projektspezifischen betrieblichen Bereiche für die nachfolgende Entwicklung von Applikationen und Datenbasen umrissen und gegenseitige Abhängigkeiten und Einwirkungen ermittelt. Die üblichen Phasen der Systementwicklung werden also durch eine Planungs-Phase ergänzt, die je nach Problemstellung, die die Architektur zu lösen hat, mehrere Detaillierungsstufen umfassen kann.

4.2 Erfassung der Anforderungen

Wir wollen letztlich Applikationen als eine Menge von Funktionen (sowie gegebenenfalls dazugehörig eine Menge applikationsspezifischer Daten), den Austausch von Daten zwischen redundanten Datenbasen sowie globale Datenbestände für die voll integrierte, gemeinsame Benutzung durch mehrere Applikationen planen. Somit müssen wir von den Anforderungen ausgehen, die im Untersuchungsbereich an die Funktionalität von Applikationen und an die Datenbestände gestellt werden. Maßgeblich für diese Anforderungen sind Dokumente und Aussagen der Benutzer in Interviews und Workshops, Beobachtungen des Benutzerverhaltens, Erfahrungen mit bestehenden Applikationen und Prototypen etc.

Es kann nicht genügend betont werden, wie wichtig bei der Ermittlung der Anforderungen die Visionen der Leitung der betreffenden organisatorischen Einheit des Untersuchungsbereichs sind. Davon abzuleiten sind dann Geschäftsprinzipien, deren informationsverarbeitende Bestandteile schließlich zu denjenigen Prinzipien führen, die relevant und maßgebend für den Einsatz der Informatik im Unternehmen sind. Es versteht sich von selbst, daß strategische Zielsetzungen des Unternehmens (welche Applikationen oder Datenbanken werden zur Stärkung der Marktposition benötigt?) hierbei eine wesentliche Rolle spielen.

Benutzer tendieren häufig dazu, in organisatorischen Einheiten und den zwischen diesen ausgetauschten Informationen zu denken. Dieses Denken kann mit Hilfe eines gerichteten Graphen unterstützt werden, dessen Knoten organisatorische Einheiten und dessen Kanten ausgetauschte Informationen modellieren. Hierbei sollten unbedingt auch die Grenzen und Aktivitäten bestehender organisatorischer Einheiten in Frage gestellt und neue disku- tiert werden (Orientierung an zukünftigen Erfordernissen). Weitere Diskus- sionen, Workshops, Interviews und Auswertungen von Dokumenten führen über die Aktivitäten organisatorischer Einheiten resp. über die Daten aus- getauschter Informationen zu einem ersten Entwurf für Funktionen und Datenbestände, die wir Business Functions resp. Data Groups nennen wol- len.

Im Mittelpunkt der funktionalen Aspekte stehen also – obwohl mit der Betrachtung organisatorischer Einheiten und ihren Aufgaben begonnen wird – Aufgaben und Aktivitäten, nicht organisatorische Strukturen. Im Mittel- punkt der Daten-Aspekte stehen Mengen von Entity-Typen und Beziehungs- Typen, ohne daß diese allerdings genau bekannt sind.

Die Inhalte von Business Functions und Data Groups (wichtigste Entity- Typen und Attribute) müssen kurz beschrieben werden. Mit einem Daten- flußdiagramm nach De Marco (vgl. [DMA 79]), das aus den Graphen organi- satorischer Einheiten und den zwischen diesen ausgetauschten Informatio- nen abgeleitet werden kann, kann die Erzeugung oder Veränderung von Daten eines Entity einer Data Group oder das Lesen von Daten dargestellt werden. Die weitere Bearbeitung der Funktionen und Daten und die hierfür notwendigen Diskussionen von Modellierern und Benutzern müßten jedoch mit solch einem Diagramm für Funktionen und Daten getrennt durchgeführt werden. Zudem werden derartige Graphen schon bei verhältnismäßig weni- gen Knoten schnell unübersichtlich. Eine gemeinsame, gesamtheitliche Betrachtung von Daten und Funktionen wäre kaum zu unterstützen – wie wir dies im folgenden zeigen, wenn wir den Datenfluß-Graphen in Form einer Matrix darstellen.

Business Functions und Data Groups werden in einem Arbeitsdokument in Form einer Tabelle als Zeilen und Spalten zusammengefaßt (Bild 4.3). Zusammen mit Vertretern der Benutzer wird in Diskussionen festgehalten, in welcher Art – ob erzeugend (create), verändernd (update) oder lesend (read) – eine Business Function die Daten einer Data Group benutzen muß. »Create« bedeutet, daß eine Business Function Entities (und damit Schlüssel) der betreffenden Data Group erzeugen oder löschen können muß. »Update« heißt, daß eine Business Function beschreibende Eigenschaften von Entities der betreffenden Data Group erzeugen oder verändern muß. »Read« markiert diejenige Data Group, von der die entsprechende Business Function Daten lesen muß. Create umfaßt auch die Anforderungen und Rechte für Update und Read, Update auch diejenigen für Read. Beispielsweise muß in Bild 4.3 Business Function B Daten der Data Group 1 (R) lesen, Business Function A* erzeugt Entities der Data Group 3 (C) und Business Function C verändert Eigenschaften von Entities der Data Group 1 (U).

Business Functions \ Data Groups	Data Group 1	Data Group 2	Data Group 3	Data Group 4	Data Group 5*	Data Group 6	Data Group 7*	Data Group 8	Data Group 9	Data Group 10	Data Group 11	Data Group 12	Data Group 13*
Bus.Funct.A*	R	C	C	R	C		U	C	C	C	R	C	C
Bus.Funct.B	R	R	R	R	C	R	C				U	R	C
Bus.Funct.C	U					R	C				R		
Bus.Funct.D	C	R			C	R	U				U		
Bus.Funct.E		R			R	C					C		
Bus.Funct.F	R		R	R							C	R	C
Bus.Funct.G		R	U	C							U	U	R

Bild 4.3: Tabelle für die Applikations-Architektur
(Erfassung der Diskussionen mit den Benutzern)

In einer Analyse- und Diskussionsphase werden nun zusammen mit den Benutzern die Data Groups genauer betrachtet. Dies ist hauptsächlich dann notwendig, wenn mehrere »creates« und/oder »updates« unterschiedlicher Business Functions auf eine einzige Data Group bestehen. Eine genauere Bestimmung des Inhaltes der Data Group kann zu deren Aufteilung in mehrere (Sub-) Data Groups führen, falls nicht tatsächlich Exemplare desselben Entity-Typs bearbeitet werden. Dann werden damit auch die »creates« und die »updates« (und natürlich auch die »reads«) auf mehrere Spalten verteilt.

Ein ähnlicher Prozeß kann zu detaillierteren Business Functions führen. Wenn eine Business Function zu grob definiert wurde, spricht sie zu viele Data Groups an. Somit ist eine Business Function, die sehr viele Data Groups anspricht, Kandidatin für eine detailliertere Definition und gegebenenfalls für eine Aufspaltung, falls die neu entstehenden (Sub-) Business Functions signifikant weniger und verschiedene Data Groups ansprächen.

In unserem Beispiel – es ist übersichtlicher und deshalb als Beispiel zur Erklärung des prinzipiellen Vorgehens geeigneter als unsere Projekte der Praxis mit je 50 bis 100 Business Functions und Data Groups – habe nun auch solch eine Analyse stattgefunden. Mit »Hintergrundinformation« – aus Bild 4.3 nicht ersichtlich – sei das Ergebnis dieser Analyse kritischer Data Groups das Folgende:

– Splitting von Data Group 5* in die neuen Data Groups 5 und 15,
– Splitting von Data Group 7* in die neuen Data Groups 7 und 16,
– Splitting von Data Group 13* in die neuen Data Groups 13 und 14.

Desgleichen habe eine genauere Diskussion der »überladenen« Business Function A* zu deren Aufteilung in die neuen Business Functions A und H geführt. Das Ergebnis dieser Analyse- und Diskussionsphase für unser Beispiel faßt Bild 4.4 zusammen.

Eine Aufspaltung von Business Functions und Data Groups kann auch durch technische Aspekte induziert werden. Beispiele hierfür sind die Berücksichtigung unterschiedlicher Betriebssysteme oder unterschiedlicher Basis-Software wie z. B. unterschiedlicher Datenbanksysteme. Oder sie kann durch organisatorische Aspekte ausgelöst werden wie unterschiedliche Verantwortlichkeiten für einzelne Aktivitäten oder Daten durch unterschiedliche organisatorische Einheiten.

Der Prozeß der Konkretisierung und Verfeinerung von Business Functions und Data Groups ist nur erfolgreich, wenn beide im Kontext ihrer gegenseitigen Verflechtungen von Modellierern, Entwicklern, Benutzern und evtl. weiteren Spezialisten gemeinsam betrachtet werden. Nur so können wir die Daten- und Applikations-Integration in Abhängigkeit des Verwendungsnachweises der Daten durchführen. Eine eindimensionale Betrachtung von Daten oder Funktionen, z. B. um eine möglichst einheitliche Granularität von Data Groups und Business Functions zu erreichen, führt hier nicht zum Ziel.

Die geschickte Auswahl der beim Entwicklungs-Prozeß von Business Functions und Data Groups beteiligten Benutzer-Vertreter ist für den Prozeß sehr wichtig. Um eine vollständige und integrierte Sicht über die Bedürfnisse eines Untersuchungs-Bereiches zu erhalten, ist es wichtig, solche Benutzer zu befragen und in Workshops zu versammeln, die zusammen einen generellen Überblick über die Aufgaben und die bearbeiteten Objekte des betrachteten Bereiches haben. Benutzer mit zu detailliertem Wissen oder zu detaillierten Interessen behindern die integrierte Modellierung in diesen frühen Phasen eher. Zudem ist es zwingend notwendig, Bedeutung und Inhalt aller Business Functions und Data Groups knapp zu beschreiben. Nur so können schier endlose zukünftige Diskussionen um längst Vereinbartes vermieden werden.

Business Functions / Data Groups	Data Group 1	Data Group 2	Data Group 3	Data Group 4	Data Group 5	Data Group 6	Data Group 7	Data Group 8	Data Group 9	Data Group 10	Data Group 11	Data Group 12	Data Group 13	Data Group 14	Data Group 15	Data Group 16
Bus.Funct.A		R	C	R							R	U		C	C	R
Bus.Funct.B	R	R	R	R		R					U	R	C	R	C	C
Bus.Funct.C	U					R	C				R					
Bus.Funct.D	C	R			C	R	U				U					
Bus.Funct.E		R			R	C					C					
Bus.Funct.F	R		R	R							C	R	C			
Bus.Funct.G		R	U	C							U	U	R			
Bus.Funct.H	R	C		R			R	C	C	C	R	C	U		R	U

Bild 4.4:Tabelle für die Applikations-Architektur nach Verfeinerung der Data Groups 5*, 7* und 13* (neue DGs: 5, 7, 13 bis 16) und der Buisness Function A* (neue BFs: A und H)

233

4.3 Zusammenfassung von Business Functions

Als nächstes werden solche Business Functions miteinander vereinigt, die bestimmten Bedingungen genügen. Diese Funktions-Cluster werden dann als Applikationen zur genaueren Begutachtung vorgeschlagen. Die Frage, weshalb nicht datenorientiert und sozusagen »modern« zuerst eine Zusammenfassung geeigneter Data Groups zu Datenbasen erfolgen kann, um diese dann global und voll integriert allen Applikationen anzubieten, kann nach genauem Studium des Abschnitts »Stufen der Integration von Applikationen« bereits beantwortet werden; sie wird im Abschnitt »Gemeinsam benutzte oder redundante Datenbasen?« noch einmal aufgegriffen.

Zunächst werden diejenigen Business Functions zusammengefaßt, die als Bestandteile von – aus organisatorischen oder technischen Gründen – bereits fest eingeplanten Applikationen vorgesehen sind. Die verbliebenen Business Functions werden algorithmisch gruppiert im Sinne eines ersten Vorschlags zur Bildung von Applikationen. Diejenigen Business Functions werden zusammengefaßt, die möglichst viele Data Groups gemeinsam benutzen. Zu diesem Zweck werden auf der Basis der Anzahl gemeinsam benutzter Data Groups iterativ Affinitäts-Koeffizienten für Paare von Business Functions berechnet.

Wir definieren nun den Affinitäts-Koeffizienten (AK) für Business Function X gegenüber Business Function Y folgendermaßen:

AK (X | Y) := (Anzahl der von den Business Functions X und Y gemeinsam benutzten Data Groups) / (Anzahl der von der Business Function X überhaupt benutzten Data Groups), falls Business Function X mindestens eine Data Group benutzt,

AK (X | Y) := 0, falls Business Function X keine Data Group benutzt.

Der Affinitäts-Koeffizient AK (X | Y) kann folgendermaßen interpretiert werden: Mit der relativen Häufigkeit des Affinitäts-Koeffizienten benutzt Business Function Y auch eine Data Group, die von Business Function X benutzt wird.

Betrachten wir beispielsweise in Bild 4.4 die beiden Business Functions A und B, so erhalten wir für AK (A | B) und für den dazu inversen Affinitäts-Koeffizienten AK (B | A)

AK (A | B) = 8 / 8 = 1   AK (B | A) = 8 / 11 = 0,73

Weitere Beispiele:

AK (E I H) = 2 / 4 = 0,5   AK (H I E) = 2 / 12 = 0,17

Diejenigen Paare von Business Functions bilden neue (Super-) Business Functions, deren gegenseitige Affinität besonders hoch ist. Hierzu verwenden wir das Produkt aus Affinitäts-Koeffizient und seinem inversen Affinitäts-Koeffizienten. Erst wenn dieser Wert, den wir symmetrischen Affinitäts-Koeffizienten (SAK) nennen wollen, einen festgelegten Schwellenwert überschreitet, werden die beteiligten Business Functions zusammengefaßt.

Beispiele:

SAK (A, B) = SAK (B, A) = AK (A I B) x AK (B I A) = 1 x 0,73 = 0,73
SAK (E, H) = 0,5 x 0,17 = 0,09

Die Berechnung aller symmetrischen Affinitäts-Koeffizienten zwischen allen Business Functions von Bild 4.4 ergibt, daß ein Schwellenwert von SAK_{min} = 0,6 in unserem Beispiel sinnvoll zu sein scheint. Folgende SAKs übersteigen diesen Schwellenwert ($0,6 \leq SAK (X, Y) \geq 1$):

SAK (A, B) = 0,73   SAK (C, D) = 0,67
SAK (G, F) = 0,69   SAK (E, D) = 0,67

Somit werden zunächst die Business Functions A und B, C und D sowie G und F zu je einer Super-Business Function zusammengefaßt ({A,B}, {C,D}, {F,G}). D und E werden nicht vereinigt, weil D bereits mit C vereinigt wird und weil die gegenseitige Affinität zwischen C und E mit SAK (C, E) = 0,25 doch klein ist. Wäre diese auch über dem Schwellenwert gelegen, hätten wir anstelle {C,D} die größere Super-Business Function {C,D,E} gebildet.

Bezüglich der Benutzungsart der Data Groups durch eine Super-Business Function {X,Y} gilt, daß eine frühere, alleinige Benutzung einer Data Group durch X oder durch Y erhalten bleibt, eine gleichzeitige Benutzung durch X und Y zu dem jeweils umfassenderen Benutzungsrecht für {X,Y} führt (z.B. U von Business Function X bzgl. Data Group n und R von Business Function Y bzgl. Data Group n führt zu U von Business Function {X,Y} bzgl. Data Group n). Wir nennen diesen Prozeß »Vereinigung durch Superposition«.

Dieser Prozeß wird iterativ wiederholt unter Verwendung der im vorhergehenden Schritt neu gebildeten Zusammenfassungen. Der Prozeß endet, wenn alle neuen Affinitäts-Koeffizienten unter den Schwellenwert fallen oder wenn Plausibilitätsbetrachtungen einen Abbruch angebracht erscheinen lassen.

Was unser Beispiel von Bild 4.4 betrifft, haben wir nun in der ersten Iterations-Stufe die symmetrischen Affinitäts-Koeffizienten der Business Functions {A,B}, {C,D}, E, {F,G} und H zu berechnen. Hierbei ergeben sich als größte vier Werte symmetrischer Affinitäts-Koeffizienten

SAK ({C,D}, E) = 0,67   SAK ({A,B}, {F,G}) = 0,64
SAK ({A,B}, H) = 0,49   SAK ({A,B}, H) = 0,43

Nehmen wir auch hier den Schwellenwert von 0,6 für eine Superposition der Business Functions, dann ergeben sich folgende neue Business Functions:

{C,D,E}, {A,B,F,G} und H.

Die Ergebnisse einer weiteren Iteration für die Berechnung der symmetrischen Affinitäts-Koeffizienten für diese neuen Business Functions ermuntern nicht zu einer weiteren Zusammenfassung. Der größte Wert dieser Iteration ist SAK ({A,B,F,G}, H) = 0,49, die beiden anderen Werte liegen bei 0,24.

Somit ergibt sich zunächst folgende Situation: Die Business Functions A, B, F und G werden zusammen als eine Applikation betrachtet, die Business Functions C, D und E als eine zweite und die Business Function H als eine dritte (vgl. Bild 4.5).

Die Berechnung der Affinitäts-Koeffizienten kann auch die unterschiedlichen Benutzungsarten von Data Groups (C, R, U) durch unterschiedliche Gewichtung berücksichtigen, was in unserem Beispiel nicht erfolgt ist. Das Resultat dieses Clustering-Prozeßes sollte als Vorschlag angesehen werden und muß unbedingt einer Plausibilitäts-Prüfung unterzogen werden.

Applika-tionen \ Data Groups	Data Group 1	Data Group 2	Data Group 3	Data Group 4	Data Group 5	Data Group 6	Data Group 7	Data Group 8	Data Group 9	Data Group 10	Data Group 11	Data Group 12	Data Group 13	Data Group 14	Data Group 15	Data Group 16
{C,D,E}	C	R			C	C	C				C					
{A,B,F,G}	R	R	C	C		R					C	U	C	C	C	C
{H}	R	C		R			R	C	C	C	R	C	U		R	U

Bild 4.5: Data Groups und deren Benutzung durch die Applikationen

4.4   Zusammenfassung von Data Groups

Die Zusammenfassung von Data Groups in Datenbasen und deren Zuordnung zu Applikationen ist das Ergebnis der lokalen resp. globalen Bedeutung jeder Data Group für eine resp. mehrere Applikationen und weiterer zusätzlicher Bedingungen wie beispielsweise den technischen Umgebungen. Data Groups mit überwiegend lokaler Bedeutung für eine beliebige Applikation (create und update nur durch die betreffende Applikation) sind Kandidaten für eine applikationsspezifische Datenbasis mit applikationsspezifischer Verwaltung. Data Groups, die für mehr als eine Applikation von Bedeutung sind, sind Kandidaten für globale Datenbasen mit einer eigenen Stammdatenverwaltung (im folgenden »Master File Management System« genannt). Globale Datenbasen sind die Basis für voll integrierte Applikationen. Unterschiedliche Implementations-Techniken und andere Gegebenheiten wie z. B. unterschiedliche Organisationen können zu einer Zuweisung von Data Groups zu mehr als einer Datenbasis führen. In diesem Falle wird eine redundante Datenhaltung bewußt geplant, die dazugehörigen Applikationen sind update-getriggert, mit update-getriggertem Mailing oder zeit-getriggert zu integrieren. Wenn eine Applikation Daten benutzt, die in der Verfügungsgewalt einer anderen Applikation oder eines Master File Management Systems stehen, dann modelliert dies voll integrierte Applikationen. Auf diese Weise können auch Applikationen ohne Daten in eigener Verfügungsgewalt entstehen.

Die Suche nach globalen und applikationsspezifischen Datenbeständen kann mit einem Clustering-Prozeß unterstützt werden, der mit dem für die Business Functions im vorigen Abschnitt gezeigten Prozeß identisch sein kann. Gegenstand des Zusammenfassens sind in diesem Fall jedoch Data Groups und nicht Business Functions, was gerade bei großen Architektur-Matrizen hilfreich sein kann. Die Interpretation der Daten-Cluster muß dann entsprechend angepaßt werden: In einem Cluster sind dann alle diejenigen Data Groups vereinigt, die mit einer hohen relativen Häufigkeit von denselben Business Functions angesprochen werden.

Den Modellierern muß jedoch bei der Interpretation der auf diese Art erhaltenen Daten-Cluster von vornherein bewußt sein, daß die Aussagen unter bestimmten Voraussetzungen, die einschränkend wirken und die im Abschnitt »Gemeinsam benutzte oder redundante Datenbanken?« vertieft diskutiert werden, für eine spätere Implementation im Normalfall weniger relevant sind als die Funktions-Cluster.

4.5 Ermitteln globaler Datenbestände

Wir wollen uns zunächst mit den globalen Datenbeständen im allgemeinen befassen. Globale Datenbestände zeichnen sich einmal dadurch aus, daß sie Daten enthalten, die von zentralem Interesse und von grundlegender Bedeutung für die Handlungen eines Unternehmens sind. Sie sind deshalb für viele Applikationen von Belang, werden von vielen Applikationen gelesen, von einigen modifiziert. Vielleicht werden ihre Daten sogar von mehr als einer Applikation erzeugt.

Aufgrund ihrer Bedeutung für das Unternehmen möchte man solche Datenbestände in der Regel immer in ihrer aktuellen Form anbieten können. Das heißt, daß Applikationen über solche Datenbestände voll integriert werden können, falls die technischen Voraussetzungen der Infrastruktur dafür gegeben sind. Falls es nicht möglich ist, auf einer gemeinsamen Datenbasis zu arbeiten, dann sind zumindest die Daten der globalen Datenbasis die gültige Referenz für alle dazu redundanten Daten. Mit anderen Worten: Redundante Daten einer globalen Datenbasis sind von dieser funktional abhängig.

Owner dieser Daten ist in der Regel diejenige Applikation, die sie erzeugt hat. In unserer hier verwendeten Notation werden globale Datenbasen einem »Master File Management System« (MFMS) zugeordnet. Dieses verwaltet die Datenbestände als »Treuhänder«, ist zwar Besitzer der Daten, aber – wie schon gesagt – keinesfalls Eigentümer (owner).

Betrachten wir wieder unser Beispiel. In Bild 4.5 erkennen wir, daß lediglich die Data Groups 3, 5, 8, 9, 10 und 14 in ihrer Benutzung von lokaler Bedeutung für eine einzelne Applikation sind. Diskussionen, welche Datenbestände aus organisatorischen oder technischen Gründen sinnvollerweise globale Datenbasen bilden sollen (Hintergrundinformation, aus Bild 4.5 nicht ersichtlich), sollen in unserem Beispiel dazu führen, daß die Data Groups 1 und 2 sowie die Data Groups 3, 4, 11, 12 und 13 zwei globale Datenbasen bilden sollen, verwaltet durch je ein Master File Management System (MFMS) mit Aufgaben der Konsistenzsicherung etc. (keine Business Function, weil die Verwaltung von Daten normalerweise nicht primäre Aufgabe eines Unternehmens sein kann). Es wird nicht als sinnvoll erachtet, die

Data Groups 6, 7, 15 und 16 global verfügbar zu machen (Hintergrundinformation). Master File Management System I (MFMS I) verwaltet die Data Groups 1 und 2, Master File Management System II (MFMS II) die Data Groups 3,4,11,12 und 13.

4.6 Ermitteln neuer Applikationen

Durch die Bildung globaler Datenbasen muß die zuvor erhaltene Zusammenfassung von Business Functions zu Applikationen mit Hilfe der nicht den globalen Datenbasen zugeschlagenen Data Groups überprüft werden, da die Abgrenzung einzelner Applikationen gegeneinander ja gerade deshalb erfolgte, weil Business Functions unterschiedlicher Applikationen mehrheitlich unterschiedliche Data Groups benutzen. Und durch die Bildung globaler Datenbasen können sich neue Affinitäten bzgl. der restlichen Data Groups ergeben haben.

Business Functions \ Data Groups	Data Group 5	Data Group 6	Data Group 7	Data Group 8	Data Group 9	Data Group 10	Data Group 14	Data Group 15	Data Group 16
Bus.Funct.A							C	C	R
Bus.Funct.B		R					R	C	C
Bus.Funct.C		R	C						
Bus.Funct.D	C	R	U						
Bus.Funct.E	R	C							
Bus.Funct.F									
Bus.Funct.G									
Bus.Funct.H			R	C	C	C		R	U

Bild 4.6: Tabelle für die Applikations-Architektur nach Entfernen der Data Groups der globalen Datenbasen

Somit führen wir mit den Business Functions A bis H und den Data Groups 5 bis 10 und 14 bis 16 eine erneute Berechnung symmetrischer Affinitäts-Koeffizienten durch (vgl. Bild 4.6). Dabei ergeben sich

SAK (A, B) = 0,75   SAK (C, D) = 0,67
SAK (D, E) = 0,67   SAK (C, E) = 0,25

etc. bis hin zu SAK (F, G) = 0, weil F und G keine der verbliebenen, applikationsspezifischen Data Groups mehr benutzen. Nehmen wir an, wir wollen mit den Business Functions F und G trotzdem eine Applikation bilden.

Applications \ Data Groups	Data Group 1	Data Group 2	Data Group 3	Data Group 4	Data Group 5	Data Group 6	Data Group 7	Data Group 8	Data Group 9	Data Group 10	Data Group 11	Data Group 12	Data Group 13	Data Group 14	Data Group 15	Data Group 16
Appl. {A,B}	R	R	C	R		R					U	U	C	C	C	C
Appl. {C,D,E}	C	R			C	C	C				C					
Appl. {F,G}	R	R	U	C								C	U	C		
Appl. {H}	R	C		R			R	C	C	C	R	C	U		R	U
MFMS I																
MFMS II																

Bild 4.7: *Applikationen mit den Data Groups und den bereits bestimmten globalen Datenbasen*

Da eine weitere Iteration zu einem SAK ({C,D}, E) = 0,67 führt und SAK ({A,B}, {F,G}) = 0 ist, ergeben sich für unser Beispiel definitiv folgende Vorschläge von Applikationen: {A,B}, {C,D,E}, {F,G} und {H}. Hinzu kommen noch die beiden Master File Management Systeme, für die wir je eine Zeile in der Tabelle der Applikations-Architektur anfügen (Bild 4.7). Dieses Ergebnis muß jetzt im Sinne eines Vorschlages wiederum mit den Vertretern der Benutzer-Bereiche diskutiert, korrigiert oder bestätigt werden.

4.7 Ermitteln applikationsspezifischer Datenbestände

Bei der Ausarbeitung eines Vorschlags für applikationsspezifische Datenbestände haben wir verschiedene Ausgangssituationen zu unterscheiden.

Zunächst sind alle diejenigen Data Groups Kandidaten für einen applikationsspezifischen Datenbestand, die nicht globalisiert wurden (vgl. Abschnitt »Ermitteln globaler Datenbestände«) und deren Exemplare lediglich von einer Applikation innerhalb der Matrix bearbeitet werden (und von dieser erzeugt, mutiert oder gelesen werden können). In Bild 4.7 sind dies die Data Group 5 bzgl. {C, D, E}, die Data Groups 8, 9 und 10 bzgl. {H} und die Data Group 14 bzgl. {A, B}. Solche Daten sind lediglich von lokaler Bedeutung für die betreffende Applikation. Bemerkung: Werden Daten einer Data Group innerhalb der Matrix lediglich in einer Applikation mutiert oder gelesen (also nicht erzeugt), dann gehört diese Data Group zu einer Datenbasis, die außerhalb der betrachteten und analysierten organisatorischen Einheit liegt.

Anschließend ist zu prüfen, ob für alle betreffenden Applikationen die benötigten Zugriffe zu den globalen Datenbeständen direkt realisiert werden können oder sollen (volle Integration) oder ob der direkte Zugriff durch eine redundante Datenhaltung (mit getriggerter Integration) ersetzt werden soll. Gründe für eine redundante Datenhaltung sind in den Abschnitten »Stufen der Integration von Applikationen« und »Gemeinsam benutzte oder redundante Datenbasen?« kurz diskutiert.

In unserem Beispiel soll der benötigte Zugriff von Applikation {C, D, E} auf den globalen Datenbestand von Master File Management System II (bzgl. Data Group 11) nicht realisierbar sein (Bild 4.8). Die Daten von Data Group 11 im besagten globalen Datenbestand werden somit von Applikation {F, G} erzeugt, von Applikation {A, B} mutiert und von Applikation {H} gelesen. Applikation {C, D, E} muß also die Daten von Data Group 11 redundant führen, wobei hier noch eine besondere Aufgabe zu lösen ist: Die Applikationen {F, G} und {C, D, E} erzeugen Exemplare desselben Entity-Typs in Data Group 11 (andernfalls wäre Data Group 11 bei der Erfassung der Anforderungen aufgeteilt worden). An erforderliche applikationsspezifische Maßnahmen zum Datenabgleich müssen somit besonders strenge Maßstäbe gelegt werden.

Noch nicht zugeordnet sind jetzt lediglich diejenigen Data Groups, die von mehreren Applikationen erzeugt oder benutzt werden, die jedoch nicht zur

Bildung globaler Datenbasen beitragen. In unserem Beispiel sind dies die Data Groups 6, 7, 15 und 16.

Wenn Entities einer Data Group nur von einer Applikation erzeugt werden, dann wird diese Data Group in der Regel der erzeugenden Applikation zugeordnet (ownership). Anschließend muß wie bei den Zugriffen auf die globalen Datenbasen geklärt werden, ob die anderen Applikationen direkt auf die applikationsspezifische Datenbasis der datenerzeugenden Applikation zugreifen können oder sollen.

Applications \ Data Groups	Data Group 1	Data Group 2	Data Group 3	Data Group 4	Data Group 5	Data Group 6	Data Group 7	Data Group 8	Data Group 9	Data Group 10	Data Group 11	Data Group 12	Data Group 13	Data Group 14	Data Group 15	Data Group 16
Appl. {A,B}	R	R	C	R		R					U	U	C	C	C	C
Appl. {C,D,E}	C	R			C	C	C									
Appl. {F,G}	R	R	U	C								C	U	C		
Appl. {H}	R	C		R			R	C	C	C	R	C	U		R	U
MFMS I																
MFMS II																

Applikation {C,D,E} kann nicht voll integriert auf Daten von Master File Management System II zugreifen

Applikation {C,D,E} und Applikation {H} sind nicht voll integrierbar

Restliche Applikationen sind voll integrierbar

Bild 4.8: Prüfung der Realisierbarkeit benötigter Datenzugriffe zu »fremden« Datenbeständen

In unserem Beispiel werden somit die Data Groups 6 und 7 der Applikation {C, D, E} und die Data Groups 15 und 16 der Applikation {A, B} zugeordnet. Angenommen, die Applikation {A, B} kann auf die Daten von Applikation {C, D, E} genau so direkt zugreifen wie Applikation {H} auf die Daten von Applikation {A, B}. Nehmen wir weiterhin an, dies sei für Applikation {H} bezüglich Applikation {C, D, E} nicht möglich (s. Bild 4.8). Somit muß Data Group 7 redundant auch in der applikationsspezifischen Datenbasis von Applikation

{H} gehalten werden. Deren Inhalt hat sich auf denjenigen von Data Group 7 in Applikation {C, D, E} auszurichten. Konsistenzerhaltende Maßnahmen sind hierfür zu implementieren.

Bild 4.9 zeigt die Ergebnisse der Diskussion unseres Beispiels. Wir sehen die globalen und die applikationsspezifischen Datenbasen als schattierte Flächen zwischen den zutreffenden Master File Management Systemen resp. den Applikationen und den Data Groups eingezeichnet.

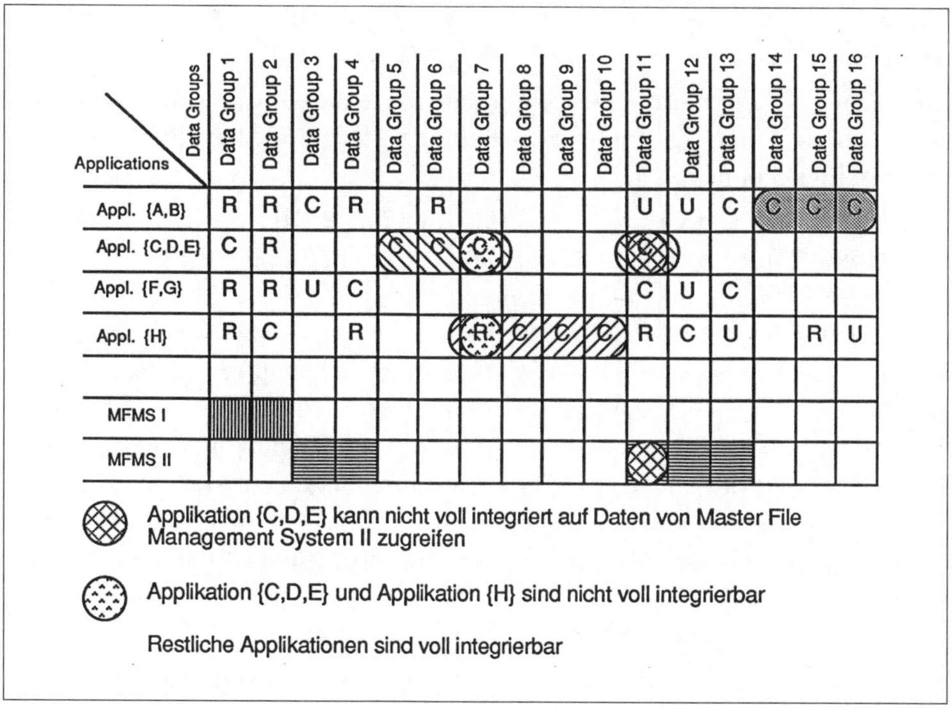

Applications \ Data Groups	Data Group 1	Data Group 2	Data Group 3	Data Group 4	Data Group 5	Data Group 6	Data Group 7	Data Group 8	Data Group 9	Data Group 10	Data Group 11	Data Group 12	Data Group 13	Data Group 14	Data Group 15	Data Group 16
Appl. {A,B}	R	R	C	R		R					U	U	C	C	C	C
Appl. {C,D,E}	C	R			C	C	C									
Appl. {F,G}	R	R	U	C							C	U	C			
Appl. {H}	R	C		R			R				R	C	U		R	U
MFMS I																
MFMS II																

Applikation {C,D,E} kann nicht voll integriert auf Daten von Master File Management System II zugreifen

Applikation {C,D,E} und Applikation {H} sind nicht voll integrierbar

Restliche Applikationen sind voll integrierbar

Bild 4.9: Zuordnung der Data Groups zu den Applikationen

4.8 Gemeinsam benutzte oder redundante Datenbasen?

In Bild 4.9 ist jedoch noch wesentlich mehr festgehalten als die Zuordnung von Datenbasen zu Master File Management Systemen resp. zu Applikationen. Wir können insbesondere gemeinsam benutzte Datenbasen mit voll integrierten Applikationen von redundanten Datenbasen mit beispielsweise getriggert integrierten Applikationen unterscheiden.

Wir sehen, daß beispielsweise Applikation {C, D, E} die Daten von Data Group 1 in der globalen Datenbasis von Master File Management System I (MFMS I) erzeugt, während die anderen drei Applikationen diese Daten voll integriert lesen. Data Group 1 ist als gemeinsame Datenbank zu implementieren. Dies erkennt man daran, daß in der entsprechenden Data Group-Spalte keine weitere Zeile markiert ist (in unseren Bildern schattiert). Owner dieser Daten ist zwar Applikation {C, D, E}, deren »Treuhänder« ist jedoch eine Stammdatenverwaltung, in diesem Falle MFMS I. Die Daten der Data Group 6 werden auch gemeinsam genutzt: Applikation {C, D, E} erzeugt diese Daten, deren Owner sie auch ist, Applikation {A, B} liest sie.

Hingegen erkennen wir eine redundante Datenhaltung bei den Daten der Data Groups 7 und 11 (mehrere schattierte Zeilen in derselben Spalte, in unserem Beispiel je zwei).

Bezüglich Data Group 7 sieht man, daß Applikation {H} (nur R) die Daten der Data Group 7 in funktionaler Abhängigkeit von Applikation {C, D, E} (erzeugt Daten mit C) redundant hält, mit einer verzögerten Aktualität, die je nach Implementation gering oder beträchtlich sein kann. Owner dieses Datenbestandes ist Applikation {C, D, E}, Applikation {H} hält diese Daten jedoch ebenfalls in ihrer Verfügungsgewalt. Es ist nun Aufgabe der applikationsspezifischen Implementationen von {C, D, E} und {H}, daß die Daten der Data Group 7 in der Datenbasis von {H} kein »Eigenleben« entwickeln. Mit anderen Worten: Es muß verhindert werden, daß die Datenbasis von {H} betr. Data Group 7 nicht permanent inkonsistent wird, sondern daß die temporären Inkonsistenzen, die bei getriggert integrierten Datenbasen nicht zu vermeiden sind, so schnell wie möglich beseitigt werden.

Schwieriger ist die Situation zu interpretieren, wenn Daten einer Data Group bei redundanter Datenhaltung von mehreren Applikationen erzeugt werden. Dies ist bei Data Group 11 der Fall. Wir sehen dort, daß beide Applikationen {C, D, E} und {F, G} Exemplare der Data Group 11 erzeugen. Da bezüglich des Zugriffs auf Datenbasen keine weitere Kennzeichnung vorhanden ist und da es sich bei der einen Datenbasis um diejenige eines Master File Management Systems handelt, gehen wir davon aus, daß die Applikationen {A, B}, {F, G} und {H} mit der globalen Datenbasis von MFMS II (Master File Management System II) arbeiten, während Applikation {C, D, E} auf ihre eigenen Daten der Data Group 11 zugreift. Applikation {F, G} erzeugt also die Daten der Data Group 11 in MFMS II, Applikation {A, B} modifiziert sie und

Applikation {H} liest sie. Applikation {C, D, E} erzeugt hingegen die Daten ihres eigenen Datenbestandes von Data Group 11.

Weil die Applikation {F, G} die Daten von Data Group 11 in der globalen Datenbasis und die Applikation {C, D, E} Exemplare desselben Entity-Typs in ihrer applikationsspezifischen Datenbasis erzeugen, müssen beide Datenbasen gegenseitig aufeinander abgestimmt werden. Die entsprechende Implementation wird wesentlich von den verwendeten Produkten bestimmt. Die Einmaligkeit der von beiden Applikationen erzeugten Primärschlüssel kann beispielsweise durch disjunkte Domänen (z.B. mit Präfix) garantiert werden.

Ein vollständiges Bild unseres bearbeiteten Beispiels bietet Bild 4.10. Diese markierte Tabelle dokumentiert auf einer relativ groben Modell-Ebene Applikationen und ihre Funktionalität, Datenbasen und ihre Inhalte, den Verwendungszweck der Datenbestände und die Verbindungen zwischen Applikationen und Datenbeständen. Sie trägt zur Objektivierung von Diskussionen um Applikationen und Datenbanken bei. Da hier die Applikation {F, G} gar nicht als solche dokumentiert werden könnte, weil sie nur globale Datenbestände benutzt und keine eigenen Daten verwaltet, wurde die Spalte »Null Data« eingeführt.

Verschiedene Ergebnisse dieses Prozeßes müssen in beizufügenden Dokumenten festgehalten werden. Beispielsweise sind dies Kurzbeschreibungen der Business Functions und der Data Groups, Anforderungen an die Datenaktualität (aktuell, leicht verzögert, bedarfsgesteuert, zeitgesteuert; vgl. Abschnitt »Stufen der Integration von Applikationen«), die Infrastruktur, in der Applikationen und Data Groups implementiert werden sollen resp. implementiert sind oder die Art der Integration der Applikationen (voll integriert, update-getriggert, update-getriggertes Mailing, zeit-getriggert; vgl. Abschnitt »Stufen der Integration von Applikationen«). Auch sind die erhaltenen Ergebnisse für nicht unmittelbar an der Analyse Beteiligte, z.B. das Top-Management, didaktisch aufzubereiten, wenn möglich auch unter Verwendung von Graphiken.

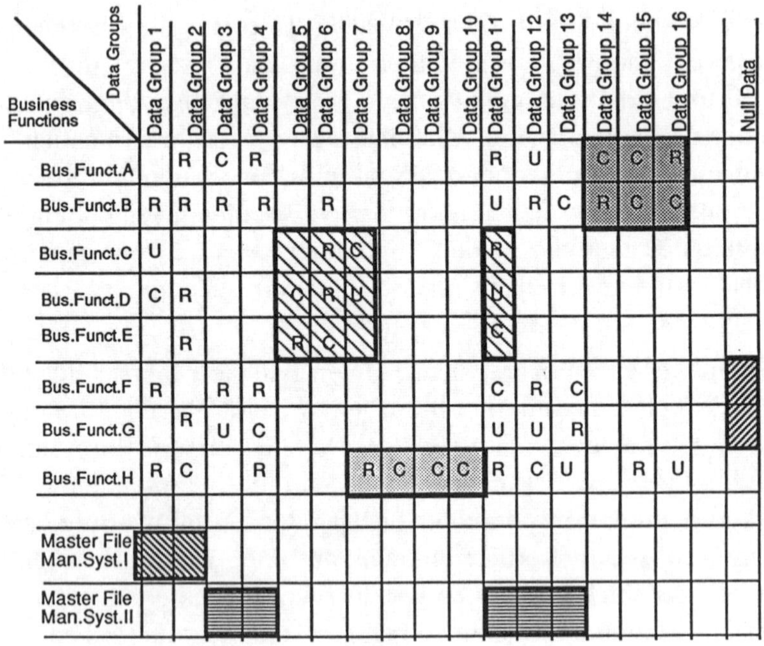

Business Functions \ Data Groups	Data Group 1	Data Group 2	Data Group 3	Data Group 4	Data Group 5	Data Group 6	Data Group 7	Data Group 8	Data Group 9	Data Group 10	Data Group 11	Data Group 12	Data Group 13	Data Group 14	Data Group 15	Data Group 16	Null Data
Bus.Funct.A		R	C	R							R	U		C	C	R	
Bus.Funct.B	R	R	R	R		R					U	R	C	R	C	C	
Bus.Funct.C	U					R	C				R						
Bus.Funct.D	C	R			C	R	U				U						
Bus.Funct.E		R			R	C					C						
Bus.Funct.F	R		R	R							C	R	C				▨
Bus.Funct.G		R	U	C							U	U	R				▨
Bus.Funct.H	R	C		R			R	C	C	R	C	U		R	U		
Master File Man.Syst.I	▨																
Master File Man.Syst.II			▤	▤							▤	▤					

Bild 4.10: Matrix der Applikations-Architektur

Wir wollen noch einmal die Frage aufwerfen, weshalb nicht sämtliche Datenbestände global für alle Applikationen verfügbar gemacht werden können. Daß zuerst Business Functions zu ersten Entwürfen von Applikationen zusammengefaßt werden, klingt zunächst zumindest erstaunlich. Wäre die Zusammenfassung aller Data Groups zu Datenbasen, die für alle Applikationen gemeinsam nutzbar wären, nicht »moderner«?

Technische Restriktionen wie die Zugriffs-Kompatibilität oder konzeptionelle Restriktionen wie fehlende gemeinsame Datenbank-Standards können die Möglichkeiten einer generellen Realisierbarkeit globaler Datenbanken massiv einschränken. Jedoch können auch andere Gründe wie organisatorische Zwänge, Sicherheits-Anforderungen, die Verteilung der Applikationen auf verschiedene Rechenzentren resp. Workstations, die fehlende Verfügbarkeit einer geeigneten Zugriffs-Infrastruktur, zu hohe Kosten für Online-Zugriffe im Verhältnis zu den Anforderungen etc. dafür sprechen, bestimmte Datenbasen redundant und applikationsspezifisch zu führen.

Zudem ist es völlig unrealistisch, wenn man annimmt, daß alle Datenbanken und alle Applikationen eines derart großen Untersuchungsbereichs, wie es derjenige einer Applikations-Architektur normalerweise ist, neu geplant, entworfen und implementiert werden könnten. Vieles ist vorhanden und muß weiterhin benutzt werden, ist also fester Bestandteil der bestehenden Architektur. Bestehende Applikationen und Datenbanken müssen in eine neue Welt integriert werden. Wir werden somit nicht in erster Linie zu Datenbeständen kommen, die durchgängig und global für sämtliche betrachteten Applikationen die Referenzdaten implementieren. Wir werden in der Praxis mit einer Vielfalt und mit Redundanzen zu leben haben. Dieses umso mehr, als die Integration von fertig eingekaufter Fremd-Software (sog. Pakete oder Standard-Software) in der Praxis eine zunehmende Bedeutung erfährt. Und solche Fremd-Software bringt in der Regel ihre eigene Funktionalität und ihre eigenen Datenbasen mit.

Ebenfalls zunehmende Bedeutung erlangt das Zusammenspiel entfernter, bestehender Applikationen ohne gemeinsames Datenbank-Schema via Electronic Data Interchange (EDI). Die Planung eines Datenaustausches mittels EDI zwischen Applikationen führt zu redundanten Datenbeständen.

Alle diese angesprochenen Punkte sprechen für die hier gewählte Vorgehensweise, zunächst die Applikationen vorzuschlagen und sich danach um globale Datenbestände, um applikationsspezifische Datenbestände und um Schnittstellen zu anderen Datenbasen zu kümmern. Die Frage gemeinsam benutzter oder redundanter Datenbasen ist dann in Zusammenarbeit von Modellierern, Entwicklern, Benutzern etc. mit entsprechenden Spezialisten zu beurteilen.

4.9 Berücksichtigung existierender Applikationen oder Datenbanken

Wir haben schon verschiedentlich erwähnt, daß wir häufig neue Infrastrukturen mit bereits bestehenden oder bereits fest entworfenen Applikationen mit vorgegebenem Funktionsumfang und vorgegebenen Datenbasen zusammenzufügen haben. Oder in der Sprache der Architekturen ausgedrückt: Wir haben eine Soll-Architektur mit einer gegebenen Ist-Architektur zu verschmelzen (Bild 4.11).

Die bisher beschriebene Vorgehensweise befaßt sich jedoch lediglich mit dem Aufbau einer Soll-Architektur. Sie befaßt sich mit der Dokumentation – in einer bestimmten Art und Weise – von Anforderungen, die im analysierten Bereich an die Funktionalität ihrer Applikationen und an den Einsatz ihrer Datenbanken gestellt werden. Und sie befaßt sich mit der Entwicklung von Vorschlägen für Applikationen und Datenbanken hieraus. Das erhaltene und in Bild 4.10 dargestellte Ergebnis präsentiert quasi einen idealisierten Soll-Zustand der applikatorischen Sicht der Datenverarbeitung in einem Unternehmen.

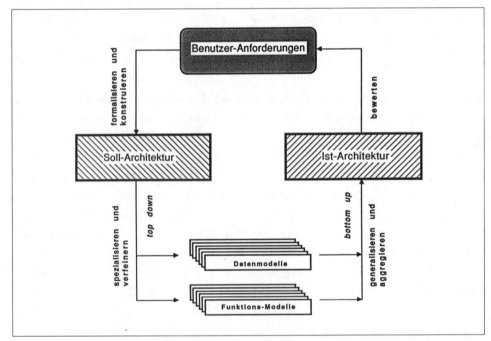

Bild 4.11: »Kreislauf« der Applikations-Architektur

In diese Soll-Architektur haben wir nun diejenigen Applikationen und Datenbasen der Ist-Architektur einzufügen, die auch in der Zukunft und in einer neuen Umgebung eine Rolle spielen sollen. Die Business Functions und Data Groups der Soll-Architektur sollten hierzu ergänzt werden durch

– die Funktionalität und die Datenbasen existierender Applikationen (im eigenen Hause entwickelt oder gekauft), die auch in Zukunft betrieben werden sollen, und

– die Funktionalität und die Datenbestände bereits fest eingeplanter Applikationen.

Zunächst werden hierfür die zu diesen Systemen gehörenden Business Functions und Data Groups geeignet markiert. Lassen sich die existierenden oder fest eingeplanten Applikationen resp. Datenbanken nicht exakt auf eine Menge Business Functions resp. Data Groups abbilden, müssen die Business Functions resp. die Data Groups modifiziert werden. Hierbei kann die Aufteilung in durch bekannte Applikationen abgedeckte und einen nicht abgedeckten Teil definierter Funktionen oder Daten notwendig werden. Oder es kann sinnvoll sein, Business Functions oder Data Groups zu größeren Einheiten zusammenzufassen.

Existierende und fest eingeplante Applikationen und Datenbanken müssen also in das Modell der Soll-Architektur eingepaßt werden. Die betreffenden Zeilen- und Spalten-Cluster als Repräsentanten dieser Komponenten der Ist-Architektur in der Modell-Matrix sind der oben beschriebenen Bearbeitung durch Splitting und Vereinigung von Business Functions und Data Groups natürlich nicht unterworfen. Sie sind als gegeben und nicht veränderbar fixiert. Eines der Ziele des Einbaus der Ist-Architektur in eine Soll-Architektur ist die Diskussion der Integration existierender Applikationen und Datenbasen mit neu zu planenden Applikationen und Datenbasen. Denn es sollen neue Applikationen und Datenbasen ohne konflikt- und problembeladene Interfaces zu einem bestehenden Informatik-Umfeld geplant werden.

In der Regel ist es unumgänglich, für eine sinnvolle Diskussion der Schnittstellen-Probleme zwischen Applikationen und Datenbanken zumindest partiell Verfeinerungen in der Architektur-Matrix vorzunehmen und auf der Basis von Untermatrizen weiterzuarbeiten. Die Integration existierender Applikationen oder Datenbanken untereinander kann ebenfalls mit einer Architektur-Matrix vorbereitet werden. Es ist hierbei – und wir meinen in zunehmendem Maße – die Aufgabe zu lösen, eigen- oder fremdentwickelte Applikationen und Datenbanken gegenseitig zu integrieren und gegebenenfalls um neue Systeme und Datenbanken zu ergänzen. Wir haben also mehrere Ist-(Sub-)Architekturen zu einer größeren zu vereinigen. Dabei müssen unter Umständen zuerst die Ist-Business-Functions und die Ist-Data-Groups in einer Art »Jo-jo-Einlage« aus implementierten Applikationen und Datenbanken mit einem bottom-up-orientierten Ansatz ermittelt werden.

4.10 Ableiten von Migrations-Plänen

Im größten Teil der vorliegenden Betrachtung wurde der Entwurf von Soll-Applikationen und Soll-Datenbasen in einer organisatorischen Einheit auf der Basis der von ihr zu erledigenden Aufgaben und dem von ihr zu unterstützenden Informationsfluß in den Mittelpunkt gestellt. Zudem wurde beschrieben, wie bestehende Applikationen und Datenbanken resp. zugekaufte Standard-Software auf die Matrix dieses Soll-Architektur-Modells abgebildet werden können. Wie kann nun diese Art von Architektur-Modell bei der Planung der Migration von einer existierenden Basis-Infrastruktur in eine zukünftige Basis-Infrastruktur behilflich sein? Zur Beantwortung dieser Frage müssen wir zunächst mögliche Arten einer Migration untersuchen.

Angenommen, alle Applikationen und Datenbanken eines Untersuchungsbereichs sollen unter Beibehaltung aller Funktionen und Daten auf eine neue Basis-Infrastruktur, z. B. auf eine neue technische Plattform übertragen werden. Falls Portabilität bzgl. der alten und der neuen Basis-Infrastruktur vorliegt, sind nur marginale Migrationsprobleme zu erwarten; eine Unterstützung seitens der Architektur-Matrix ist nicht notwendig. Gehen wir davon aus, daß nur ein gewisser Teil des Untersuchungsbereiches auf eine neue Basis-Infrastruktur migriert wird, bei Portabilität der dazugehörenden, betroffenen Applikationen und Datenbanken. Dann müssen die Schnittstellen zwischen Applikationen und Datenbasen der alten Basis-Infrastruktur und denjenigen der neuen Basis-Infrastruktur überprüft werden aufgrund der unter Umständen veränderten Zugriffs-Eigenschaften. Die hierbei auftretenden Fragen ähneln denjenigen, die allgemein bei der Untersuchung der Zugriffsmöglichkeiten innerhalb einer Architektur-Matrix auftreten.

Falls bei der – unter Umständen teilweisen – Migration auf eine neue Basis-Infrastruktur betroffene Applikationen oder Datenbanken nicht portabel sind, müssen sozusagen als Ersatz neue Systeme in die Architektur-Matrix eingepaßt werden. Wenn die »Ersatz-Systeme« als sog. »Standard-Software« zugekauft werden, werden in der Regel die von den zu ersetzenden Systemen und die von den Ersatz-Systemen abgedeckten Business Functions und Data Groups nicht vollkommen übereinstimmen. Es sind dann zusätzlich zu Fragen nach einer eventuell veränderten Zugriffskompatibilität (Grund: teilweise neue Basis-Infrastruktur) Fragen der Integration der neuen Systeme in die bisherige Applikations- und Datenbasis-Umgebung zu beantworten, wie sie am nachstehenden Beispiel angedeutet sind. Außerdem müssen gegebenenfalls zusätzlich zu schaffende, kleinere Applikationen mit ihren Business Functions und Data Groups diskutiert werden. Diese kleinen Zusatz-Applikationen haben die Aufgabe, die Integration der Ersatz-Systeme in die gegebene Systemumgebung zu unterstützen.

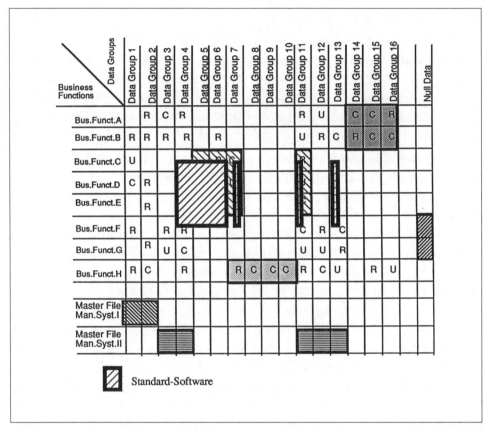

Bild 4.12: Einbau einer Standard-Software in eine bestehende Applikations-Architektur

Solche Fragen sind auch zu beantworten, wenn nicht in eine neue Basis-Infrastruktur migriert werden soll, sondern wenn eine Applikation durch ein neues System, beispielsweise durch Standard-Software, in einer operativen Umgebung ersetzt wird. Erschwerend kommt bei der Standard-Software hinzu, daß wir üblicherweise nicht davon ausgehen können, bei ihr als zugekaufter Software die Operationen zu kennen, die die Business Functions auf ihren Datenbeständen ausführen. Wir wollen uns an einem Beispiel die Problematik verdeutlichen: Nehmen wir ab jetzt einmal an, die Architektur von Bild 4.10 sei bereits so implementiert. Und gehen wir weiter davon aus, daß in der Architektur-Matrix von Bild 4.10 die Applikation mit den Business Functions C, D und E sowie den Data Groups 5, 6, 7 und 11 ersetzt werden soll durch eine Standard-Software, die die Business Functions D und E sowie Teile von C und F umfaßt. Hierbei arbeitet sie mit Daten der Data Groups 4, 5, 6 sowie Teilen der Data Groups 7, 11 und 13 (vgl. Bild 4.12). Es ergeben sich nun beispielsweise folgende Fragen:

Ist die Modifikation von Daten in MFMS I durch Business Function C (Data Group 1), das Lesen von Daten aus MFMS I durch Business Function F (Data Group 1), das Lesen von Daten aus MFMS II durch Business Function F (Data Groups 3 und 12) auf diejenigen Teile der betroffenen Business Functions zurückzuführen, die zum Lieferumfang der neuen Standard-Software gehören oder nicht?

Was bedeutet das »create« von Daten in MFMS I durch Business Function D im Hinblick auf die neue Standard-Software? Kann dies auch mit der Standard-Software realisiert werden? Auch für die beiden »read« durch Business Functions D und E stellen sich solche Fragen. Werden diese Daten auch von der Standard-Software benötigt? Gibt es entsprechende Input-Funktionen, da Standard-Software im allgemeinen in sich abgeschlossen ist? Oder ist die vorgesehene Standard-Software doch nicht so geeignet?

Muß die Standard-Software Daten aus Data Group 4 in MFMS II lesen (bzgl. des eigenen Teiles von Business Function F)? Oder betrifft dies nur den anderen, durch die Standard-Software nicht abgedeckten Teil von Business Function F? Angenommen, beide Teilfunktionen müssen lesen. Die nicht zur Standard-Software gehörenden Teile von Business Function F, die als kleine Zusatz-Applikationen zu implementieren sind, können vielleicht direkt zugreifen. Und diejenigen Teile von Business Function F, die durch die Standard-Software abgedeckt werden, können dies nicht (ebensowenig wie die Vorgänger-Applikation dies konnte). Dann ist gegebenenfalls eine Hilfsfunktion zu realisieren, die direkt in MFMS II liest und in eine Hilfsdatenbasis schreibt, aus der dann eine Import-Funktion diese Daten holt und in die Data Group 4 der Datenbasis der Standard-Software schreibt (vgl. Bild 4.13).

Es würde zu weit führen, alle möglichen Fragen bezüglich des Zugriffs dieser Standard-Software zu den in der Architektur-Matrix dokumentierten Datenbeständen hier diskutieren zu wollen. Es sei deshalb nur kurz erwähnt, daß ähnliche Betrachtungen, wie sie für Data Group 4 soeben angestellt wurden, auch für die Daten der Data Groups 6, 7, 11 und 13 erfolgen müssen. Dabei müssen auch Zusatzfragen nach den Teilen gestellt werden, die zum Lieferumfang der Standard-Software bzgl. den Data Groups 7, 11 und 13 gehören.

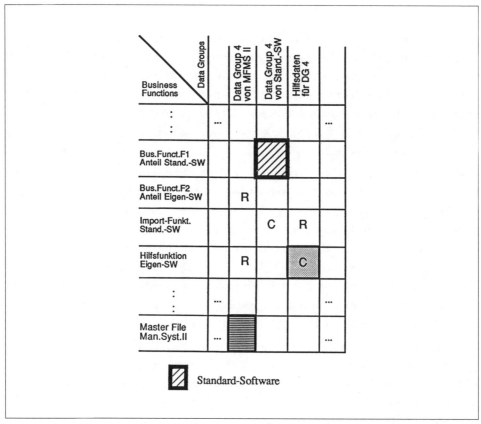

Bild 4.13: Schnittstelle der Standard-Software zu MFMS II bzgl. Data Group 4

4.11 Projekte der Applikations-Architektur

Auslösende Fragestellungen für entsprechende Projekte werden in der Regel Fragen nach einer systematischen und geplanten Weiterentwicklung bestehender Informatik-Infrastrukturen oder nach deren Migration sein, dieses in einem eher komplexen Umfeld von Randbedingungen und Verflechtungen. An Aufwand sollten wir – gemäß unseren Erfahrungen – mit mindestens einem bis zwei Personenjahren rechnen. Da zeitweise zwischen 10 und 20

Personen involviert sind und ein kleines Kern-Team neue Erkenntnisse laufend in bereits dokumentierte Resultate aus Interviews, Workshops etc. einarbeiten sollte, muß mit einer minimalen Projektdauer von etwa einem halben Jahr gerechnet werden. Diese Angaben sind selbstverständlich situationsabhängig.

Es soll jedoch betont werden, daß ein nicht unerheblicher Nutzen dieses Vorgehens darin besteht, daß die unterschiedlichsten Benutzerkreise mit den Vertretern der Informatik über Aufgaben und Ziele ihrer Tätigkeit und der computergestützten Systeme auf der Basis einer knappen, verständlichen Dokumentation als Arbeitsunterlage diskutieren.

Diese Diskussionen, soeben als Stärke des Vorgehens gepriesen, sind jedoch auch der problematische Teil dieses Ansatzes. Die persönliche Einstellung des Benutzers – als Wissensträger und Wissenslieferant – gegenüber Projekten der Applikations-Architektur ist nach unseren Erfahrungen von großem Einfluß auf die Menge der erkannten und geäußerten Anforderungen an die Funktionalität von Anwendungen und an die Inhalte von Datenbeständen. Neben diesen subjektiv begründbaren Schwierigkeiten sind zudem Aussagen über zukünftige Anforderungen in der Regel mit gewisser Unsicherheit behaftet. Nicht zuletzt deshalb wurden und werden gegenüber eigenentwickelten Anwendungen oder gegenüber einem phasenweisen Vorgehen bei der Systementwicklung Alternativen propagiert.

Hierzu gehört auch der Einsatz von Software-Paketen, die wir miteinander zu integrieren haben. Wie wir in den beiden vorhergehenden Kapiteln gesehen haben, kann die hier vorgestellte Art eines Architektur-Modells diese Arbeit unterstützen.

Der Wunsch nach besserer Transparenz von Entwurfs-Entscheidungen im Zusammenhang mit verteilten Systemen (z. B. in Client-Server-Netzen) kann ebenfalls Auslöser eines Architektur-Projektes sein. Unterschiedliche Funktions- und Daten-Cluster können nämlich mit unterschiedlichen Knoten eines verteilten Systems identifiziert werden. Funktions-Cluster werden bestimmten Knoten zugewiesen. Abhängig von den Zugriffen auf die Datenbestände können diese dann so verteilt werden, daß beispielsweise – falls dies ein Entwurfsziel ist – Zugriffe aus den Funktionen des eigenen Knotens diejenigen von Fremdknoten übertreffen. Die Verteilung der Datenbasen oder der Funktionen auf Netzknoten kann somit systematisch diskutiert werden. Hierfür werden in der Regel die betreffenden Business Functions und Data Groups detaillierter ausfallen als bei der Analyse einer großen organisatorischen Einheit.

Ob auf der Basis des hier vorgestellten Ansatzes die Suche nach einem sinnvollen System von Objekten für objektorientierte Implementationen unterstützt werden kann, wird mit einer Studie derzeit untersucht.

Ein Architektur-Projekt kann auch derart gestartet werden, daß von einer bestehenden »Applikations- und Datenbankwelt« eines Unternehmens ein Modell in Form einer Ist-Architektur-Matrix erstellt wird. Eine Analyse der Schwachstellen (vor allem bzgl. der Schnittstellen zwischen Applikationen und Datenbanken) und die Diskussion um deren Beseitigung führt zu einer modifizierten Architektur und zu einem Migrationsplan.

Bei dieser Art von Architektur-Projekt ist jedoch die Diskussion eher auf die problembeladene Gegenwart bezogen als auf Visionen für die Zukunft. Deshalb können sie für die Zukunft in der Regel nicht die gleiche Aussagekraft haben wie diejenigen Projekte, bei denen auch zukünftige Anforderungen formuliert wurden. Letztere führen im Idealfall über die für die Informatik eines Unternehmens aufgestellten Prinzipien zu einer Soll-Architektur als »Leitlinie«.

5 Weiteres Vorgehen

Für eine definierte Menge Data Groups (sinnvollerweise für eine oder mehrere Datenbasen und hier wiederum in erster Priorität für globale Datenbasen) können jetzt in einem Verfeinerungs-Prozeß semantische Datenmodelle entworfen werden (z. B. Entity-Relationship-Modelle). Diese können dann abhängig von der gewählten System-Software auf Datenbanken und Datenelemente abgebildet werden (siehe z. B. [MEI 92], [THO 91a]). Die dabei entworfenen Datenbanken sollten auch zukünftigen Anforderungen gerecht werden. Deshalb ist es wichtig, daß beim Entwurf der Datenmodelle die Wahl des Realitätsausschnittes als Untersuchungs-Bereich vom geplanten Einsatz der Datenbanken bestimmt wird, der durch die Menge derjenigen Business Functions vorgegeben wird, die die betreffenden Data Groups verwenden.

Für die Implementation solcher Datenbanken werden sich im allgemeinen heutzutage relationale Datenbanksysteme anbieten, da mit diesen logische Zusammenhänge und keine Zugriffspfade wie bei konventionellen Systemen modelliert und implementiert werden.

Gemäß den weiteren, in der Planung zugeteilten Prioritäten werden die Applikationen und applikationsspezifischen Datenbanken entwickelt resp. zugekauft.

6 Andersartige Ansätze für eine Applikations-Architektur

Die uns bisher bekannten Ansätze und die am Markt erhältlichen Werkzeuge für den Entwurf einer Applikations-Architektur können noch nicht befriedigen.

Mit »Information Systems Study« (ISS) unterstützt IBM eine systematische Vorgehensweise, um Applikationen derart als Cluster von Funktionen und Daten zu bilden, daß der Datenaustausch zwischen den einzelnen Applikationen minimal wird. Diese Vorgehensweise ist von einem Werkzeug (ISMOD) unterstützt [HEI 85]. Einen anderen Ansatz diskutiert J. Martin [MAR 83], der mit Hilfe einer anderen Affinitäts-Berechnung via Aggregation von Entity-Typen zur Bildung globaler Datenbasen (sog. »Subject Databases«) führt. Die Bildung von Applikationen ist nicht vorgesehen. Mit einer Modifikation der Dateneingabe für die »Planning Workbench« von IEW (heute ADW) kann dieser Cluster-Algorithmus anstelle für Entity-Typen für Business Functions benutzt werden, was wir bei unseren Projekten auch ausgenutzt haben.

ISS arbeitet mit wesentlich detaillierterem Input als wir (unseres Erachtens ist dieser kaum zu erhalten und spiegelt Scheingenauigkeiten wider), ISS und IEW berücksichtigen existierende Applikationen nicht und lassen die Modellierung getriggert integrierter Applikationen nicht zu. Aus Ermangelung eines auf unsere Methode zugeschnittenen Werkzeugs konnten wir deshalb unsere manuellen Auswertungen lediglich punktuell mit IEW unterstützen.

In [BRA 89] wird ein Vorgehen zur Planung von Applikationen diskutiert, das ähnliche Ziele verfolgt wie unser Ansatz einer Applikations-Architektur und das in der Betrachtung der funktionalen Aspekte und der Datenaspekte ähnlich ist. Die Auswertung ist jedoch im wesentlichen an betriebswirtschaftlichen Zielvorstellungen von Informations-Bedürfnissen orientiert, gruppiert Business Functions und Data Groups nicht aufgrund ihrer gegenseitigen Verflechtung und bezieht technische Aspekte nicht in die Diskussion mit ein.

7 Applikations-Architektur aus der Sicht unterschiedlicher Vorgehensmodelle

Der vorgestellte Ansatz stellt eine applikationsübergreifende Sicht der Datenbestände einer größeren organisatorischen Einheit im Kontext zu ihrem funktionalen Einsatz in den Mittelpunkt. Er unterstützt ein top-down-orientiertes Vorgehen mit »Jo-jo-Einlagen« (bottom-up-orientiert) für die Erarbeitung einer Applikations-Architektur. Er arbeitet mit groben Informations-Einheiten. In frühen Entwurfsphasen und für große Untersuchungsbereiche ist jedoch auch beim Benutzer ein detaillierteres Wissen gar nicht vorhanden. Sinnvoll wird der »Gang in die Tiefe« dann für konkrete Vorhaben, wenn im Rahmen der Entwicklung einer Applikation oder einer globalen Stamm-Datenbank detailliertere Funktions- und Datenmodelle – z.B. Entity-Relationship-Modelle – festgeschrieben werden. Dann kommt jedoch die applikationsübergreifende Sicht einem Datenentwurf entgegen, der auch auf zukünftige Aufgaben ausgerichtet ist, weil ein ganzes Spektrum von Einsatzgebieten – auch von zukünftigen – im Modell erfaßt worden ist.

Es gibt jedoch in der Praxis auch noch andere Vorgehensmodelle. Insbesondere in der Vergangenheit arbeiteten System-Entwickler mit funktionsorientierten Ansätzen. Zuerst wurden die Prozeße für eine einzelne Applikation definiert und anschließend die dafür notwendigen Daten bestimmt und für schnellstmögliche Zugriffe strukturiert (Praxis-Beispiel: etwa 1300 IMS-Datenbanken). Datenbanksysteme wurden quasi als betriebssichere (recovery) und trotzdem schnelle File-Systeme angesehen. Diese Vorgehensweise ist letzten Endes verantwortlich für das »Daten-Chaos« mit umfangreicher Datenredundanz und streng isolierten Applikationen.

Das Verschieben des Betrachtungs-Schwerpunktes von den Funktionen zu den Daten – beispielsweise mit einem Entity-Relationship-Modell – führt zwar zu stabileren Datenmodellen, das Problem der Isolation kann jedoch damit nicht überwunden werden.

Unseres Erachtens können diese Probleme auch nicht alleine mit einer Bottom-Up-Integration überwunden werden. Dabei verstehen wir hier unter einer Bottom-Up-Integration den Aufbau eines einzigen Datenmodells durch schrittweise Integration unterschiedlicher, applikationsspezifischer Datenmodelle. Basis hierzu wären bereits vorliegende Komponenten verschiedener Modelle gleicher Realitätsausschnitte. Bereits das Erkennen der Bedeutung früher modellierter Komponenten, erst recht das Erkennen der Bedeutung und damit der Redundanz von Datenelementen in historisch gewachsenen Datenbeständen (Praxis-Beispiel: mehr als 50000 Datenelemente) ist jedoch kaum oder nur mit hohem Aufwand möglich, da geeignete Hilfsmittel für die Datendefinition in der Vergangenheit kaum angewandt wurden (vgl. hierzu [BRE 88]). Doch selbst wenn es gelänge, existierende Datenmodelle zu integrieren, ist der nachträgliche Weg zu voll integrierten Applikationen mit gemeinsam benutzter Datenbasis sehr teuer und langwierig (Praxis-Beispiel einer Aufwands-Schätzung: etwa 200 Personenmonate für eine bestimmte Datenbank). Der einzige Weg zur Migration von Datenbeständen alter Architektur in neue Daten einer neuen Datenarchitektur dürfte ein mehrphasiges, schrittweises Vorgehen sein, das sich über Jahre erstreckt [DAT 89]. Eine große Hilfe für eine integrierte Nutzung existierender Datenbestände ist in diesem Fall schon die Implementation einer mit Datenbanken operativer Online-Applikationen zeit-getriggert integrierten, globalen Datenbasis als Übergangslösung wie z. B. das »Data Warehouse« im IBM-Werk Mainz [BRD 92].

8 Literatur

[BOU 89]
BOULANGER, D.; MARCH, S. T.:
An approach to analyzing
the information content
of existing Databases.
Data Base 20 (2), 1-8 (1989)

[BRA 89]
BRANCHEAU, J. C.
SCHUSTER, L.; MARCH, S. T.:
Building and Implementing an
Information Architecture.
Data Base 20(2), 9-17 (1989)

[BRD 92]
BRENDEL, M:
CIM im IBM-Werk Mainz.
Vortrag, 1992.

[BRE 88]
BRENNER, W.:
Entwurf betrieblicher
Datenelemente. Reihe »Betriebs-
und Wirtschaftsinformatik«, Band
28. Berlin, Heidelberg:
Springer. 1988.

[DAT 89]
Give your organization new
information capabilities. Data
Architecture, Vol. 1, Nr. 3. Atlanta:
Data Modelling Group. 1989.

[DMA 79]
DE MARCO, T.:
Structured Analysis and
System Specification.
Englewood Cliffs:
Prentice Hall, 1979

[EGKS 89]
KOMMISION DER EUROPÄISCHEN
GEMEINSCHAFTEN (HRSG.):
EDI-Perspektiven. Luxemburg:
Amt für amtliche Veröffent-
lichungen der Europäischen
Gemeinschaften. 1989

[HAM 90]
HAMMER, M.:
Reengineering Work:
Don't Automate, Obliterate.
Harvard Business Review,
Nr.4, 104-112 (1990)

[HEI 85]
HEIN, K. P.:
Information Systems Model and
Architecture Generator.
IBM Systems Journal 24 (3/4),
213-235 (1985)

[MAR 83]
MARTIN, J.:
Managing the Data-Base
Environment. London:
Prentice-Hall. 1983.

[MCF 83]
McFarlan, F.W.; McKenney, J. L.:
Corporate Information Systems
Management. Homewood:
Richard D. Irwin. 1983.

[MEI 92]
Meier, A.:
Relationale Datenbanken:
Eine Einführung für die
Praxis. Berlin, Heidelberg:
Springer. 1992.

[MIS 91]
Mistelbauer, H.:
Datenmodellverdichtung: Vom
Projektdatenmodell zur
Unternehmens-Datenarchitektur.
Wirtschaftsinformatik 33 (4),
289-299 (1991)

[THO 91a]
Thoma, H.:
Information Analysis:
A step by step Clarification of
Knowledge and Requirements. In:
Karagiannis, D. (Ed.):
Information Systems and Artificial
Intelligence: Integration Aspects.
Lecture Notes in Computer
Science, Vol. 474. Berlin,
Heidelberg: Springer. 1991.

[THO 91b]
Thoma, H.:
Applikations-Architektur:
Ein Ansatz zur Integration von
Informations-Systemen. In
Appelrath, H.-J. (Hrsg.):
Datenbanksysteme in Büro,
Technik und Wissenschaft.
Informatik-Fachberichte, Band
270. Berlin, Heidelberg: Springer.
1991.

[THO 91c]
Thoma, H.:
Eine Applikations-Architektur für
die gesamtheitliche Anforderungs-
analyse und -definition.
Softwaretechnik-Trends;
Mitteilungen der Fachgruppe
»Software-Engineering« der
Gesellschaft für Informatik
e.V.(GI), Heft 3, Band 11,
66-81 (1991)

[VET 91]
Vetter, M.:
Aufbau betrieblicher
Informationssysteme mittels
objektorientierter, konzeptioneller
Datenmodellierung (7. Aufl.).
Stuttgart: Teubner. 1991.

TEIL V

Heinz Münzenberger

Strategische Informationsplanung

1 Vorwort

Viele Unternehmen blicken mittlerweile auf eine über mehrere Jahrzehnte gewachsene Informationsverarbeitung (IV) zurück. Eine Charakterisierung des Zustandes gipfelt häufig in Aussagen wie z. B.

- wir haben den Überblick über unsere Anwendungen verloren,
- wir wissen nicht, wie wir die Konsistenz unserer redundanten Datenbestände absichern können,
- wir sind uns nicht sicher, ob die bestehende Aufbau- und Ablauforganisation eine effektive Informationsverarbeitung im Unternehmen unterstützt,
- wir sind uns nicht darüber im klaren, mit welcher Systemarchitektur wir eine optimale Unterstützung unserer Applikationen gewährleisten können,
- wir haben uns zu sehr auf den Aufbau der Fachkompetenz unter Vernachlässigung der Management-Kompetenz konzentriert.

Verstärkt sind nun Bemühungen festzustellen, bessere planerische Grundlagen zu schaffen, die einen weiteren Wildwuchs der Systeme und eine weitere Erhöhung der Intransparenz verhindern sollen. Mit dem Ansatz »Strategische Informationsplanung (SIP)« wird ein Weg zum Aufbau eines »Generalbebauungsplans« für die betriebliche Informationsverarbeitung aufgezeigt. Dieser besteht hauptsächlich aus:

- einer an den Geschäftszielen ausgerichteten IV-Zielstruktur,
- einer Anwendungs-Architektur,
- einer Daten-Architektur,
- einer System-Architektur,
- einer Organisations-Architektur.

Darauf aufbauend werden organisatorische und technische Maßnahmen (Projekte) definiert, die – nach Durchführung von Priorisierungsbetrachtungen – sukzessive abgewickelt werden.

Mit diesem Beitrag werden insbesondere dargestellt:

- Ziele und Nutzen einer SIP
- wesentliche Komponenten
- eine Vorgehensweise
- einige Ausführungen zum Methoden- und Tool-Einsatz

– die weitere Behandlung von SIP-Ergebnissen
– Voraussetzungen für erfolgreiche SIP-Projekte (Erfolgsfaktoren)

Trotz mancher Detaildarstellungen möchte der Autor bereits an dieser Stelle betonen, daß es ihm vor allem darauf ankommt, bestimmte Grundprinzipien und Verhaltensweisen zu vermitteln. Ihre konsequente Anwendung soll letztlich dazu beitragen, dem Unternehmen Wettbewerbsvorteile durch eine effektive und effiziente Informationsverarbeitung zu verschaffen.

2 Zur Situation der betrieblichen Informationsverarbeitung

Analysiert man die über viele Jahre gewachsene Informationsverarbeitung in den Unternehmen, trifft man immer wieder auf die gleichen Ergebnisse. Sie lassen sich durch die folgenden Aussagen zusammenfassen:

– Uns laufen die Kosten der Informationsverarbeitung davon,
– wir haben keine Übersicht über die im Einsatz befindlichen Systeme und deren Vernetzung untereinander,
– der Einsatz angeblich produktivitätssteigernder Produktionsmittel hat unsere Erwartungen nicht erfüllt,
– unser Datenhaushalt kommt einem Datenchaos nahe; wir erhalten viele Informationen oft zu spät bzw. nicht in der gewünschten Aktualität oder gar nicht,
– wir reagieren zu schwerfällig auf die rasch wechselnden Anforderungen des Marktes,
– wir schaffen es nicht, unsere Wartungslast zu reduzieren,
– wir sind unsicher bei der Entscheidung über den Einsatz neuer Technologien.

Diese Liste – ohne weiteres um viele Punkte erweiterbar – unterstreicht auch die hohe Unsicherheit bei der Ermittlung notwendiger zu ergreifender Maßnahmen und deren Priorisierung.

Was kann ein Unternehmen tun, um die genannten Probleme in den Griff zu bekommen? Soll man beispielsweise den Einsatz von Standard Software (weiter) verstärken? Soll man die Informationsverarbeitung dezentralisieren (und damit auch die Autarkiebestrebungen von Fachbereichen unterstützen) oder die Rezentralisierung forcieren? Löst man durch downsizing der Anwendungen und der Anwendungsentwicklung die Kostenprobleme, oder besteht der letzte Ausweg nur noch in der Auslagerung der gesamten Datenverarbeitung eines Unternehmens (oder von Teilen davon)? Sicherlich wird eine einzelne Maßnahme niemals die Lösung aller genannten Probleme bewirken, vielmehr bedarf es eines ganzen Bündels aufeinander abgestimmter organisatorischer, technischer und personeller Maßnahmen. Das Ziel muß jedenfalls darin bestehen, den durch die folgende »Negativ-Spirale« charakterisierten Zustand aufzubrechen.

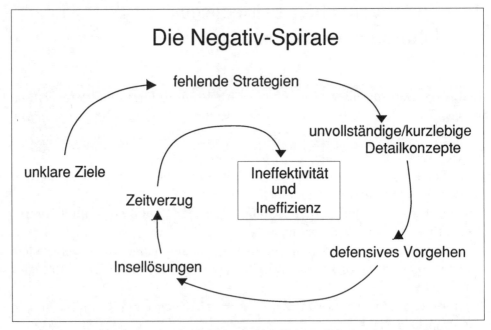

Bild 5.1: Ursachen für eine ineffektive und ineffiziente Informationsverarbeitung

Besondere Bedeutung kommt dabei der Erstellung eines General-Bebauungsplans (Unternehmensmodell) im Rahmen einer Strategischen Informationsplanung zu. Charakterisiert wird ein derartiges Modell durch

– die Unternehmensziele (Ziele des Untersuchungsbereiches) und die bestimmenden Erfolgsfaktoren,
– eine Anwendungsarchitektur,

- eine Datenarchitektur,
- eine Systemarchitektur,
- eine Organisationsarchitektur,
- eine methodische, organisatorische und technische Infrastruktur.

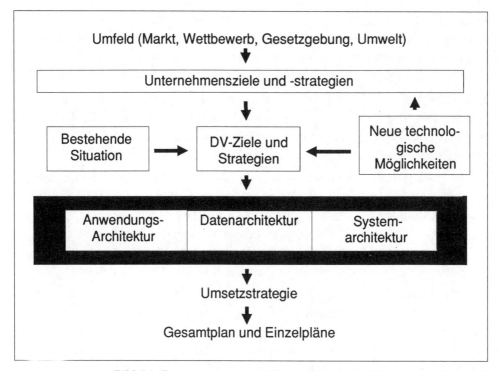

Bild 5.2: Komponenten eines Unternehmensmodells

Ein derart beschriebenes Modell wird zur gemeinsam nutzbaren Grundlage für die Fachbereiche und die ORG/DV bei der Planung der für ein Unternehmen relevanten IV-Maßnahmen. Es ist damit auch ein Instrument zur Unterstützung der Versachlichung vieler Diskussionen zwischen diesen Zielgruppen.

Zusätzlich sollen noch einige weitere wesentliche Gesichtspunkte besonders herausgestellt werden:

Unser Denken und Handeln im Unternehmen war bisher primär funktional geprägt. Das heißt, im Vordergrund der Unternehmensführung stand das Management von Kostenstellen, betrieblichen Funktionen, Abteilungen oder

Organisations-Bereichen. So geht auch die klassische Organisationslehre davon aus, daß die Strukturierung betrieblicher Abläufe erst nach der Festlegung der Aufbaustruktur erfolgt. Dies führte zwangsläufig zu Anstrengungen, die Aufgabenerfüllung innerhalb einzelner Organisationseinheiten zu optimieren, ohne sich (genügend) um die Vorgänge in anderen Organisationseinheiten zu kümmern. Ein Resultat davon sind die vielen Informationssystem-Inseln, die häufig nur durch aufwendige »Brückenkonstruktionen« untereinander verbunden werden konnten. Auch hier gilt: Die Summe lokaler Optima ergibt nicht notwendigerweise ein Gesamt-Optimum.

Eine Lösung dieses Problems besteht in der geschäftsprozeßorientierten Ausrichtung der Unternehmensführung. Hierbei haben sich die Unternehmensstrukturen an den betrieblichen Prozessen zu orientieren. Diese dienen letztlich zur Bereitstellung der Unternehmens-Produkte am Markt.

Auch die dabei aufzubauenden unterstützenden Informationssysteme machen nun bestenfalls am Ende bestimmter (Teil-)Prozeßketten halt, nicht aber notwendigerweise am »Tellerrand« einer Organisationseinheit. Dies reduziert die Gefahr des Aufbaus von »Inseln« oder redundanter Teil-Lösungen in der Informationsverarbeitung beträchtlich. Ansätze zum Aufbau einer prozeßorientierten Kostenrechnung verstärken die »Prozeß-Tendenz«.

Das Qualitätsmanagement als weiteres wesentliches Merkmal einer erfolgreichen Unternehmensführung baut ebenfalls verstärkt auf dem Prozeßgedanken auf. Die Grundidee im »Total Quality Management (TQM)« besteht darin, daß Qualität nicht durch neutrale Instanzen in ein Produkt hineinkontrolliert wird, sondern von den Ausführenden zu produzieren ist. Qualität bezieht sich dabei nicht nur auf die zu erstellenden Produkte, sondern auch auf den Produktionsprozeß. Die TQM-Philosophie schließt dabei auch Management-Prozesse (Planung, Organisation, Managemententwicklung, Firmenpolitik) ein.

Um dieser Umorientierung zügig zum Erfolg zu verhelfen, ist es unbedingt erforderlich, daß sich insbesondere das Management im Unternehmen die Zeit nimmt, diesen Umlernprozeß anzustoßen und durch eine Vielzahl von Maßnahmen ständig zu forcieren. Dabei gilt es, alte, bewährte Verhaltens- und Lösungsmuster durch neue zu ersetzen. Dies ist letztlich eine wesentliche Voraussetzung für die zukünftige erfolgreiche Bewältigung der betrieblichen Aufgaben in einem immer härter werdenden Markt.

3 Ziele und Nutzen einer Strategischen Informationsplanung

Wie bereits im vorigen Kapitel dargestellt wurde, erfolgt durch eine strategische Informationsplanung die Beschreibung eines an den Geschäftszielen orientierten »General-Bebauungsplanes« für einen Untersuchungsbereich, sowie die Definition geeigneter organisatorischer, personeller und IV-technischer Maßnahmen. Ein derartiger Bebauungsplan bildet, bei laufender Aktualisierung, eine dauerhafte Grundlage zur

– Erhöhung der Planungssicherheit bei gleichzeitiger Erweiterung der Planungsflexibilität,
– Vermeidung unnötiger Investitionen durch verbesserte Entscheidungsgrundlagen,
– Gewährleistung eines zielgerichteten Einsatzes von Ressourcen für IS-Entwicklungen,
– Erstellung aussagekräftiger Vorgaben für die Priorisierung von Projekten/ Maßnahmen,
– effektiven und effizienten Nutzung der Informationstechnologien,
– Gewährleistung der Transparenz zukünftiger IV-Kosten.

Damit leistet die SIP letztlich einen wichtigen Beitrag zur Absicherung des dauerhaften Unternehmenserfolgs.

Die einem SIP-Projekt zugrunde gelegten (Teil-) Ziele enthalten z. B.

– eine Beurteilung der existierenden IV-Situation (organisatorisch und technisch),
– die Vereinheitlichung der Begriffswelt,
– eine Verbesserung des Verständnisses der geschäftlichen Abläufe und der dabei auftretenden Informationsflüsse,
– die Feststellung und Beseitigung funktionaler Schwachstellen,
– den Abbau von Datenredundanzen und -inkonsistenzen,
– die Verbesserung der Kommunikationsbasis für ORG/DV und Fachbereiche,
– die Schaffung der IV-Transparenz,
– die Ableitung einer IV-Strategie aus der Unternehmensstrategie,
– die Erstellung eines Entwicklungsplans (Projektplan),
– eine Verbesserung der IV-Organisation,
– eine Verbesserung der IV-Kostensituation.

Auf einen kurzen Nenner gebracht, unterstützt eine SIP sowohl Überlegungen zu »to do the right things« als auch zu »to do the things right«. Mit den SIP-Ergebnissen lassen sich eine Vielzahl von einzelnen Detail-Fragestellungen beantworten.

Die nachfolgende Liste gibt einen Auszug aus einem umfangreichen Katalog wieder.

– Welche Ziele verfolgt der Untersuchungsbereich?
– Welchen Beitrag leisten diese zur Erreichung der Unternehmensziele?
– Welche Abhängigkeiten bestehen zwischen diesen definierten Zielen?
– Welche kritischen Erfolgsfaktoren beeinflussen die Zielerreichung?
– Welche betrieblichen Prozesse (Geschäftsprozesse) werden in dem Untersuchungsbereich durchgeführt? Welche Abhängigkeiten bestehen zwischen diesen Geschäftsprozessen? Welchen Beitrag leisten diese Geschäftsprozesse zur Zielerreichung?
– Wer ist für deren Durchführung verantwortlich oder daran beteiligt?
– Aufgrund welchen Inputs wird welcher Output durch einen Geschäftsprozeß erzeugt?
– Wie häufig wird ein Geschäftsprozeß in einem definierten Zeitraum durchgeführt?
– Welche DV-Applikationen unterstützen die ermittelten Geschäftsprozesse? Welcher DV-Deckungsgrad existiert insgesamt?
– Welche Datenbestände enthalten Daten zu den ermittelten Informationsobjekten?
– Wie läßt sich die derzeitige Situation charakterisieren? (Benutzer-Zufriedenheit, Qualität, Nutzungsgrad,...)
– Welche Maßnahmen zur Behebung identifizierter Schwachstellen sollen in Angriff genommen werden? (organisatorische, technische, methodische, personelle)

Eine frühzeitige Klärung derartiger, zu beantwortender Fragestellungen und die daraus abzuleitenden strukturierten Erhebungsmuster zu den relevanten Basis-Komponenten sind eine unabdingbare Voraussetzung für erfolgreiche SIP-Projekte. Folgende Kern-Ergebnisse liegen bei Abschluß eines SIP-Projektes vor:

– Fortschreibungsfähiger »General-Bebauungsplan«,
– Potentiale zur Verbesserung der Informationssystemlandschaft,

– Maßnahmenkatalog, unter Berücksichtigung von Restriktionen (z. B. vorhandene Ressourcen) und Zielkonflikten,
– Projekte zur Umsetzung der Maßnahmen mit entsprechender Priorität und eine Zuordnung der dafür erforderlichen Ressourcen.

4 Komponenten eines »IS-Bebauungsplans«

Einen gemeisamen Bezugspunkt für alle am Entscheidungsprozeß zur Weiterentwicklung der Informationsverarbeitung im Unternehmen (bzw. in einem Teilbereich eines Unternehmens) stellt der IS-Bebauungsplan dar.

Im weiteren werden sowohl die Notwendigkeit der frühzeitigen klaren Abgrenzung des zu betrachtenden Untersuchungsbereiches als auch die wesentlichen Komponenten eines IS-Bebauungsplans erläutert.

4.1 Abgrenzung des Untersuchungsbereichs

Vor einer konkreten Betrachtung einzelner SIP-Komponenten in einem Projekt ist es dringend erforderlich, eine klare Abgrenzung des zu untersuchenden Bereiches incl. seiner Schnittstellen zur Umwelt vorzunehmen. Hierbei wird (idealerweise) empfohlen, die Abgrenzung nicht nach Organisationseinheiten, sondern geschäftsfeldbezogen vorzunehmen, damit im weiteren eine geschäftsprozeßorientierte und datenorientierte Sicht im Vordergrund stehen kann. Informationssysteme sollten auch über aufbauorganisatorische Grenzen hinweg Unterstützung leisten. Der Schritt der Abgrenzung ist wichtig, um nicht im nachhinein Diskussionen zu entfachen, was nun untersucht werden soll, und welche Bereiche z. Zt. nicht weiter betrachtet werden sollen.

In Groß-Unternehmen werden SIP-Projekte häufig für einzelne Teilbereiche (= existierende Organisationseinheiten) und nicht für das Gesamt-Unternehmen durchgeführt. Eine nachträgliche Integration derartiger Teilergebnisse erfordert aufwendige Anpassungsmaßnahmen z.B. bzgl. bereichsübergreifender Geschäftsprozesse, bzgl. des Unternehmensdatenmodells, aber auch bei der Festlegung der Prioritäten für die IV-Maßnahmen.

Als Darstellungsform kann hier ein Kontextdiagramm (nach der Methode: »Strukturierte Analyse«) genutzt werden. Das Kontextdiagramm ist ein besonderes Informationsflußdiagramm. Es enthält den Untersuchungsbereich selbst als Kern-Geschäftsprozeß (z. B. Vertrieb), die externen Partner (z. B. Kunden) und die Informationsflüsse zwischen dem Kern-Geschäftsprozeß und den externen Partnern (z. B. Angebotsabgabe). Das Festlegen der Grenzen, d. h. die Entscheidung ob etwas zum Untersuchungsbereich gehört oder als »Externer Partner« dokumentiert wird, stellt eine wichtige Entscheidung zu Beginn einer SIP-Studie dar. In der Regel wird mit der Festlegung der Haupt-Geschäftsprozesse die Abgrenzung des Untersuchungsbereichs im Projektverlauf nochmals verifiziert und präzisiert.

Die Informationsflüsse werden auf einer groben Ebene beschrieben, um eine gewisse Übersichtlichkeit beizubehalten. Dabei können einzelne Informationsflüsse in übergeordneten Begriffen gebündelt werden. Als Richtwert sollten max. zwei bis drei Informationsflüsse pro »Externem Partner« (pro Richtung) erfaßt und dokumentiert werden. Die »Externen Partner« werden verbal beschrieben.

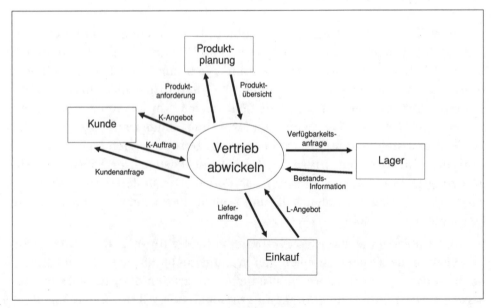

Bild 5.3: Beispiel-Kontextdiagramm

4.2 Die zentralen Komponenten einer SIP

Im Abschnitt »Ziele und Nutzen einer Strategischen Informationsplanung« wurde eine Liste von Fragestellungen wiedergegeben, deren Beantwortung dazu beitragen soll, die SIP-Ziele zu erreichen. Im weiteren werden die wesentlichen, hierfür erforderlichen Ergebnis-Komponenten vorgestellt, zu denen im Rahmen eines SIP-Projektes die notwendigen Daten zusammengetragen werden. Sie stellen die Kern-Bestandteile des SIP-Metamodells dar.

4.2.1 Geschäftsprozeß

Geschäftsprozesse beschreiben die in einem Unternehmen bzw. Unternehmensbereich ausgeübten betriebswirtschaftlichen Aufgaben oder Tätigkeiten, losgelöst vom Aufgabenträger, Ausführungsort und dem Einsatz von Arbeitshilfsmitteln (insbesondere DV-Hilfsmitteln). Durch fortschreitende Detaillierung (Methode: Prozeßstrukturierung = Zerlegung in überschaubare Teilbereiche) der Tätigkeiten entsteht eine hierarchische Struktur (Baumstruktur). Dabei setzen sich übergeordnete Geschäftsprozesse aus den untergeordneten zusammen; sie haben somit also keine zusätzliche Funktionalität. Ein Geschäftsprozeß muß in der Baumstruktur eindeutig zugeordnet werden. Für die Definition und Strukturierung ist es unerheblich, wie diese Aufgaben ausgeführt werden, d. h. insbesondere organisatorische Aspekte und Fragen der EDV-Unterstützung bleiben an dieser Stelle unberücksichtigt. Kurz gesagt: Sie beschreiben das betriebswirtschaftliche »Was« und nicht das dv-technische »Wie«.

Da die Geschäftsprozesse nicht immer einem einheitlichen und durchgängigen Verständnis unterliegen, empfiehlt es sich, eine möglichst genaue Spezifizierung und Abgrenzung der Geschäftsprozesse (zumindest auf der untersten Ebene) vorzunehmen.

Es empfiehlt sich, eine Detaillierungstiefe des Untersuchungsbereichs für die Baumstruktur der zweiten oder dritten Ebene anzustreben, so daß auf der untersten Ebene insgesamt nicht mehr als 100 bis 150 Geschäftsprozesse (Richtwert) erfaßt und dokumentiert werden. Da es sich insgesamt um eine strategische Betrachtung handelt, ist diese Detaillierungsstufe als ausreichend anzusehen.

Sinnvoll erscheint eine Erhebung der Geschäftsprozesse zusammen mit den Informationsobjekten, da diese die Informationsversorgung bzw. -weitergabe beschreiben.

 In einem »Geschäftsprozeß-Baum« werden keine Abläufe beschrieben. Es gibt keine eindeutige Lösung bei der Zerlegung der Geschäftsprozesse. Um zu vermeiden, daß es bereits auf den obersten Ebenen zu langwierigen und wiederholten Diskussionen kommt, wird betont, daß es hauptsächlich auf die Vollständigkeit, Korrektheit und Verständlichkeit der Geschäftsprozesse auf der untersten zu betrachtenden Ebene ankommt. Auf dieser Ebene werden im weiteren Verlauf, unter Hinzunahme der für die Geschäftsprozesse erforderlichen Informationsobjekte Cluster gebildet, die sinnvoll durch Informationssysteme unterstützt werden können.

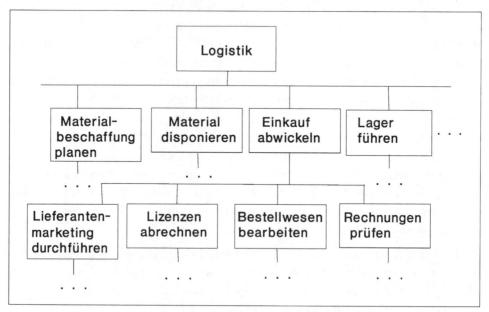

Bild 5.4: Beispiel einer Geschäftsprozeß-Struktur

4.2.2 Informationsobjekt

Unter Informationsobjekt (entity) ist eine Sache oder Person, ein Ort, Ereignis oder Konzept zu verstehen, worüber im Unternehmen Informationen gesammelt und gespeichert werden. Es stellt den Bearbeitungsgegenstand eines Geschäftsprozesses dar.

Die für das Unternehmen bedeutsamen Informationsobjekte bilden die Grundlage für die Erstellung eines strategischen Datenmodells. Als methodische Grundlage hierfür hat sich mittlerweile die Entity-Relationship-Technik oder einer ihrer Dialekte bewährt. Die im Zusammenhang mit den Geschäftsprozessen aufgenommenen Informationsobjekte werden kurz beschrieben und erhalten beispielhaft einige Eigenschaften (Attribute) zugeordnet, um ein besseres Verständnis zu schaffen. Besondere Bedeutung haben dabei die identifizierenden Attribute (Schlüssel-Attribute). Die klare Definition der wichtigsten Informationsobjekte trägt zur Schaffung einer eindeutigen Begriffswelt im Untersuchungsbereich bei. Gleichzeitig wird damit die Grundlage für den gezielten Abbau unnötiger (gewachsener) Datenredundanz erstellt.

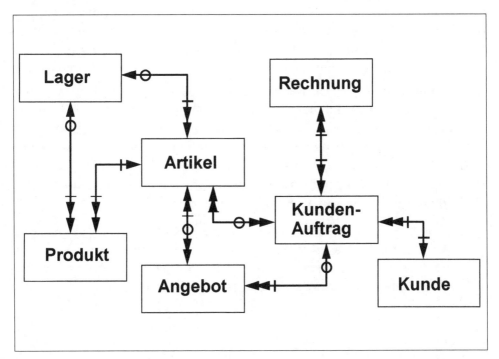

Bild 5.5: Beispiel eines Datenmodells

Die Zahl der Informationsobjekte, die im Rahmen einer SIP-Studie identifiziert und beschrieben werden, sollte zwischen 20 und 30 liegen. Auch hier muß, wie bei den Geschäftsprozessen, abgewogen werden zwischen Detail lierung und Abstraktion. Dies ist insbesondere wichtig bei der Verknüpfung Geschäftsprozeß/Informationsobjekt und Informationsobjekt/Datenbestand (siehe Abschnitt »Eine pragmatische Vorgehensweise zur Erstellung einer SIP). Beispiel: Wenn alle Dateien den Mitarbeiter als Informationsobjekt enthalten, ist das Informationsobjekt »Mitarbeiter« weiter zu detaillieren (z. B. Angestellter, Arbeiter, Auszubildender).

4.2.3 Anwendung

Anwendungen sind zentrale oder dezentrale EDV-Lösungen zur Unterstützung der Geschäftsprozesse. Eine besondere Form von Anwendungen sind Projekte, deren Routineeinführung im SIP-Projektzeitraum stattfindet. Sie lassen sich durch den Status »in Arbeit« charakterisieren. Die Anwendungen umfassen funktionale Anforderungen, wobei es bei Bedarf notwendig ist, die bestehenden »großen« Anwendungen in kleinere Einheiten (ebenfalls funktional) zu zergliedern, um diese geeignet den Geschäftsprozessen zuordnen zu können. Es muß eine, mit den Geschäftsprozessen vergleichbare, Abstraktionsebene entstehen.

Aufgenommen werden i. d. R. alle im Routinebetrieb laufenden, zentralen und dezentralen Anwendungen (und Projekte, s. o.), die die im Untersuchungsbereich liegenden Geschäftsprozesse ganz oder teilweise unterstützen. Wichtige Einzelangaben zu den Anwendungen sind z. B. Alter, Autor, Programmiersprache, zentral/dezentral, Hardware-Plattform, genutztes Datenbanksystem, Nutzung von Standard-Software, Qualitätseinschätzung durch Benutzer/Entwicklungsteam, Mengengerüst.

➡️ *Eine darüber hinausgehende Dokumentation der Anwendungen sollte nur dann vorgenommen werden, wenn diese auch wirklich weiterverwendet und gepflegt wird. Diese Aktivität sollte außerhalb des SIP-Projektes erfolgen, da dies keine strategiebezogene Aufgabe ist.*

4.2.4 Datenbestand

Ein Datenbestand ist der zu einer Anwendung gehörige Bestand physisch abgelegter Daten. Sie enthalten Detailinformationen über die für das Unternehmen wichtigen Informationsobjekte. Für eine SIP-Erhebung sind Datenbestände in Form von Dateien, Files und Datenbanken relevant, d. h. keine DB2-Columns oder Datenelemente, sondern gebündelte Informationen. Die Datenbestände werden sinnvollerweise zusammen mit den Anwendungen erfaßt.

4.2.5 Ziele des Untersuchungsbereiches

Unter einem Ziel wird ein für die Zukunft angestrebter Zustand oder eine erwünschte Wirkung verstanden. Ziele beschreiben also zukünftige Ergebnisse, die nach Durchführung geeigneter Maßnahmen erreicht werden sollen. Die Ziele sollten strukturiert bis auf eine operationalisierte Ebene heruntergebrochen werden. Dabei kann zwischen Geschäftszielen und Informatikzielen unterschieden werden. Die definierten Geschäftsprozesse müssen mit den Bereichszielen vereinbar sein. Interne Zielkonflikte sollten dokumentiert und weitestgehend beseitigt werden. Zielkonflikte mit anderen Bereichen sollten ebenfalls dokumentiert und publiziert werden.

Die Informatikziele sollten in den Gesamtrahmen einer Informatikstrategie passen. Diese sind wichtig bei der Erarbeitung von Szenarien und Alternativen zur effizienten Unterstützung der Geschäftsprozesse. Unter Beachtung von Informatikzielen sollten unrealistische, nicht umsetzbare Szenarien vermieden werden.

Die für den Untersuchungsbereich gültigen Ziele sollten möglichst zu Beginn einer SIP-Studie erhoben werden.

➡ *Lösungsalternativen können nur durch den Vergleich mit einem ausgearbeiteten Zielsystem bewertet werden. Außerdem unterstützt es den Kommunikationsprozeß und hilft in besonderer Weise bei der Erkennung und Darstellung von Problemen. Jedem einzelnen Mitarbeiter dient es als Orientierungsrahmen für sein Verhalten.*

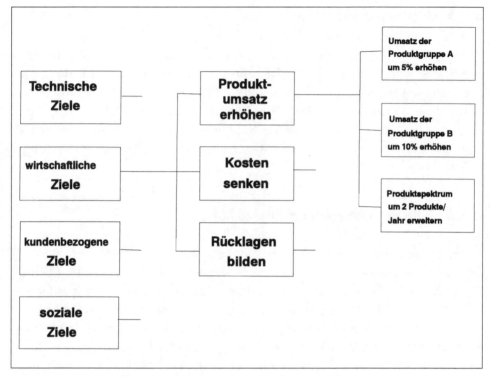

Bild 5.6: Ausschnitt aus einer Zielstruktur

4.2.6 Kritischer Erfolgsfaktor

Kritische Erfolgsfaktoren stellen die notwendigen Voraussetzungen für die erfolgreiche Erreichung der Ziele dar. Sie erfordern ständige Management-Attention und Überwachung. Kritische Erfolgsfaktoren können sowohl im Umfeld des Untersuchungsbereiches oder innerhalb liegen.

4.2.7 Organisationseinheit

Organisationseinheiten sind Elemente der Aufbauorganisation. Die Aufnahme der Organisationseinheit ist dann sinnvoll, wenn Zuständigkeiten für Geschäftsprozesse, Kommunikationswege oder organisatorische Abläufe

untersucht werden sollen. Durch eine Verknüpfung der Organisationseinheiten läßt sich hier auch das gesamte Organigramm des Unternehmens abbilden.

4.2.8 Schwachstelle/Problem

Probleme enthalten Aussagen von Schwierigkeiten, Belastungen und Un-
sicherheiten für die Abwicklung von Geschäftsprozessen. Die Probleme
stellen eine Abweichung von der gewünschten Situation dar. Die können
sich ebenso auf bestehende Anwendungen (insbes. aus Benutzersicht) und
deren Datenbestände beziehen. Sie sind wichtig für die Analyse des gegen-
wärtigen Zustandes und die Konzeption einer zukünftigen IS-Landschaft.
Eine Schwachstelle kann sich auf mehrere SIP-Komponenten beziehen. Für
eine sinnvolle Verknüpfung ist daher eine vergleichbare Detaillierungsstufe
bei der Schwachstellenanalyse und -dokumentation anzustreben. Zusätzlich
sollte bei der Erhebung zumindest eine grobe Gewichtung vorgenommen
werden, die den bei der Lösung des Problems zu erwartenden Nutzen quan-
tifiziert (z. B. »groß«, »mittel«, »gering«).

4.2.9 Standort

Erfolgt die Wahrnehmung der Geschäftsprozesse eines Unternehmens an
geographisch unterschiedlichen Standorten, so kann dies durch die Angabe
von Standort-Beschreibungen verdeutlicht werden. Dies gilt selbstverständlich auch für ggf. benötigte Angaben über die Verteilung von Organisationseinheiten auf verschiedene Standorte oder für besondere Leistungs- und
Informationsfluß-Betrachtungen. In dem folgenden Metamodell werden
mögliche Verknüpfungen der beschriebenen SIP-Komponenten wiedergegeben. Im nächsten Abschnitt wird verdeutlicht, wie diese Verknüpfungen bei
der Analyse eines Untersuchungsbereiches genutzt werden können.

4.2.10 Datengebiet

In einem Datengebiet sind alle logisch zusammengehörenden Informationsobjekte und deren Beziehungen untereinander zusammengefaßt.

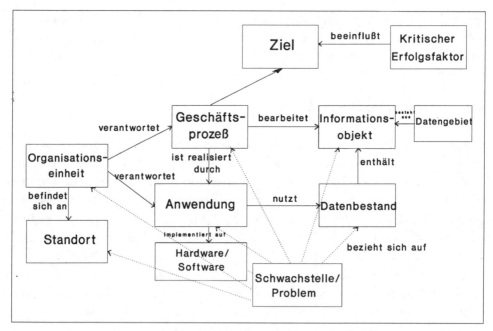

Bild 5.7: SIP-Metamodell (Beispiel)

5 Eine pragmatische Vorgehensweise zur Erstellung einer SIP

Die (erstmalige) Erstellung einer SIP sollte unter Anwendung bewährter Prinzipien als Projekt abgewickelt werden. Dazu gehören

– eine festgelegte Projektorganisation (Auftraggeber, Projektleitung, Projektteam, Reviewboard (= Entscheidungsinstanz), fachl. Abstimmkreis),

– ein verbindlicher Projektauftrag,

– eine klar definierte Vorgehensweise und die Beschreibung der zu erarbeitenden Ergebnisse mit entsprechenden Checkpoints und QS-Maßnahmen,

– die einzusetzenden Methoden und Tools.

Wegen der Bedeutung der Ergebnisse eines derartigen Projektes für das Unternehmen muß die Projektleitung von einer im Untersuchungsbereich akzeptierten Führungskraft als »full-time«-Aufgabe wahrgenommen werden.

Die Größe des Projektteams (incl. Projektleiter) sollte dabei auf 3 – 5 Mitarbeiter beschränkt bleiben, wobei gute Kenntnisse des Untersuchungsbereiches sowie besondere analytische Fähigkeiten gefordert werden müssen. Einer der Team-Mitarbeiter sollte die Verantwortung für den Methoden- und Tooleinsatz wahrnehmen. Die Projektdauer sollte einen Zeitraum von 6 – 9 Monaten keinesfalls überschreiten.

Für den Erfolg eines derartigen Projektes ist nicht zuletzt eine systematische Vorgehensweise mit darin integrierten, unter Anwendung bestimmter Methoden erstellten Ergebnissen zwingende Voraussetzung. Hier geht es auch darum, eine Systematik vorzuleben, die bei der Umsetzung der zu erarbeitenden Planungsergebnisse auch für andere Mitarbeiter aller Hierarchien des Unternehmens Gültigkeit haben soll.

Im folgenden wird eine Vorgehensweise skizziert, die bereits mehrfach erfolgreich angewandt wurde. Sie ist prinzipiell gekennzeichnet durch

- die Zerlegung des Gesamt-Prozesses in einzelne Phasen und Aktivitäten (= Prozeß-Struktur),
- die eindeutige Zuordnung der relevanten Ergebnisse (und ihrer strukturellen Zusammenhänge) zu den jeweiligen Aktivitäten (= Produkt-Struktur),
- die Festlegung von Verfahren zur Unterstützung der Durchführung einzelner Aktivitäten.

Die Nutzung unterstützender SW-Werkzeuge hilft nicht nur bei der Bewältigung der Menge des anfallenden Datenmaterials und dessen flexibler Auswertung (insbesondere Matrix-Operationen), sondern unterstützt auch die einfache Fortschreibbarkeit der »General-Bebauungspläne«. Die permanente Aktualität dieser General-Bebauungspläne verkürzt die Reaktionszeit des zugehörigen Untersuchungsbereiches auf sich ändernde Anforderungen seiner Umwelt.

Eine typische SW-Werkzeug-Ausstattung für ein SIP-Projekt besteht aus

- einem speziellen Planungswerkzeug (z. B. IEF (Texas Instruments), ADW/PWS (KnowledgeWare), pcprism (Intersolv)). Ein derartiges SW-Werkzeug dient primär der »Stücklistenverwaltung« der erarbeiteten

Ergebnisse sowie der Unterstützung der flexiblen Auswertung ihrer strukturellen Zusammenhänge.

– Einem Textverarbeitungssystem zur Unterstützung bei der Erstellung der Projektberichte,

– einem Graphik-System zur Aufbereitung erarbeiteter Ergebnisse, insbesondere für Präsentationen,

– ggf. einem Projektmanagement-Werkzeug zur Unterstützung der Aufgaben des Projektleiters.

Wesentliche Phasen/Ergebnisse eines SIP-Projektes

#	Phase	Wesentliche Ergebnisse sind u. a.
1	Projekt vorbereiten	– Projektauftrag
		– festgelegter Untersuchungsbereich
		– Präsentationsunterlagen für Informationsveranstaltungen
		– festgelegte »SIP-Produktstruktur«
		– Projektplan (Aktivitätenplan)
		– Standards und Verfahren
		– Review Meeting Termine
		– Projektorganisation
2	Basismodell erstellen	– Beschreibung und Struktur der Geschäftsprozesse
		– Beschreibung und Struktur der Informationsbedürfnisse (ggf. jeweils auf Standard-Modelle zurückgreifen)
3	Untersuchungsbereich	– Zielstruktur und kritische Erfolgsfaktoren (Soll)
		– aktualisierte/weiter detaillierte Geschäftsprozesse bzw. Informationsbedürfnisse (Prozeßmodell, Datenmodell) (Soll)
		– DV-Anwendungs- und Datenarchitekturen (Ist)
		– Systemarchitektur, Organisationsstruktur,
		– Projektübersicht, Schwachstellen und Ursachen
		– diverse Auswertungen, (Matrix-Auswertungen)
		– Anforderungen

#	Phase	Wesentliche Ergebnisse sind u. a.
4	Maßnahmen definieren	– diverse Portfolio-Darstellungen
		– Definition von Entwicklungs-/Wartungsprojekten
		– systemtechnologische Maßnahmen (priorisiert)
		– Definition von ablauf- und aufbauorganisatorischen Maßnahmen (priorisiert)
		– Definition von Infrastrukturmaßnahmen (priorisiert)
		– Definition von Qualifizierungsmaßnahmen (priorisiert)
		– Definition von flankierenden Maßnahmen Kosten-/Nutzen-Betrachtungen
		– Risiko-Betrachtungen
		– Ressourcen-Übersicht
		– Terminplan für die festgelegten Maßnahmen
5	Projektabschluß durchführen	– SIP-Bericht
		– Präsentationsunterlagen
		– Beschreibung der Aufgaben und Kompetenzen der SIP-Instanz
		– ggf. Erfahrungsbericht über die methodische und toolgestützte Durchführung des Projektes

Die folgenden Ausführungen geben weitere Hilfestellungen zur Abwicklung von SIP-Projekten:

5.1 Projekt vorbereiten

Hier können bereits die ersten Weichen für eine erfolgreiche Abwicklung des SIP-Projektes gestellt werden. Neben der Festlegung der Projektorganisation sollten hier u. a.

– die Ziele und Aufgaben des Projektes präzise formuliert werden,
– der zu untersuchende Bereich eindeutig abgegrenzt werden (ggf. unter expliziter Nennung der nicht zu betrachtenden Teil-Bereiche),
– die zu erarbeitenden Ergebnisse sowie ihre strukturellen Zusammenhänge (= Produkt-Struktur, siehe auch Bild 5.7 SIP-Metamodell) aufgeführt werden (diese lassen sich u. a. ableiten aus den Kernaussagen, die mittels dieses Projektes erfolgen sollen),

– die Projekt-Aktivitätenplanung,

– eine erste Berichtsstruktur für den Abschlußbericht.

Untersuchungen, wie sie im Rahmen eines SIP-Projektes erfolgen, können unnötigerweise falsche Erwartungshaltungen wecken oder gar Unruhe im Unternehmen erzeugen. Dies läßt sich verhindern durch eine ständig aktiv betriebene, offene Informationspolitik.

Bereits im Projektvorfeld sollte mit einer ersten Informationsveranstaltung begonnen werden. Diese muß zum einen die Ziele und Aufgabenstellung des Projektes nochmals verdeutlichen und zum anderen den künftigen Interviewpartnern eine Vorstellung über die zu beantwortenden Fragen-komplexe geben. Die Bereitschaft der Mitwirkung an den Interviews sowie die Qualität der Antworten durch die Interviewpartner bestimmt in beson-derem Maße den Erfolg des Projektes.

5.2   Basismodell erstellen

Durch die Erstellung eines Basis-Geschäftsprozeßmodells sowie eines Basis-Datenmodells wird jeweils ein Orientierungsrahmen für die Interviews und deren Ergebnisse in der anschließenden Analyse-Phase geschaffen. Eine möglichst präzise und einheitlich interpretierbare betriebliche Beschreibung der Modell-Komponenten vermeidet dabei unnötige Diskussionen. Darüber hinaus muß man der Gefahr einer zu großen Detaillierungstiefe entgegen-steuern. Prozeßmodelle mit mehr als 100 – 150 Teilprozessen (oft gleichbe-deutend mit einer Strukturierungstiefe > 2 – 3) sind dabei genauso zu ver-meiden wie Datenmodelle mit mehr als 30 – 40 Objekttypen. Liegen beide Modell-Teile vor, so kann ggf. eine nochmalige Präzisierung und Abgren-zung des zu untersuchenden Bereiches erfolgen. Alle weiteren Schritte las-sen sich dann daran ausrichten.

Vermehrt findet man mittlerweile »vorgefertigte«, zum Teil bereits bran-chenspezifisch ausgerichtete Modelle (z. B. IAA, FAA, RAA). Ihr Einsatz er-spart zwar einerseits einen u. U. mühevollen Erstellungsprozeß, andererseits entbinden sie jedoch nicht von der sorgfältigen Überprüfung ihrer Relevanz für das eigene Unternehmen. Das reicht von terminologischen Anpassungen bis hin zu wesentlichen strukturellen und inhaltlichen Veränderungen. Schließlich sei noch auf einen häufig gemachten Fehler hingewiesen.

Die Modelle sollen ausschließlich das betriebswirtschaftliche »Was« und kein DV-technisches »Wie« beschreiben. Sie geben ebenfalls keine aufbauorganisatorisch festgelegten Funktionen wieder.

Modellbeispiele sind in den Bilden Bild 5.4 und Bild 5.5 wiedergegeben.

5.3 Untersuchungsbereich analysieren

Diese Phase stellt sicherlich den aufwendigsten Abschnitt in einem SIP-Projekt dar. Sie wird einmal bestimmt durch die Auswertung einer Vielzahl von vorhandenen Unterlagen (z. B. Unternehmensleitlinien, Planungsunterlagen des Unternehmens, diverse Strategiepapiere, Organigramme, Aufgabenbeschreibungen einzelner Organisationseinheiten, ggf. existierende GKO-Ergebnisse, Anwendungssystem-/Hardware-/Software-/Projekt-Übersichten, Datenmodelle, ...) und zum anderen durch strukturierte Interviews mit Vertretern aus dem gesamten Untersuchungsbereich. Diesen Interviews kommt eine entscheidende Bedeutung zu, da hierdurch die Grundlage für die Erarbeitung der späteren strategischen Festlegungen geschaffen wird. Sie sind daher sehr sorgfältig vorzubereiten bzw. nachzubereiten.

Besonders zu beachten sind:

- die Festlegung der zu interviewenden Zielgruppen. Hierzu gehören das verantwortliche Top-Management des Untersuchungsbereichs, die dahin berichtende Management-Ebene, sowie ausgewählte Vertreter der nächsten Management-Ebene bzw. einige weitere Schlüsselpersonen.
- die inhaltliche Festlegung der Interview-Themen. Über einen vorbereiteten, zielgruppenbezogenen Interviewleitfaden (ggf. ergänzt durch einen Fragebogen) ist sicherzustellen, daß zu allen SIP-Komponenten (siehe Abschnitt »Komponenten eines IS-Bebauungsplans«) die relevanten Aussagen erfaßt werden können. Dies gilt insbesondere hinsichtlich spezifischer Schwachstellen bzw. künftiger Anforderungen. Beispiel-Fragestellungen sind unten dargestellt.
- die Durchführungsplanung. Jedes Interview sollte von zwei Mitarbeitern des SIP-Teams durchgeführt werden. Die Dauer sollte – je nach Zielgruppen – 2 bis maximal 4 Stunden betragen.
- die Nachbereitung der Interviews. Die Ergebnisse der Interviews sollten auf der Grundlage einheitlicher Dokumentationsstandards festgehalten

werden. Zur Verifikation sind die Ergebnisse der jeweiligen interviewten Person zur Verfügung zu stellen.

Einige Beispiel-Fragestellungen für die durchzuführenden Interviews

o   Welche Ziele verfolgt der Untersuchungsbereich in den kommenden 5 – 10 Jahren?

o   Wie stehen diese im Einklang mit den Unternehmenszielen?

o   Welche kritischen Erfolgsfaktoren sind besonders zu berücksichtigen?

o   Welche Aufgaben werden zukünftig verantwortlich im Untersuchungsbereich wahrgenommen?

o   Welche Bedeutung hat die Informationsverarbeitung für die Wahrnehmung der Aufgaben? Wo kann sie besondere Unterstützung leisten?

.

.

.

o   Welche Informationsbedürfnisse sind von besonderer Bedeutung?

o   Welche Abläufe sind besonders kritisch?

o   Welche Unterstützung bieten die existierenden Informationssysteme?

o   Wie läßt sich die Qualität bestehender DV-Anwendungen charakterisieren?

o   Welche Maßnahmen tragen zu einer merklichen Verbesserung der bestehenden Situation bei?

Als Dokumentationsrahmen kann das im Abschnitt »Komponenten eines IS-Bebauungsplans« vorgestellte Dokumentationsmodell (SIP-Metamodell) benutzt werden. Es bietet zum einen die Unterstützung bei der Dokumentation einzelner Komponenten, z. B. Geschäftsprozesse oder Anwendungen mit ihren jeweiligen charakteristischen Eigenschaften. Durch seinen stücklistenartigen Charakter – mit den Prinzip-Fragestellungen für Stücklistenauswertungen: woraus besteht eine Komponente? und wo kommt eine Komponente vor? – liefert es andererseits aber auch die Grundlage für weitere systematische (Schwachstellen-) Analysen, die eine hervorragende Ergänzung zu den Interviewergebnissen liefern. So lassen sich damit z. B. Antworten auf folgende Fragestellungen finden:

– Wie gut ist ein Geschäftsprozeß durch Informationssysteme (Anwendungen) abgedeckt?

– Welche Ziele unterstützt ein Geschäftsprozeß mit welcher Intensität?

– Welche Organisationseinheiten sind verantwortlich für welche Geschäftsprozesse oder Geschäftsprozeßketten?

– In welchen (redundanten) Datenbeständen befinden sich Angaben über bestimmte Informationsobjekte?

Im folgenden sind beispielhaft einige Stücklisten-Auswertungen beschrieben.

Geschäftsprozeß/Ziel

Bei dieser Gegenüberstellung wird festgestellt, welcher Geschäftsprozeß welches Ziel/Teilziel des Untersuchungsbereiches unterstützt. Hier kann festgestellt werden, wie hoch der Zielerreichungsgrad durch Geschäftsprozesse bestimmt wird, d. h. welche Ziele nicht, nur sehr gering oder welche sehr stark unterstützt werden. Hier kann z. B. auch der Verweis auf eine direkte/indirekte Unterstützung des Ziels durch die Geschäftsprozesse dokumentiert werden. Durch die jeweilige Priorisierung (Gewichtung) der einzelnen Ziele entsteht hier automatisch eine »strategische Wichtigkeit von Geschäftsprozessen«.

Geschäftsprozeß/Informationsobjekt

Die Gegenüberstellung von Geschäftsprozeß und Informationsobjekt macht deutlich, welche Information ein Geschäftsprozeß benötigt oder erzeugt (Input oder Output). Ebenso lassen sich sehr schnell Defizite erkennen, z. B. Geschäftsprozesse, die nur Output erzeugen ohne irgendwelche Inputs bzw. Geschäftsprozesse, für die nur Inputs ausgewiesen sind, aber keinen Output produzieren. Ähnliche Betrachtungen lassen sich für Informationsobjekte anstellen. So sind insbesondere die Fälle zu klären, bei denen es weder erzeugende noch nutzende Geschäftsprozesse für ein Informationsobjekt gibt. Eine weitere Detaillierungsstufe kann durch eine besondere Qualifikation der Beziehung erreicht werden. Dabei kann unterschieden werden, ob ein Geschäftsprozeß ein Informationsobjekt erzeugt, ändert, liest oder löscht. Bei der Analyse der Beziehung lassen sich sowohl Informationsdefizite als auch Überschüsse erkennen.

Diese Verknüpfung ist die Grundvoraussetzung für eine sogenannte Affinitätsanalyse. Hierdurch erfolgt eine geeignete »Clusterung« logisch eng zusammengehöriger Geschäftsprozesse als Vorbetrachtung einer Definition von Informationssystemen/Projekten (siehe auch weiter unten).

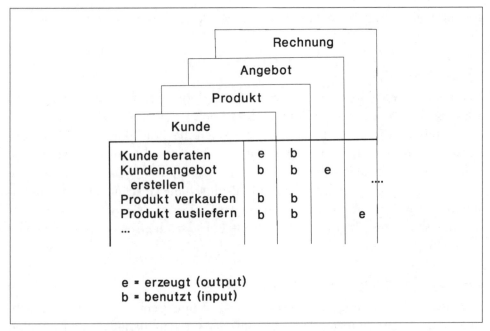

Bild 5.8: Geschäftsprozeß/Informationsobjekt-Matrix

Geschäftsprozeß/Anwendung

Hier werden die funktionalen Einheiten von Anwendungen den entsprechend gegliederten Geschäftsprozessen gegenübergestellt. Diese Gegenüberstellung macht deutlich, inwieweit eine Abdeckung der Geschäftsprozesse durch Anwendungen im betrachteten Untersuchungsbereich gegeben ist. Weiterhin kann damit beispielsweise ermittelt werden, welche Geschäftsprozesse eventuell redundant unterstützt werden. Weiterhin ist es sinnvoll, Aussagen über den Grad der Abdeckung zu dokumentieren (z. B. effektiv, ausreichend, teilweise, mangelhaft). Die Wertung des Istzustandes erfolgt am besten durch die Managementebene/Benutzer. Diese können durch weitreichende Betrachtungsweisen einerseits (Management) und durch die Darstellung der täglichen Probleme andererseits (Nutzer) ein Urteil über die Unterstützung durch Informationssysteme abgeben (Probleme und Lücken).

Informationsobjekt/Datenbestand

Diese Gegenüberstellung gibt Auskunft darüber, welche Informationen in den physischen Datenbeständen der Anwendungen abgelegt sind. Als grobes Raster bilden die Informationsobjekte eine hervorragende Grundlage für eine detaillierte Redundanzanalyse existierender Datenbestände. Damit kann u. a. auch überprüft werden, ob die Informationen, die der Geschäftsprozeß benötigt, in die Anwendungen einfließen, die den entsprechenden Geschäftsprozeß unterstützen.

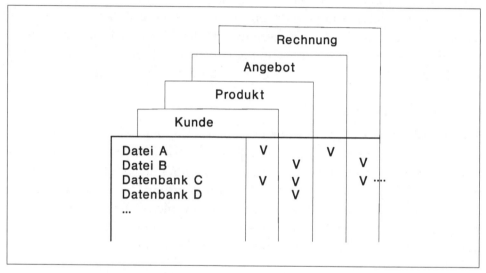

Bild 5.9: Informationsobjekt/Datenbestand-Matrix

Anwendung/Datenbestand

Die Matrix Anwendung/Datenbestand ordnet die physischen Datenbestände den Anwendungen zu. Diese Verknüpfung kann u. a. die Frage beantworten, welche Anwendungen benutzen gemeinsame Datenbestände. Damit wird die Notwendigkeit einer konsistenten Datenhaltung ersichtlich, die z. B. im Bebauungsplan in Form gemeinsamer Datenbestände (einer Datenbank) realisiert werden könnte.

Anwendung/Hardware bzw. Software

Eine derartige Gegenüberstellung liefert insbesondere dort interessante Erkenntnisse, wo eine Vielzahl unterschiedlicher Hardware- und Softwareplattformen existieren. Nicht nur die Vielfalt an sich wird hier transparent, sondern auch die oft aufwendigen »Brücken« zwischen »zusammengehörenden« Anwendungen, die jeweils auf einer anderen Plattform betrieben werden. Auch die – oft unnötige – Vielfalt der unterschiedlichen Produktionsmittel kann hiermit verdeutlicht werden.

Geschäftsprozeß/Organisationseinheit

Die ermittelten Geschäftsprozesse werden der Organisationsstruktur gegenübergestellt, wobei es für jeden Geschäftsprozeß mindestens eine verantwortliche Organisationseinheit geben sollte. Die Art der Verantwortung kann mit dokumentiert werden, z. B. verantwortlich für die Ausführung. Es wird ersichtlich, welche Organisationseinheiten an welchen Prozessen beteiligt sind. Dadurch werden Lücken oder Überschneidungen schnell ersichtlich.

Problem/<SIP-Komponente>

Bei der Dokumentation der erhobenen Schwachstellen sind die Verknüpfungen zu den SIP-Komponenten darzustellen, um bei der Bearbeitung einer Komponente auf Wunsch auch die damit zusammenhängenden Probleme zu erkennen. Dabei kann sich ein Problem auf mehrere SIP-Komponenten beziehen, oder auch innerhalb einer Komponente mehr als einmal verknüpft werden, z. B. kann sich die Schwachstelle »zu späte Bereitstellung der benötigten Informationen« auf verschiedene Geschäftsprozesse beziehen.

Mehrstufige Auswertungen

Neben diesen Matrix-Auswertungen können auch mehrstufige Cross-Referenz-Analysen zur Beantwortung wichtiger Fragestellungen herangezogen werden.

Beispiel Fragestellung 1

Durch welche Geschäftsprozesse werden redundante Datenbestände erzeugt?

1 Auswertung: Geschäftsprozeß – erzeugt – Informationsobjekt
2 Auswertung: Informationsobjekt – ist abgebildet in – Datenbestand

Beispiel Fragestellung 2

Welche besonders problematischen Anwendungen tragen in hohem Maße zur Zielerreichung bei?

1 Auswertung: Ziel – wird unterstützt durch – Geschäftsprozeß
2 Auswertung: Geschäftsprozeß – ist realisiert durch – Anwendung

Bemerkung

Der Einsatz »stücklistenartig« wirkender softwaretechnischer Werkzeuge läßt eine große Zahl derartiger (einstufiger oder mehrstufiger) Auswertungen zu. Man sollte sich daher bei jeder einzelnen Auswertung sehr sorgfältig fragen, welchen Beitrag die gefundenen Ergebnisse zur Projektzielsetzung beisteuern. Sonst droht man, in einem Gestrüpp von Matrix-Auswertungen zu »ertrinken«. Eine besondere Analyseform – bezeichnet als Cluster Analyse – kann dazu benutzt werden, gleichartige Objekte aufgrund ähnlicher Eingenschaften zusammenzufassen (Cluster-Bildung). Solche Gruppierungen können beispielsweise zur Bildung von »neuen« Geschäftsfeldern oder zur Neugestaltung von Informationssystemen führen. Dabei wird gleichzeitig eine weitgehende Reduzierung unnötiger Schnittstellen zwischen solchen Clustern angestrebt (Schnittstellenminimierung). Die prinzipielle Funktionsweise von Clusterbildungen, die auf Affinitätsbetrachtungen zwischen Objekten beruhen (Affinitätsanalyse), sei hier kurz für eine Geschäftsprozeß-Informationsobjekt-Matrix erläutert:

Die Affinität von Informationsobjekt O1 zu Informationsobjekt O2 wird bestimmt durch:

Affinität von O1 zu O2 =   Anzahl der Geschäftsprozesse, die O1 und O2 benutzen/Anzahl der Geschäftsprozesse, die O1 benutzen.

Die Affinität des Geschäftsprozesses P1 zu Geschäftsprozeß P2 wird bestimmt durch:

Affinität von P1 zu P2 =   Anzahl der Informationsobjekttypen, die von P1 und P2 benutzt werden/Anzahl der Informationsobjekttypen, die von P1 benutzt werden.

Ein weiterer Cluster-Algorithmus gruppiert alle Geschäftsprozesse, die ein Informationsobjekt erzeugen und alle Informationsobjekttypen, die durch den gleichen Geschäftsprozeß erzeugt werden.

Informations-Objekte / Funktionen	Kunden	Aufträge	Verkäufer	Produkte	Arbeitsabläufe	Stücklisten	Kostenstellen/-arten	Bauteile	Materialbestände	Produktbestände	Mitarbeiter	Verkaufsgebiete	Finanzdaten	Planungsdaten	bearbeitete Aufträge	Geräte	offene Aufträge	Maschinenauslastg.
Unternehmensplanung							U						U	C				
Organisationunters.														U				
Revision													U	U				
Finanzplanung													U	C	U			
Kapitalbesch													C					
Forschung				U								U						
Produktprognosen	U			U								U		U				
Entwicklung	U			C	U		C											
Produktspezifikation			U	U		C		C										
Bestellwesen			C				U											
Wareneingang			U						U									
Bestandstabelle									C	C		U						
Arbeitsplanung				U	U											C		
Fertigungsplanung			U	U												U		U
Kapazitätsplanung			U	U	U											U	U	C
Mat. bedarfsermittlg.			U	U		U											C	
Produktion					C											U	U	U
Gebietsmanagement	C	U	U															
Vertrieb	U	U	U									C						
Vertriebsadministr		U										U						
Auftragsverwaltung	U	C	U															
Versand		U	U							U								
Rechnungswesen	U		U									U	U					
Kostenplanung			U	U			C											
Budgetabrechnung							U					U	U	U	U			
Personalplanung											C		U					
Personalbeschaffg.											U							
Personalentwicklung											U		U					

⊂ = create

U = use

Bild 5.10: Geschäftsprozeß/Informationsobjekt-Matrix vor einer Clusterbildung

Funktionen \ Informations-Objekte	Plandaten	Finanzdaten	Produkte	Bauteile	Stücklisten	Verkäufer	Materialbestände	Produktbestände	Geräte	bearbeitete Aufträge	Maschinenauslastg.	offene Aufträge	Arbeitsabläufe	Kunden	Verkaufsgebiete	Aufträge	Kostenstellen/-arten	Mitarbeiter
Unternehmensplanung		U															U	
Organisationunters.	U																	
Revision	U	U																
Finanzplanung	C	U								U								U
Kapitalbesch		C																
Forschung			U												U			
Produktprognosen	U		U											U	U			
Entwicklung			C	C	U	U								U				
Produktspezifikation			U	C	C													
Bestellwesen						C											U	
Wareneingang						U	U											
Bestandstabelle							C	C	U									
Arbeitsplanung			U							C			U					
Fertigungsplanung			U			U				U	C	U						
Kapazitätsplanung						U				U		C	U	U				
Mat. bedarfsermittlg.			U		U	U							C					
Produktion										U	U	U	C					
Gebietsmanagement			U												U			
Vertrieb			U											U	C	U		
Vertriebsadministr.															U	U		
Auftragsverwaltung			U											U		C		
Versand			U			U										U		
Rechnungswesen		U				U								U				U
Kostenplanung						U										U		
Budgetabrechnung	U	U								U							U	U
Personalplanung		U																C
Personalbeschaffg.		U															U	U
Personalentwicklung		U																U

⊏ = create

U = use

Bild 5.11: Geschäftsprozeß/Informationsobjekt-Matrix nach einer Clusterbildung

5.4 Maßnahmen definieren und planen

Die Planung der zukünftigen IS-Landschaft erfolgt in den folgenden Teil-schritten:

- Priorisierung der Geschäftsprozesse
- Informatikhandlungsbedarf festlegen
- Szenario für Anwendungslandschaft
- Maßnahmenkatalog
- Priorisierung von Projekten

Die einzelnen Aktivitäten sind vom Projektteam auszuführen, das Manage-ment bzw. Reviewboard sollte in einigen Fällen (z. B. Priorisierung) hin-zugezogen werden.

5.4.1 Priorisierung von Geschäftsprozessen

Eine Priorisierung der Geschäftsprozesse hilft, sich im weiteren Verlauf nur noch auf die wichtigsten Geschäftsprozesse zu konzentrieren, bzw. aus Termingründen Schwerpunkte zu setzen. Für die Priorisierung der Geschäftsprozesse sind die Ziele des Untersuchungsbereiches eine notwen-dige Voraussetzung. Sind sie dokumentiert, ist für jeden Geschäftsprozeß ab-zuschätzen, wie groß sein Beitrag (bei effektiver Ausführung) zur Zieler-reichung ist.

5.4.2 Informatik-Handlungsbedarf festlegen

Für jeden (priorisierten) Geschäftsprozeß der untersten Strukturierungs-ebene ist das Informationsverarbeitungspotential (IV-Potential) festzulegen. Dabei gibt es Geschäftsprozesse, die nicht sinnvoll mit Informationssyste-men zu unterstützen sind (IV-Potential = 0), solche, die sehr effizient unter-stützt werden könnten (IV-Potential = 3) und Geschäftsprozesse, die in die Kategorien geringes (IV-Potential = 1) bzw. mittleres (IV-Potential = 2) Potential fallen. Durch das Projektteam sollte eine erste, zugegebenermaßen schwer objektivierbare Einschätzung erfolgen. Diese Ergebnisse sind mit den verantwortlichen Aufgabenträgern zu verifizieren und gegebenenfalls zu modifizieren.

Im zweiten Schritt ist der IV-Handlungsbedarf zu quantifizieren. Er setzt sich zusammen aus dem IV-Potential und der aktuellen Unterstützung durch bestehende IV-Systeme. Die Ergebnisse zur IV-Unterstützung wurden mit der Verknüpfung Geschäftsprozeß/Anwendung und den Kategorien:

effektiv = 3, ausreichend = 2, teilweise = 1 und mangelhaft = 0

dokumentiert. Eine Umsetzung des IV-Potentials und der IV-Unterstützung in einen IV-Handlungsbedarf erfolgt in der Form der folgenden Matrix.

Derartige Priorisierungsbetrachtungen leisten in Verbindung mit der Betrachtung der Abhängigkeiten zwischen den Geschäftsprozessen auch wertvolle Hilfestellungen bei Überlegungen zur Verlagerung von Geschäftsprozessen (outsourcing) bzw. zur Identifikation des »Kerngeschäfts« des Unternehmens, durch das die Wettbewerbsvorteile sichergestellt werden.

IV-Handlungsbedarf:

S = sehr hoch, H = hoch, M = mittel, G = gering, 0 = kein.

IV-Unterstützung \ IV-Potential	0	1	2	3
0	0	M	H	S
1	0	G	M	H
2	0	G	G	M
3	0	0	0	0

Bild 5.12: Informatik-Handlungsbedarf

Dabei ist in den Zeilen die IV-Unterstützung und in den Spalten das IV-Potential einzutragen. Aus dem entsprechenden Feld ist der IV-Handlungsbedarf zu entnehmen. Ein erster Ansatz für die Ableitung von Maßnahmen sollten die Geschäftsprozesse mit sehr hohem (S) bzw. hohem (H) Handlungsbedarf umfassen, gegebenenfalls können noch die mit mittlerem Handlungsbedarf (M) dazu kommen.

➡ *Bei dieser Analyse werden die Geschäftsprozesse isoliert betrachtet. Für die Ausführung der Geschäftsprozesse sind häufig jedoch andere Geschäftsprozesse zwingende Voraussetzung, die u. U. keinen oder nur einen geringen Handlungsbedarf aufweisen. Diese Abhängigkeiten sind bei der Planung der Informationssysteme zu berücksichtigen. Weiterhin ist der Zusammenhang bzgl. der Informationsobjekte zu berücksichtigen.*

5.4.3 Szenario für eine Anwendungslandschaft

Aus den Gegenüberstellungen Geschäftsprozesse/Ziel und Geschäftsprozesse/Anwendungen kann, bei Gewichtung der Ziele, eine Bewertungsmatrix der Geschäftsprozesse erstellt werden, die angibt, welche Geschäftsprozesse strategisch bedeutend sind und ob der IV-Handlungsbedarf hoch ist.

Für die Geschäftsprozesse mit IV-Handlungsbedarf werden, falls sie in der strategisch bedeutsamen »Ecke« gelandet sind, verschiedene Szenarien einer Lösung (Alternativen) entworfen. Dabei sind die bei der Priorisierung vernachlässigten Informationsobjekte wieder verstärkt zu berücksichtigen. Diese Alternativen können sich auf mehrere, bzgl. ihrer Informationsnutzung eng zusammenhängende Geschäftsprozesse beziehen (oder auf Geschäftsprozesse und bestehende Anwendungen). Bezüglich ihrer Informationsobjekte zusammenhängende Prozesse sollten gemeinsam durch Informationssysteme unterstützt werden.

Beispiel

Die Geschäftsprozesse A und B sollen unterstützt werden. Es besteht eine Anwendung X, die A unterstützt.

Alternative 1

Es wird ein neues Informationssystem erstellt, das beide Geschäftsprozesse unterstützt, unabhängig von der Anwendung X.

Alternative 2

Die bestehende Anwendung X wird so modifiziert, daß A und B unterstützt werden.

Die Alternativen sollten durch grobe Wirtschaftlichkeitsbetrachtungen ergänzt werden.

Die Alternativen beschreiben nur das eine Ziel, das mit geeigneten Maßnahmen erreicht werden soll.

5.4.4 Maßnahmenkatalog

Im Rahmen der Erstellung eines Maßnahmenkatalogs werden die Ideen, die sich in der Planung der Anwendungslandschaft als neue Informationssysteme wiederfinden, in Form von geeigneten Maßnahmen umgesetzt.

Die Maßnahmen können sich beispielsweise beziehen auf:

– Erneuerung alter Anwendungen (reengineering-Maßnahmen)
– Definition neuer Anwendungen (-> Projektaufträge für Neuentwicklungen)
– Ansätze zur Reduktion von redundanten Datenbeständen
– Einführung neuer Technologie (z. B. Client-Server-Technologie)
– Dezentrale Lösungen (»downsizing«)
– Organisatorische Maßnahmen (z. B. Einrichtung der Funktionen Datenmanagement und Qualitätsmanagement)
– Qualifizierungsmaßnahmen (Identifikation der für das Unternehmen wichtigen Kompetenz-Felder)
– Outsourcing/Insourcing

Die Maßnahmen in den einzelnen Bereichen müssen definiert, gebündelt und gegebenenfalls priorisiert werden. Die so gebündelten Maßnahmen müssen in Projektaufträge umgesetzt und initialisiert werden.

5.4.5 Priorisierung von Projekten

Alle im Untersuchungsbereich festgelegten Maßnahmen sind im Rahmen überschaubarer Projekte umzusetzen. Einen Vorschlag für die Zusammenfassung kann eine weitere Portfolio-Analyse liefern. Das Setzen von Prioritäten für die Realisierungsreihenfolge ist ein wichtiger Teil der strategischen Informationsplanung. Für eine Prioritätenvergabe können folgende Kriterien herangezogen werden, über die individuell entschieden werden muß:

– Die Projekte sollten danach bewertet werden, wie schnell sie die Probleme und Bedürfnisse, die aus den Management- und Benutzerbefragungen hervorgegangen sind, lösen können (häufig schwer quantifizierbare Aussagen).

– Projekte können nach ihrer Wirtschaftlichkeit bewertet werden. Dabei wird der quantifizierbare Nutzen (z. B. Einsparungen oder quantifizierbare Qualitätsverbesserungen) zu den damit verbundenen Kosten ins Verhältnis gesetzt. Im Rahmen einer SIP sind detaillierte Aussagen über Projektkosten nicht machbar. Daher werden grobe Einteilungen in Wirtschaftlichkeitsklassen wie hoch, mittel und niedrig vorgenommen.

– Die wohl bedeutendste Bewertungsmöglichkeit besteht in der Analyse des strategischen Potentials der einzelnen Projekte. Es stellt sich die Frage, in welchem Ausmaß das nach »n-Jahren« in Routine befindliche Informationssystem die Unternehmensziele positiv beeinflußt, um letztendlich Wettbewerbsvorteile zu erreichen. Die Verknüpfung der entsprechenden SIP-Komponenten (Ziel, Geschäftsprozeß und Anwendung) sollte bereits erfolgt sein. Aber auch hier sind nur annähernde Aussagen (hoch, mittel, niedrig) möglich, da die Ursache-Wirkungs-Beziehung nicht genau quantifizierbar ist.

Es ist zu beachten, daß sich oftmals auch logische Abhängigkeiten für eine Realisierungsreihenfolge ergeben, die trotz anderweitiger Prioritäten berücksichtigt werden müssen.

Die grob quantifizierbaren Bewertunskriterien können durch eine Portfoliomatrix dargestellt werden, die Kriterien werden auf den Achsen der Matrix abgetragen und die Projekte entsprechend ihrer Bewertung im Portfolio positioniert.

Bild 5.13 zeigt, daß die im Feld 1 positionierten Projekte wirtschaftlich und strategisch den größten Nutzen haben. Auch die Felder 2 und 4 sind noch sehr vorteilhafte Bereiche, während die Felder 6, 8 und 9 ungünstigere Projekte beinhalten. Die Plazierung der Projekte in einer Matrix dient nicht nur als Grundlage für die Prioritätenvergabe, sondern kann auch dazu genutzt werden, einzelne Projekte neu zu überdenken. Beispielsweise wird man bei einem Projekt im Feld 3 mit hohem strategischen Nutzen, aber einer durch Kostenintensität geringen Wirtschaftlichkeit, versuchen, eine weniger aufwendige Lösung mit weiterhin hohem Nutzen zu finden, so daß dieses Projekt tendenziell in der Portfolio-Matrix nach rechts verlagert wird.

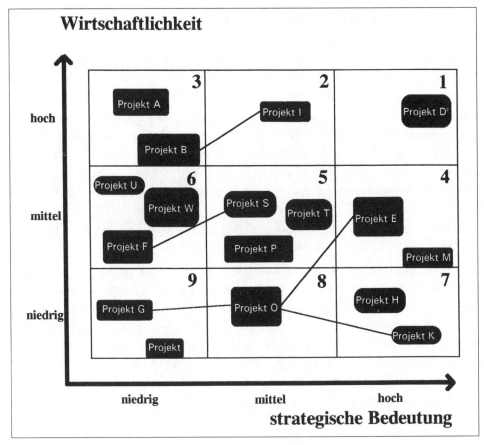

Bild 5.13: Projektportfolio

Durch die Wahl unterschiedlich großer Kästchen läßt sich beispielsweise das zugeordnete Investitionsvolumen, der Ressourcenbedarf, der Beitrag zu den Zielen oder Erfolgsfaktoren, das zugehörige Risikopotential (als weitere Dimension) in eine derartige Portfolio-Matrix einarbeiten. Die Verbindungslinien zwischen den Projekten drücken Abhängigkeiten aus.

Mit derartigen Portfolio-Betrachtungen lassen sich dann z. B. folgende Fragen beantworten:

1 Welche Projekte sollten verstärkt forciert werden? Welche sollten ggf. gestoppt werden?
2 Welche Projekte sollten bei gegebenen (knappen) Ressourcen in Angriff genommen werden?
3 Für welche Projekte sollten Alternativbetrachtungen angestellt werden?

299

5.5 Projektabschluß durchführen

Die Kernaktivität dieser Phase besteht in der Erstellung eines SIP-Berichtes, der einen entscheidbaren Gesamt-Maßnahmenplan enthält. Dieser Plan sollte mindestens einen Ausblick für die nächsten 5 Jahre (ggf. 10 Jahre) geben. Er ist zugleich Bezugsbasis für die Diskussionen zwischen Vertretern der Fachbereiche und der ORG/DV. Wegen seiner klaren Strukturierung hilft er insbesondere bei der Versachlichung solcher Diskussionen und trägt somit auch zu der für eine erfolgreiche Informationsverarbeitung unerläßlichen Kooperationsbereitschaft zwischen diesen Zielgruppen bei. Er sollte als ständige Grundlage regelmäßiger Planungsgespräche genutzt werden (4 – 5 mal/Jahr), beginnend mit der Präsentation der Ergebnisse des SIP-Projektes bei den Entscheidungsträgern des Unternehmens (Bereiches).

Zur Sicherstellung einer derart aktiven Nutzung ist es unbedingt erforderlich, einen SIP-Produktverantwortlichen zu benennen. Seine Aufgabe ist es, die regelmäßige Aktualisierung zu gewährleisten, die Planungsgespräche vor- und nachzubereiten und vor allem die Nutzung des Planes in die Ablauforganisation des Unternehmens(bereiches) einzubinden. So sollte beispielsweise grundsätzlich kein Projektantrag genehmigt werden, der nicht auf seine Verträglichkeit mit diesem Plan geprüft wurde.

Fazit: SIP sollte selbst als »ganz normaler« Geschäftsprozeß im Unternehmen gelebt werden

6 SIP-Erfolgsfaktoren

Die nachhaltige Absicherung des Erfolges einer strategischen Informationsplanung wird durch eine Reihe von Erfolgsfaktoren bestimmt.

6.1 Unterstützung durch das Top Management

Mit der Durchführung einer SIP werden die mittel- bis langfristig gültigen IV-Strategien festgelegt, an denen sich alle Einheiten mit ihren organisatorischen und technischen Maßnahmen auszurichten haben. Sie tragen damit letztlich auch zur Gesamt-Geschäftsstrategie eines Unternehmens bei. Vom Top-Management wird daher nicht nur erwartet, daß es formal als Auftraggeber für ein entsprechendes Projekt in Erscheinung tritt, sondern darüber hinaus

– die notwendigen inhaltlichen Beiträge – insbesondere die Ziele, die kritischen Erfolgsfaktoren und die Geschäftsstrategie – liefert,
– die für ein SIP-Projekt erforderlichen Ressourcen bereitstellt,
– dafür sorgt, daß die – im Rahmen der Interviews erforderlichen – Know-How-Träger in dem erforderlichen Umfang zur Verfügung stehen,
– die abgestimmten und priorisierten Maßnahmen zügig umsetzt.

Im Rahmen seiner Führungsaufgaben muß das Top Management durch eigenes Vorleben eine aktive Rolle in diesem Prozeß übernehmen.

6.2   Erwartungen an ein SIP-Projekt

Im den vorigen Kapiteln wurde verdeutlicht, daß mit der Durchführung eines SIP-Projektes ein General-Bebauungsplan erstellt wird, der die planerischen Voraussetzungen für die schrittweise »Bebauung« der unternehmensrelevanten Geschäftsfelder wiedergibt.

Durch eine frühzeitige Abgrenzung des Untersuchungsbereiches (=Geschäftsbereich des Unternehmens) und die klare Formulierung der Projektziele und der erwarteten Ergebnisse (z. B. Konzentration auf die IV-Landschaft unter Verzicht auf die Betrachtung aufbau- und/oder ablauforganisatorischer Aspekte) ist eine wesentliche Voraussetzung für eine zügige Projektabwicklung gegeben. Darüber hinaus ist zu verdeutlichen, welcher Detaillierungsgrad für die Ergebnisse angestrebt wird.

6.3   Methoden und Werkzeugeinsatz

Der Einsatz bewährter Methoden (Analyse-, Erhebungs-, Strukturierungs-Methoden) trägt dazu bei, auf effektive und effiziente Weise die SIP-Ergebnisse zu erarbeiten, sowie eindeutig interpretierbar und kommunizierbar zu gestalten. Die Verfügbarkeit geeigneter Werkzeuge (spezielle SIP-unterstützende Planungswerkzeuge, Data Dictionaries, Text-, Graphik-, Kalkulations-Werkzeuge) stellen die vereinfachte Fortschreibbarkeit von SIP-Ergebnissen sicher.

Werden im Unternehmen für einzelne Teilbereiche SIPs durchgeführt, so ist besonders darauf zu achten, daß ein einheitlicher Einsatz der für das Unternehmen festgelegten Methoden und Werkzeuge erfolgt. Nur dies stellt die Integrierbarkeit in einen Unternehmensbebauungsplan sicher. Ein Methoden- und Werkzeug-Streit hilft hier wenig.

6.4 Offene Informationspolitik

Auftraggeber (Top Management) sowie sämtliche durch ein SIP-Projekt involvierte Mitarbeiter (insbesondere die mittlere Managementebene) sollten permanent über den Stand eines SIP-Projektes informiert werden. Dies sollte bereits mit einer Informationsveranstaltung vor Projektbeginn erfolgen, in der neben den Projekt-Zielen, den -Ergebnissen und der Vorgehensweise vor allem verdeutlicht werden muß, welcher Nutzen für jeden einzelnen, aber auch für den Untersuchungsbereich insgesamt erreicht werden kann. Solche Maßnahmen fördern die Bereitschaft einer konstruktiven Mitarbeit im Rahmen der durchzuführenden Interviews.

6.5 Flankierende Maßnahmen zur Schaffung einer Informationskultur

Eingangs wurde bereits auf einige gravierende Probleme einer im Unternehmen gewachsenen Informationsverarbeitung hingewiesen. Hierzu gehörten insbesondere die Probleme, die sich aus einer Informationsverarbeitung ergeben, die sich überwiegend an aufbauorganisatorisch festgelegten Funktionen ausrichtete.

Obwohl eine SIP dazu beiträgt, die Prozeßorientierung in den Vordergrund zu rücken, so wird sie alleine nicht ausreichen, im Unternehmen automatisch eine neue Informationskultur zu erzielen. Hier sind flankierende Maßnahmen zu definieren, die dazu beitragen, Änderungen im Denken und Handeln zu beschleunigen:

– Ausrichtung der Führungsaufgaben des Managements an den Geschäftsprozessen
– Einführung des »Total Quality Managements«-Gedanken sowie zugehöriger Maßnahmen
– Verankerung von Information als Produktionsfaktor
– Anpassung der Aufbau-/Ablauforganisation
– verstärkte Kundenorientierung bei der Bereitstellung von Informationssystemen
– zusätzliche kooperationsfördernde Maßnahmen

6.6 Projektmäßige Erstellung einer SIP

Die (erstmalige) Erstellung einer SIP kann in konsequenter Form nicht nebenbei zu den sonstigen Linienaufgaben im Laufe der Zeit »wachsen«. Es gilt vielmehr, diesen Prozeß als Projekt unter der Anwendung bewährter Projektprinzipien anzugehen. Hierzu gehören auf der Grundlage eines eindeutig interpretierbaren Projektauftrages:

1 Projektorganisation
  – Projektleitung
    Sollte von einem Manager des Untersuchungsbereiches übernommen werden
  – Projektteam
    ca. 3 – 5 Mitarbeiter aus dem Untersuchungsbereich
  – Methodenberater
    1 (ggf. externer) Mitarbeiter, der die konsequente Anwendung der einzusetzenden Methoden und Werkzeuge sicherstellt
  – Entscheidungs- und Abstimmungsgremium

  – eindeutige Zielsetzung/Aufgabenstellung für das Projekt

2 eindeutige Abgrenzung des Untersuchungsbereiches

3 klar definierte Ergebnisse (Ergebnis-Struktur) des Projektes (hierzu kann auch hilfreich sein, zu betonen, welche Ergebnisse das Projekt nicht liefert)

4 klar definierte Vorgehensweise; die einzelnen Aktivitäten müssen dabei in Abstimmung mit den zu erarbeitenden Ergebnissen festgelegt werden

5 Begrenzung der Projektlaufzeit auf maximal 6 – 8 Monate. Eine Ausdehnung des Projektes über diese Grenze hinaus birgt eine Reihe von Gefahren, z. B. Nachlassen der Motivation der Projektbeteiligten und der betroffenen Mitarbeiter des Untersuchungsbereiches, Nacharbeiten von betrieblichen Änderungen.

6.7   Institutionalisierung des Geschäftsprozesses SIP

Durch ein SIP-Projekt erfolgt die (Weiter-) Entwicklung eines Produktes »Gesamt-Bebauungsplan«. Wie jedes andere IV-Produkt unterliegt dieser Plan während seines Lebenszyklus permanent irgendwelchen Änderungen, die zu jeweils neuen Produkt-Releases führen. Hier ist durch das Management eine klare Produktverantwortung zu institutionalisieren, durch die folgende Kernaufgaben wahrgenommen werden müssen:

– Einbindung des Geschäftsprozesses SIP in die Ablauforganisation des Unternehmens (z. B. in das Projekt-, Antrags-/Auftrags-Verfahren, in das Gesamt-Planungsverfahren des Unternehmens, in das Berichtswesen, in das IV-Controlling)
– Überwachung der Umsetzung der im »Gesamt-Bebauungsplan« ausgewiesenen Maßnahmen
– releasemäßige Aktualisierung des »Gesamt-Bebauungsplans«
– konsequentes Herbeiführen von Management-Entscheidungen zur Umsetzung der geplanten Maßnahmen.

Eine aufbauorganisatorische Einordnung sollte möglichst nahe beim Top-Management des entsprechenden Geschäftsbereiches erfolgen. Dies kann z. B. eine eigene Stabsstelle »Informationsmanagement« sein. Eine Zusammenfassung mit einer Controlling-Einheit oder einer Unternehmensplanungs-Einheit können ebenfalls mögliche Alternativen darstellen.

Ein von einer derartigen Organisationseinheit ständig getriebener Geschäftsprozeß SIP trägt sicherlich in besonderem Maße zur Entwicklung/Stabilisierung einer erfolgreichen Informationskultur im Unternehmen bei, die ihrerseits wiederum einen wesentlichen Beitrag zum Unternehmenserfolg beisteuert.

TEIL VI

G. MÜLLER-ETTRICH

Pragmatische Überlegungen zur Werkzeugeinführung

1 Einleitung

1.1 Stand der Werkzeugeinführung

Die Automatisierung von Aktivitäten zur Softwareentwicklung wird heute vielfach unter dem Begriff »Computer Aided Software Engineering« zusammengefaßt und ist unter dem Schlagwort CASE zu einem der meistdiskutierten Themen der Datenverarbeitung geworden. Für Produkte zur Unterstützung der Automatisierung der Softwareentwicklung ist dabei eine Reihe von Synonymen, wie z.B. CASE-Tools, gebräuchlich. Im folgenden wird dafür überwiegend der Begriff »Werkzeug« verwendet. Damit soll ausgedrückt werden, daß nicht nur die Softwareentwicklung, sondern auch viele Teilgebiete der Informationsverarbeitung unterstützt werden sollen, die nicht direkt unter den Begriff der Softwareerstellung fallen.

Ein wichtiger Grund, heute eine Werkzeugeinführung in Erwägung zu ziehen, ist die Auswirkung der bereits in vielen Publikationen ausführlich beschriebenen Softwarekrise, die heute viele Unternehmen zwingt, einen Großteil ihrer besten Kräfte mit der Wartung von »Software-Altlasten« zu beschäftigen. Hier erhofft man sich von der Anschaffung von Werkzeugen zur Automatisierung der Softwareentwicklung zumindest eine Verbesserung der Qualität der damit erstellten Software. Ein Blick auf die Praxis des Werkzeugeinsatzes zeigt aber, daß gerade auf dem Gebiet der Unterstützung des gesamten Softwareentwicklungszyklus noch kein entscheidender Durchbruch erzielt werden konnte. Zwar steht ein solcher Einsatz im Mittelpunkt der Diskussionen mit Werkzeugvertreibern und im Mittelpunkt zahlreicher Kongresse, aber größere Erfolge wurden mit Werkzeugen eher auf Teilgebieten der Informationsverarbeitung, wie z.B. auf dem Gebiet der Erstellung von Datenmodellen bzw. Datenstrukturen von Unternehmensbereichen oder dem Re-Engineering von Datenbanken erzielt.

Verantwortliche, die sich heute ernsthaft mit dem Problem einer Werkzeugbeschaffung auseinandersetzen müssen, sehen sich – außer mit diesen Gegebenheiten – noch mit einer weiteren Vielzahl von Meinungen und Tatsachen konfrontiert :

– Viele Werkzeughersteller suggerieren, daß bei richtigem Einsatz ihrer Werkzeugfamilie (evtl. unter Einsatz von Standard-Modellen) über den ganzen Lebenszyklus der Systementwicklung der Erfolg nicht ausbleiben kann. Entsprechende Prognosen werden häufig durch erfolgreiche Beispiele aus der Praxis illustriert, bei denen der Werkzeugverantwortliche aber leider selten genügend detailliert nachprüfen kann, ob die beschriebene technische und organisatorische Umgebung mit dem bei ihm vorhandenen Umfeld vergleichbar ist. Auch die Ankündigungen der großen DV-Hersteller zum Werkzeugeinsatz – im Rahmen der von ihnen propagierten Software Entwicklungszyklen – gehen selten über einen visionären Status hinaus.

– Aufgrund einschlägiger Studien ergibt sich, daß die Investitionen in hochentwickelte Werkzeugfamilien nur dann zu einem Erfolg für ein Unternehmen werden, wenn dieses Unternehmen einen gewissen »Reifegrad« der Softwareentwicklung besitzt. Um diesen »Reifegrad« der Softwareentwicklung zu messen, wurde z.B. vom Software Engineering Institute (SEI) ein Modell mit fünf »Reifegraden« der Softwareentwicklung aufgestellt [HUM 91]. Ein Vergleich von 200 US-Firmen mit diesem Modell ergab, daß 80% davon auf niedrigstem »Reifegrad« der Softwareentwicklung arbeiten. Dies bedeutet, daß diese Firmen ohne feste Vorgehensmodelle arbeiten. Vorhandene Werkzeuge sind weder innerhalb eines Vorgehensmodells verankert, noch werden sie einheitlich verwendet. Werden hier Projekte trotz allem erfolgreich durchgeführt, ist dies ist in erster Linie dem aufopfernden Alleingang einzelner Projektgruppen und nicht dem Management oder der Organisation zu verdanken. Eine Einführung von Werkzeugen in einer solchen Umgebung kann nach obiger Studie erst dann erfolgversprechend sein, wenn es gelingt, diese Unternehmen auf einen höheren »Reifegrad« der Softwareentwicklung zu bringen.

– Erfolgreiche Anwender berichten von Werkzeugfamilien, daß ihre Erfolge ohne den intensiven Einsatz dieser Hilfsmittel nicht möglich gewesen wären. Dies betrifft primär den Einsatz von Werkzeugen auf Gebieten wie der Datenmodellierung und dem Re-Engineering von Datenbanken, aber auch vereinzelte Fälle gesamter Softwareentwicklungen. Es wird überzeugend dargelegt, daß viele dieser Aufgaben mit einer solchen Komplexität behaftet sind, daß sie ohne einen Werkzeugeinsatz nicht zu bewältigen sind.

– Eine weitere Herausforderung, der sich der Werkzeugverantwortliche heute stellen muß, sind grundsätzliche Bedenken von Verfechtern objektorientierter Methoden und Vorgehensweisen, die dem Einsatz der Mehrzahl der heute kommerziell vertriebenen Werkzeugfamilien deshalb skeptisch gegenüberstehen, weil diese im wesentlichen solche Methoden der Softwareerstellung unterstützen, die aus objektorientierter Sicht mit erheblichen Mängeln behaftet sind [SINZ 92]. Dies betrifft vor allem die »klassischen Methoden der Softwareerstellung«, die im Bereich Funktionsmodellierung die Strukturierte Analyse und im Bereich Datenmodellierung eine Variante der Entity-Relationship-Methode verwenden. Vielfach wird hier u.a. bemängelt, daß damit in der Praxis keine durchgängige Kopplung von Daten- und Funktionenmodell möglich ist. Beliebte Beispiele zur Untermauerung dieser These sind Softwareprojekte, bei denen eine Datenmodellierungsgruppe und eine Gruppe von Datenflußmodellierern unkoordiniert aneinander vorbeiarbeiten. Unabhängig davon, daß die mangelhafte Kopplung von Daten und Funktionen tatsächlich ein Schwachpunkt der klassischen Methoden ist, drängt sich aber bei diesen Beispielen häufig der Verdacht auf, daß diese Fehlschläge primär ein Ergebnis mangelhafter Projektkoordination sind. Außerdem muß festgestellt werden, daß weder Vorgehensweisen noch dazugehörige Werkzeuge objektorientierter Softwarearchitekturen bereits heute einen Entwicklungsstand erreicht haben, der ihren industriellen Einsatz als Unternehmensstandard für den gesamten Softwareentwicklungszyklus rechtfertigt. Die bisherigen, dem objektorientierten Paradigma verpflichteten Vorgehensweisen und Methoden behandeln meist erst Teilprobleme der Softwareentwicklung und stehen erst am Anfang der Entwicklung.

Insgesamt ergibt sich damit für den Werkzeugverantwortlichen folgende Situation:

Um sich in dieser Meinungs- und Erfahrungsvielfalt zur Anschaffung und zum Einsatz einer Werkzeugfamilie zur Verbesserung der Softwareerstellung zu entschließen, muß er pragmatische Entscheidungen fällen, die nicht in Anspruch nehmen können, vollständig abgesichert zu sein. Er muß einen Weg finden, um trotz einiger Unzulänglichkeiten heutiger Werkzeuge und Methoden damit seine Softwareentwicklung – zumindest in wichtigen Teilbereichen – verbessern zu können. Wichtig bei diesen Überlegungen und Entscheidungen ist, die wesentlichen Zusammenhänge zwischen Vorgehensweise(-modell), Methoden und Werkzeugen sowie die augenblicklichen Möglichkeiten der Unterstützung der Softwareentwicklung mit kommerziell vertriebenen Werkzeugen nicht aus den Augen zu verlieren.

1.2 Drei entscheidende Fragen der Softwareentwicklung

Naiv betrachtet, lassen sich die Tätigkeiten zur Erstellung von Software- und Informationssystemen um drei einfache Fragen gruppieren, die in der richtigen Reihenfolge beantwortet werden müssen :

– **Was ist zu tun?**
– **Wie ist etwas zu tun?**
– **Womit ist etwas zu tun?**

Bezieht man die erste Frage auf den gesamten Softwareentwicklungszyklus, so führt deren Beantwortung auf ein Vorgehensmodell zur Softwareentwicklung. In einem solchen Vorgehensmodell wird festgelegt, welche Tätigkeiten im Verlauf der Softwareentwicklung durchzuführen sind, welche Ergebnisse sich aus diesen Tätigkeiten ergeben und wie diese Ergebnisse aussehen müssen. Die erste Frage ist aber genauso für Teilgebiete der Informationsverarbeitung sinnvoll, wie z.B. für die Erstellung von Unternehmensdatenmodellen [MIS 92]. Auch hier kann kein Werkzeug sinnvoll eingesetzt werden, bevor nicht exakt geklärt ist, was zu tun ist.

Bei der Beantwortung der zweiten Frage nach dem »Wie« wird festgelegt, mit welchen Methoden die durch die Beantwortung der ersten Frage festgelegten Tätigkeiten durchzuführen sind. Hierbei muß man sich darüber im klaren sein, daß die heutigen kommerziell verfügbaren Werkzeuge überwiegend nur »klassische« Methoden unterstützen. Unter »klassischen« Methoden verstehen wir in der Literatur ausführlich dargestellte und in der heutigen Softwareentwicklung weitgehend anerkannte Methoden, wie z.B. die Entity-Relationship-Modellierung oder die Strukturierte Analyse.

Im Falle von Aufgaben wie der der Unternehmensdatenmodellierung müssen komplexe Methoden eingesetzt werden, die zur Zeit erst erarbeitet werden und die einfache Methoden, sogenannte Basistechniken, wie z.B. die Entity-Relationship-Modellierung, als Bestandteile enthalten.

Erst die Beantwortung der dritten Frage nach dem »Womit« führt zu dem uns hier primär interessierenden Thema: »Welche Anforderungen muß ich an Werkzeuge stellen, damit die Tätigkeiten zum Aufbau von Software- bzw. Informationssystemen mit den festgelegten Methoden durchgeführt werden können?«. Diese Anforderungen bilden die Grundlage für die Auswahl eines Werkzeugs bzw. einer Werkzeugfamilie.

Zur konkreten Auswahl eines Werkzeugs und dessen erfolgreichen Einsatz müssen freilich noch weitere technische und vor allem organisatorische Gesichtspunkte berücksichtigt werden. Die Einführung einer Werkzeug-familie für den gesamten Softwareentwicklungszyklus ist eine strategische Unternehmensentscheidung und entspricht einer Systemeinführung. Ein erfolgreicher Werkzeugeinsatz für den gesamten Softwareentwicklungs-zyklus tangiert nicht nur einzelne DV-Abteilungen, sondern betrifft das ganze Unternehmen. Die notwendige Infrastruktur hat meist großen perso-nellen, technischen und organisatorischen Aufwand zur Folge. Einer der wichtigsten Faktoren ist die organisatorische Einbindung des Werkzeug-einsatzes in die Unternehmensorganisation. Eine Voraussetzung für eine erfolgreiche Einbindung ist, neben der Managemententscheidung, eine effektive Einführungsstrategie [OVUM 91].

Vor der Beschreibung der Werkzeuganforderungen im Abschnitt »Werkzeug-anforderungen«, werden im Abschnitt »Vorgehensweise« einige Vorgehens-weisen und im Abscnitt »Methoden« dazugehörige Methoden aufgezeigt. Diese Darstellung soll die Erkenntnis vertiefen, daß ein Werkzeug zum Auf-bau von Software- bzw. Informationssystemen wesentlich in Abhängigkeit von den durchzuführenden Tätigkeiten und den dazugehörigen Methoden ausgewählt werden muß.

2 Vorgehensweise

2.1 Vorgehensweise für den gesamten Software-entwicklungszyklus

Die umfassendste Beantwortung der ersten Frage zur Softwareentwicklung »Was ist zu tun?« führt zur Erarbeitung einer Vorgehensweise für den gesamten Softwareentwicklungszyklus. Erst durch eine effektive Werkzeug-unterstützung der Tätigkeiten und Methoden der gesamten Softwareent-wicklung kann in vielen Unternehmen eine wirkliche Verbesserung der

Softwaresituation erreicht werden. Im Rahmen dieser Vorgehensweise ist festzulegen:

– welche Tätigkeiten in welcher Reihenfolge im Verlauf der Softwareentwicklung durchzuführen sind,
– zu welchen Ergebnissen diese Tätigkeiten führen müssen,
– welche Inhalte diese Ergebnisse haben müssen.

Eine Frage, die sich hierbei stellt, ist, ob sich ein universelles Vorgehensmodell für alle Softwareentwicklungsprojekte erarbeiten läßt oder ob für verschiedene Arten von Softwareentwicklungen verschiedene Vorgehensmodelle entwickelt werden müssen. Unbestritten bestehen z.B. zwischen den Anforderungen und der Abwicklung eines Softwareprojektes für Echtzeit-Systeme große Unterschiede gegenüber denen eines Softwareprojektes für kommerzielle Informationssysteme. In dieser Frage gibt es bezüglich einer Trennung in verschiedene Vorgehensmodelle keine einheitliche Meinung der Experten.

Die bisher in großen Firmen eingesetzten, bzw. von Software- und Beratungsfirmen angebotenen Vorgehensmodelle beziehen sich – von einigen wenigen Ausnahmen abgesehen – meist auf Projekte zum Aufbau kommerzieller Informationssysteme. Einige, zum Teil recht aufwendige Projekte zur Klassifizierung von Softwareprojekten, mit dem Ziel, für diese Klassen dedizierte Vorgehensmodelle und Methoden zu finden, wurden erfolglos abgebrochen [ERA 91].

Ein wichtiger Ansatz in Hinblick auf ein einheitliches Vorgehensmodell für Softwareprojekte verschiedenster Arten findet sich im Vorgehensmodell zum Software-Entwicklungsstandard der Bundeswehr [V-MOD 91]. Hier wurde ein universelles Vorgehensmodell (V-Modell) für Softwareprojekte entwickelt, das durch einen sogenannten »Tailoringprozeß« an die Gegebenheiten des jeweiligen konkreten Softwareprojektes angepaßt werden kann. Dieses Vorgehensmodell wurde bereits verbindlich eingeführt und bei verschiedensten Softwareprojekten erfolgreich eingesetzt.

Ein Kennzeichen dieses V-Modells ist die Integration der begleitenden Tätigkeiten der Softwareerstellung. Diese lassen sich mit den Tätigkeiten zur Softwareerstellung in vier Kategorien einteilen:

– Softwareerstellung
– Projektmanagement
– Qualitätssicherung
– Konfigurationsmanagement

Das folgende Bild aus [V-MOD 91] skizziert die Interaktion von Software-erstellung(SWE), Qualitätssicherung(QS), Konfigurations(KM)- und Projekt-management(PM).

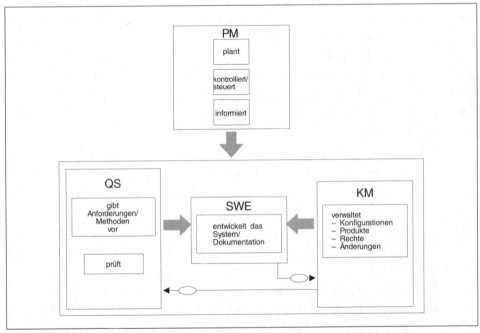

*Bild 6.1: Interaktion von Softwareerstellung, Qualitätssicherung,
Konfigurations- und Projektmanagement.*

Charakteristisch für zahlreiche, im kommerziellen Bereich eingesetzte Vor-gehensmodelle ist die Unterteilung der Tätigkeiten des Softwareentwick-lungsprozesses in einzelne Phasen. Die in einer Phase erarbeiteten Ergeb-nisse bilden die Arbeitsgrundlage für die nächste Phase. Zwischen den ein-zelnen Phasen war in der ursprünglichen Fassung von Boehm [BOE 86] keine Rückkopplung vorgesehen. Obwohl die Aufgliederung des Softwareent-wicklungsprozesses in Phasen nicht unproblematisch ist [WIB 91], kann doch ein Großteil der Tätigkeiten der Softwareentwicklung einer der Phasen Planung, Analyse, Design oder Erstellung zugeordnet werden. Die Einteilung des Softwareentwicklungsprozesses in Phasen kann damit als grobes Gliederungsschema für die Darstellung der Methodenunterstützung verwendet werden.

2.2 Vorgehensweise für Teilgebiete der Informationsverarbeitung

Neben Vorgehensweisen, die den gesamten Softwareentwicklungszyklus betreffen, sind für einen Werkzeugeinsatz viele Lösungsansätze von Bedeutung, die sich auf andere bzw. kleinere Gebiete der Informationsverarbeitung beziehen. Ein solches Teilgebiet ist z.B. der Datenbankentwurf.

Die Beschränkung des Werkzeugeinsatzes auf Teilgebiete der Informationsverarbeitung wird heute von Werkzeugvertreibern vielfach unterschätzt und es wird versäumt, diese Einzelaufgaben entsprechend zu unterstützen. So ist es z.B. für viele Unternehmen von großer ökonomischer Wichtigkeit, Daten wichtiger Unternehmensbereiche nebst ihren Beziehungen und genauen Bedeutungen zu erfassen und in verschiedenen »Verdichtungsstufen« zu präsentieren [MIS 92]. Dazu wird aber von den heutigen Werkzeugen noch wenig Unterstützung geboten. Dies gilt auch für das konzeptionelle Datendesign, zu dem erst wenige Werkzeughersteller effektive Hilfsmittel zur Überprüfung der Qualität des Datendesigns zur Verfügung stellen. Meist sind hier lediglich Hilfsmittel zur einfachen grafischen Darstellung eines Entity-Relationship-Diagramms und zur Dokumentation der darin enthaltenen Komponenten zu finden.

Beispiel (Datenbankentwurf)

Im folgenden soll anhand des Datenbankentwurfs das Zusammenspiel von Vorgehensweise, Methoden und Werkzeuganforderungen näher erläutert werden. Dazu werden im vorliegenden Kapitel zunächst die zum Datenbankentwurf notwendigen Aktivitäten und deren Ergebnisse skizziert. Im Abschnitt »Methoden für Teilgebiete der Informationsverarbeitung« wird dann dargestellt, mit welchen Methoden die Tätigkeiten durchgeführt werden können, und im Abschnitt »Unterstützung von Tätigkeiten und Methoden für Teilgebiete der Informationsverarbeitung« werden Leistungsanforderungen an die unterstützenden Werkzeuge aufgestellt. Das folgende

Bild 6.2 gibt einen Überblick über die Haupttätigkeiten beim Datenbankentwurf. Einzelheiten zum Datenbankentwurf finden sich z.B. in [BAT 91].

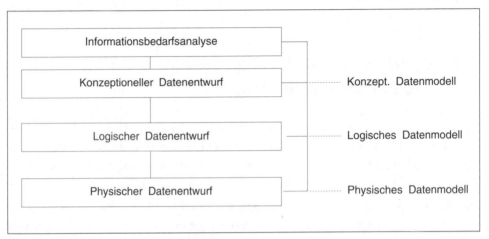

Bild 6.2: Datenbankentwurf

Insgesamt läßt sich der Datenbankentwurf als ein iterativer Vorgang mit vier Haupttätigkeiten darstellen. Für jede dieser Tätigkeiten lassen sich Methoden angeben, mit denen die Tätigkeiten durchgeführt werden können. Einige zum konzeptionellen Datenentwurf gehörenden Methoden werden im Abschnitt »Methoden für Teilgebiete der Informationsverarbeitung« näher erläutert.

3 Methoden

3.1 Methoden für den gesamten Softwareentwicklungszyklus

Methoden für den gesamten Softwareentwicklungszyklus müssen alle Tätigkeiten des Vorgehensmodells zur Softwareerstellung unterstützen. Die hierbei in den letzten Jahren überwiegend angewandten Methoden haben als Basisbestandteile meist schon länger bekannte und erprobte Basistechniken.

Basistechniken stellen elementare Techniken dar, die nicht sinnvoll auf andere Basistechniken reduziert werden können. Basistechniken sind die Elementarbestandteile von Methoden zur Entwicklung von Software- und Informationssystemen [BAL 91]. Eine dieser Basistechniken ist die aus dem Jahre 1976 stammende Entity-Relationship-Modellierung von Chen [CHEN 76]. Wie bereits in der Einleitung beschrieben, sind es überwiegend Methoden auf der Grundlage dieser klassischen Basistechniken, die von kommerziell verfügbaren Werkzeugfamilien unterstützt werden. Bei einem Wunsch nach Werkzeugunterstützung im Softwareentwicklungszyklus muß man sich daher heute im wesentlichen auf diese Methoden beschränken, wobei natürlich darauf zu achten ist, daß diese Methoden im Rahmen des Vorgehensmodells so ausgewählt werden, daß sie zueinander passen. Im folgenden werden einige wichtige Basistechniken zur Softwareentwicklung (allerdings ohne Berücksichtigung von Projektmanagement, Qualitätssicherung und Konfigurationsmanagement) aufgezählt. Hierbei werden, in Übereinstimmung mit der Literatur, für die Basistechniken zum Teil die Namen der Diagramme verwendet, durch die sie repräsentiert werden. Als Gliederungsprinzip werden die Namen der Phasen verwendet, denen diese Techniken schwerpunktmäßig zugeordnet werden können. Eine Beschreibung der Basistechniken findet sich z.B. in [MAR 87], [RAA 91].

Analyse

– ER Entity-Relationship-Methode zur Datenmodellierung
– DFD Datenflußdiagramm-Modellierung zur hierarchischen Zerlegung eines Systems in Prozesse, Datenflüsse und Datenspeicher sowie zur Festlegung der Schnittstellen zwischen Prozessen
– FKTD Funktionale Dekomposition zur baumartigen Zerlegung eines Funktionsbereiches
– ELH Entity Life History zur Analyse der Integritätsbedingungen im Lebenslauf einer Entität
– STD State Transition Diagramme zur Modellierung ablauforientierter Zeitabhängigkeiten
– PN Petri Netze für dynamische STD
– RTDFD Real-time DFD zur Modellierung von Real-time DFD-Abläufen

Entwurf (Design)

- LOGM Logische Datenmodellierung zur Erzeugung datenbankorientierter Datenstrukturen auf der Grundlage eines E/R-Modells
- DNAV Data Navigation Modellierung zur Analyse der Zugriffslogik auf die Datenmodelle
- SD Strukturiertes Design mit »Structure Charts« zur Darstellung einer Hierarchie von Programm-Modulen und deren Zusammenwirken
- PCODE Pseudocode (»Action Diagramme«) zum Entwurf von Programmstrukturen
- DIAL Dialog-Design Modellierung zum Entwurf eines Anwenderdialogs mit Bildschirmmasken

Erstellung

- Methoden zur Datenbankschema-Generierung
- Methoden zur Erzeugung von lauffähigen Programmen aus Pseudocode
- Methoden zur Unterstützung von Programmtests

Bei einer Zuordnung von Methoden zu einem Vorgehensmodell können jeder Tätigkeit des Vorgehensmodells Basistechniken bzw. Methoden, die aus Basistechniken zusammengesetzt sind, zugeordnet werden. Diese allgemeine Zuordnung muß dann, bei der Festlegung von Aktivitäten und zugehörigen Methoden für ein konkretes Projekt, präzisiert werden. Es ist z.B. nicht ausreichend zu fordern, daß im Projekt XY das konzeptionelle Datenmodell mit Hilfe einer ER-Modellierung erstellt werden soll. Es muß hier vielmehr analysiert und festgelegt werden, welche Variante der ER-Modellierung vom Fachproblem her für das spezielle Projekt zweckmäßig ist und welche detaillierten Zusatzforderungen die Methode aufgrund der fachlicher Anforderungen erfüllen muß. Als Hilfsmittel zu diesen Festlegungen sollte dem Benutzer eines Vorgehensmodells neben der allgemeinen Zuordnung von Tätigkeiten und Methoden ein Handbuch mit detaillierten Empfehlungen für den Methodeneinsatz in der jeweiligen Unternehmens-/Firmenpraxis gegeben werden. Hierin sind vor allem detaillierte Angaben zu den Schnittstellen und Übergängen zwischen Basistechniken bzw. Methoden wichtig. Ein Beispiel hierzu ist die bei einigen Projekten auftretende Forderung, daß von jedem Element der Datenflußmodellierung (Prozeß, Datenfluß, Datenspeicher) in jeder hierarchischen Verfeinerung eine automatische Kopplung zu Views der ER-Modelle möglich sein muß. Entsprechend detaillierte Angaben sind für eine effektive Werkzeugauswahl von großer Wichtigkeit. Bei einer Werkzeugauswahl nach einer zu pauschalen Festlegung der zu unterstützenden Methoden kann ein Unternehmen nach der Anschaffung eines Werkzeugs in die mißliche Lage kommen, z.B. die speziellen Formen der ER-Datenmodellierung bzw. Datenflußmodellierung anwenden zu müssen, die das ausgewählte Werkzeug offeriert – mit oft katastrophalen Folgen für alle Beteiligten.

3.2 Methoden für Teilgebiete der Informationsverarbeitung

Anhand des Beispiels des Datenbankentwurfs wird im folgenden veranschaulicht, welche Details bei der Auswahl einer Methode zum konzeptionellen Datenentwurf zu berücksichtigen sind.

Beim konzeptionellen Datenentwurf im Rahmen eines Datenbankentwurfs wird zunächst ein Datenmodell erstellt, das sich allein an den fachlichen Gegebenheiten und an der Sicht der Anwender orientiert. Ein solches Datenmodell wird konzeptionell genannt, weil es Aussagen über Bedeutung und Inhalt, nicht jedoch über die DV-technische Realisierung der Daten macht. Unter den Typen von konzeptionellen Datenmodellen dominiert in den letzten Jahren eindeutig das Entity-Relationship-Modell (ERM). Das ERM geht in seiner Ursprungsform auf Chen [CHEN 76] zurück und ist in dieser Form relativ einfach ausgestattet. Bei der Modellierung mit dem klassischen ERM zeigen sich einige Schwachstellen wie z.B. die Zwitterrolle von Entitätstyp und Beziehungtyp, mehrdeutige Angabe der Beziehungskomplexität usw. Es hat daher zahlreiche Versuche gegeben, das ERM zu verbessern. Wichtige Verbesserungsvorschläge hierzu finden sich in [SINZ 92]. Weiterhin sollte das ER-Modell auch einen einfachen Übergang in das Datenbankschema der im Unternehmen verwendeten Datenbanksysteme gestatten. Eine der ersten Tätigkeiten bei der Festlegung von Methoden zum konzeptionellen Datenentwurf ist daher, Anforderungen an ein Datenmodell zu stellen, so daß die anstehenden Datenmodellierungsaufgaben des Unternehmens effektiv durchgeführt werden können. Hierbei ist u.a. abzuwägen, ob das Schwergewicht bei der Auswahl des Datenmodells mehr auf eine leichte Erlernbarkeit und Verständlichkeit mit einfacher Grafik oder auf eine möglichst umfangreiche Erfassung wichtiger semantischer Faktoren gelegt werden soll. Im ersteren Fall ist u.U. die Akzeptanz im Fachbereich größer, mit dem Nachteil einer eventuellen später notwendigen Nacherfassung bzw. mit Problemen aufgrund einer zu ungenauen Modellierung. Nach Auswahl eines Datenmodells gilt es als nächstes, eine effiziente Methode zur Datenmodellierung zu finden. In der Praxis der Datenmodellierung haben sich heute weitgehend Varianten der »Top-down«-Methode durchgesetzt, bei denen Objekttypen (Entitätstypen) als Ausgangspunkt der Datenmodellierung dienen [MÜN 89]. Im Rahmen einer Datenanalyse werden die Attribute zu den Objekttypen und die Beziehungstypen zwischen den Objekttypen festgelegt. Eine Variante der »Top-down«-Methoden ist die SER-Modellierung [SINZ 92].

Die historisch ältesten Methoden zur Datenmodellierung sind Varianten der sogenannten »Bottom-up«-Methode, bei denen von Datenelementen bzw. Attributen ausgegangen wird, die der Speicherung von Einzelinformationen dienen. In einer Datenanalyse werden die Beziehungen zwischen den Attributen untersucht, so wie sie sich in Benutzersichten darstellen. Mit Hilfe eines Algorithmus lassen sich durch eine Synthese dieser Benutzersichten (normalisierte) Objekttypen (Entitätstypen) erstellen. Diese Methode wurde zuerst von J. Martin bekannt gemacht [MAR 90] und war Ausgangspunkt für die ersten Anforderungen nach maschineller Unterstützung der Datenmodellierung durch Softwarewerkzeuge. In der heutigen Praxis wird jedoch diese Variante der »Bottom-up«-Methode nur noch vereinzelt und meist zur Qualitätssicherung eingesetzt. Eine moderne Variante der »Bottom-up«-Methode stellt die »VIEW-Integration«-Methode dar. Hierbei werden mehrere ER-Teilmodelle in einer Synthese zu einem globalen ER-Modell zusammengefügt. Diese ER-Teilmodelle können dabei z.B. den Elementarfunktionen in einer funktionalen Dekomposition zugeordnet sein. Bei der Festlegung von Werkzeuganforderungen müssen hier auch Anforderungen an Konfliktlösungsstrategien z.B. bei widersprüchlichen Beziehungstypen innerhalb verschiedener ER-Teilmodelle gestellt werden.

Die Anforderungen an ein Datenmodell und an eine konkrete Datenmodellierungsmethode sind Ausgangspunkt für die Auswahl eines geeigneten Werkzeugs. Die Anforderungen an das Datenmodell und die Datenmodellierungsmethode müssen auf der Grundlage der Aktivitäten des Vorgehensmodells und der dazugehörigen Methoden des jeweiligen Unternehmens vorgenommen werden. Zur gezielten Werkzeugauswahl ist eine Detaillierung dieser Anforderungen aufgrund der speziellen Anforderungen und Erfahrungen an die Datenmodellierung von aktuellen und geplanten Projekten des Unternehmens durchzuführen.

4 Werkzeuganforderungen

4.1 Auswahl von Werkzeugen zur Unterstützung der Tätigkeiten und Methoden für den gesamten Softwareentwicklungszyklus

4.1.1 Gesichtspunkte zur Werkzeugauswahl

Eine Einführung einer Werkzeugfamilie für den gesamten Softwareentwicklungszyklus verlangt eine strategische Entscheidung. Damit stehen primär organisatorische Gesichtspunkte im Mittelpunkt. Ebenso können aber technische Gegebenheiten des Unternehmens eine große Rolle spielen, wenn es z.B. darum geht, die anzuschaffende Werkzeugfamilie mit bereits vorhandenen Werkzeugen zu integrieren. Eine auch nur einigermaßen systematische Abhandlung dieser organisatorisch-technischen Gesichtspunkte würde aber den Rahmen des vorliegenden Artikels bei weitem sprengen. Die Darstellung wird daher nur auf folgende Punkte näher eingehen:

– Unternehmens- bzw. firmenspezifische Anforderungen auf der Grundlage eines Vorgehensmodells (funktionale Anforderungen)
  Hier werden diejenigen Anforderungen betrachtet, die sich aufgrund des jeweiligen Vorgehensmodells und der dazugehörigen Methoden sowie deren Verfeinerung durch spezielle Anforderungen und Erfahrungen von aktuellen und geplanten Projekten ergeben.

– Allgemeine Anforderungen an die Werkzeugarchitektur und die Werkzeugfunktionen, unabhängig von Vorgehensmodell und Methoden
  Die allgemeinen Anforderungen ergeben sich im wesentlichen aus dem augenblicklichen allgemeinen hard- und softwaretechnischen Entwicklungsstand der Werkzeugarchitekturen, unabhängig von unternehmensspezifischen Vorgehensmodellen und Methoden.

– Leistungsmerkmale kommerziell verfügbarer Werkzeuge (Marktangebot)
  Anforderungen an Werkzeuge müssen, wenn sie der Auswahl verfügbarer Werkzeuge dienen sollen, auch die Leistungsmerkmale kommerziell verfügbarer Werkzeuge berücksichtigen. Ungeachtet dessen gibt es aber Projekte, bei denen Leistungsmerkmale von den Werkzeugen gefordert

werden, die vom Fachproblem her unverzichtbar sind, aber noch von keinem Werkzeug erfüllt werden. Beispiele hierfür gibt es insbesondere bei Problemen, zu deren Lösung keine »klassischen« Methoden eingesetzt werden können [MIS 92].

4.1.2 Vorgehen bei der Werkzeugauswahl

Unter Beachtung obiger Gesichtspunkte hat sich bei vielen praktischen Anwendungen die folgende Vorgehensweise zur Auswahl eines Werkzeugs bzw. einer Werkzeugfamilie bewährt:

– **Festlegung der organisatorisch-technischen Anforderungen**

Hier sind alle für ein Unternehmen/Projekt spezifischen organisatorisch-technischen Randbedingungen festzulegen.

– **Festlegung der funktionalen Anforderungen mit Hilfe einer Anforderungsliste**

Bei der Erstellung der Anforderungsliste müssen die drei vorher aufgeführten Gesichtspunkte berücksichtigt werden. Eine Anforderungsliste kann dann in folgenden Schritten aufgebaut werden.

Erstellung der Gliederung einer unternehmensspezifischen Anforderungsliste an Werkzeuge

Diese Gliederung muß Platzhalter für die allgemeinen Anforderungen, für Anforderungen aufgrund des Vorgehensmodells und der dazugehörigen Methoden des Unternehmens, sowie deren Verfeinerungen aufgrund projektspezifischer Erfahrungen, enthalten. Letztere Anforderungen sind zweckmäßigerweise nach den Abschnitten des jeweiligen Vorgehensmodells zu gliedern. Ein Beispiel einer Struktur einer Anforderungsliste findet sich im Abschnitt »Struktur einer Anforderungsliste für die Werkzeugauswahl zur Unterstützung des gesamten Softwareerstellungszyklus«. Hier wird angenommen, daß das entsprechende Vorgehensmodell die Phasen Planung/ Analyse/Entwurf/Erstellung umfaßt.

Füllen der Gliederung der Anforderungsliste mit konkreten Anforderungen. Bei der Formulierung der Anforderungen sind folgende Punkte zu beachten:

• Es müssen möglichst alle, in der Praxis der aktuellen und geplanten Softwareprojekte des Unternehmens wichtigen, Leistungsanforderungen an Werkzeuge abgedeckt werden.

- Die Anforderungen müssen, bis auf unverzichtbare Ausnahmefälle, so gestellt werden, daß sie von kommerziell verfügbaren Werkzeugen erfüllt werden können.

- Die Anforderungen müssen in einem angemessenen Detaillierungsgrad spezifiziert werden. Es ist wenig nützlich, zu globale Anforderungen, wie z.B. »es muß ER-Modellierung möglich sein«, oder zu detaillierte Anforderungen, wie z.B. »der Zoombereich für ER-Diagramme muß 5% bis 255% betragen«, zu fordern.

Eine effektive Formulierung der Anforderungen gehört zu den schwierigsten Aufgaben der Werkzeugauswahl. Bisherige Erfahrungen in der Praxis haben gezeigt, daß diese Formulierung am erfolgreichsten von erfahrenen Softwareingenieuren des Unternehmens vorgenommen werden kann. Diese müssen neben detaillierten Kenntnissen der Leistungen kommerziell verfügbarer Werkzeuge zumindest einen Großteil der Projektlandschaft des Unternehmens kennen. Um jedoch die gesamte aktuelle und zukünftige Projektlandschaft genügend detailliert analysieren zu können, benötigen sie die Hilfe aller organisatorischer Einheiten des Unternehmens, die Projekte durchgeführt haben, durchführen bzw. durchzuführen planen. Dazu ist unverzichtbar, den/die Softwareingenieure mit den für die entsprechende Untersuchungen notwendigen Kompetenzen auszustatten. In der Praxis ist es häufig von Vorteil, externe Berater mit der Formulierung der Anforderungen zu beauftragen, da damit u. a. in vielen Fällen eine größere Akzeptanz der Ergebnisse erzielt werden kann.

Zur Formulierung der allgemeinen Anforderungen genügen Kenntnisse des neuesten Standes der Hard- und Softwaretechnik bei kommerziell verfügbaren Werkzeugfamilien.

Im Abschnitt »Struktur einer Anforderungsliste für die Werkzeugauswahl zur Unterstützung des gesamten Softwareerstellungszyklus« wird an einem Beispiel gezeigt, wie Formulierungen von Anforderungen aussehen können.

- **Abgleich der Anforderungsliste mit den Leistungsfaktoren kommerziell verfügbarer Werkzeuge**

  Zum Abgleich der Anforderungsliste mit den Leistungsfaktoren kommerziell verfügbarer Werkzeuge müssen die relevanten Leistungsfaktoren der Werkzeuge getestet werden. Dies kann z.B. im Rahmen einer Testinstallation im Unternehmen anhand projektspezifischer Fallstudien erfolgen. Hierbei kann u.a. auch eine erste Vorstellung darüber gewonnen werden, ob das für die Akzeptanz wichtige Präsentationslayout (»Look«) und die

Dialogsteuerung (»Feel«) des Werkzeugs den Erwartungen der Entwickler entsprechen. Ein Abgleich mit Hilfe von Papierinformationen des Werkzeugvertreibers ist meist, wegen der Allgemeinheit dieser Darstellungen, sehr begrenzt hilfreich. Ein reines Studium der detaillierten Handbücher des Werkzeugs ist – soweit diese überhaupt ohne Installation erhältlich sind – eine zu aufwendige und unsichere Methode, um Leistungsmerkmale eines Werkzeugs kennenzulernen.

– **Auswahl der organisatorische-technischen und funktional geeigneten Werkzeuge**
Hier sind kommerziell verfügbare Werkzeuge auszuwählen, die sowohl die technisch-organisatorischen als auch die funktionalen Anforderungen erfüllen.

– **Kaufmännische und vertragstechnische Überprüfung der Angebote der in Frage kommenden Werkzeuge**
Hier ist von den in die engere Wahl gezogenen Werkzeugen nicht nur der finanzielle Rahmen zu prüfen, sondern es sind auch die Bedingungen für Wartung, Beratung (Hot-line) und Ausbildung zu untersuchen. Eine wichtige, gemeinsam von kaufmännischer und softwaretechnischer Seite durchzuführende Aufgabe ist auch die Durchführung einer Aufwandsabschätzung bei einem Wechsel der Werkzeugfamilie.

Andere Vorgehensweisen zur Werkzeugauswahl

Eine auf den ersten Blick ähnliche, häufig praktizierte Vorgehensweise zur Auswahl einer Werkzeugfamilie ist folgende: Zuerst wird ein allgemeiner Kriterienkatalog mit Leistungsfaktoren marktgängiger Werkzeuge erstellt bzw. übernommen. Die Liste ist zunächst völlig unabhängig von dem in der Firma eingeführten Vorgehensmodell und den dazugehörigen Methoden. Danach wird ein vom Unternehmen bestimmter Verantwortlicher beauftragt, aus dieser Liste die für sein Unternehmen wichtigen Anforderungen auszuwählen und sie nach der Bedeutung für das Unternehmen zu gewichten. Die Werkzeuge mit der besten Bewertung nach diesen gewichteten Anforderungen werden anschließend, vor der endgültigen Entscheidung, einer kaufmännischen bzw. vertragstechnischen Überprüfung unterzogen.

Der wesentliche Unterschied zu der vorher empfohlenen Methode zur Werkzeugauswahl ist die Verwendung einer »vorfabrizierten Liste« von Anforderungen, anstelle der Erstellung der Anforderungen durch einen Softwareingenieur des Unternehmens bzw. einen externen Berater. Diese auf den ersten Blick plausibel aussehende Vorgehensweise hat in der praktischen Durchführung mehrere Mängel. Einmal haben die übernommenen Listen selten einen fachlichen Detaillierungsgrad bzw. eine fachlich korrekte Darstellung, die für die Formulierung der Anforderungen zur Unterstützung praktisch wichtiger Aktivitäten des Vorgehensmodells und der zugehörigen Methoden ausreicht. So ist z.B. in keiner der mir bekannten »fertigen« Listen eine »vorfabrizierte« Anforderung darüber enthalten, welchen der Elemente der Datenflußmodellierung (Prozesse, Datenspeicher, Datenflüsse) ein View, d.h. ein E/R-Teilmodell, zugeordnet werden muß. Damit können aber keine gezielten und genügend detaillierten Anforderungen an Werkzeuge formuliert werden.

Die Methode mit Verwendung dieser vorfabrizierten Listen ist nicht zuletzt deshalb so beliebt, weil der Auswahlprozeß für ein Werkzeug vermeintlich ohne DV-Fachkenntnisse über das Werkzeug abgewickelt werden kann. Die technischen Möglichkeiten der Werkzeuge sind vermeintlicher Bestandteil der Liste. Die Verantwortlichen für die Auswahl eines Werkzeugs nach dieser Methode haben daher häufig auch wenig Erfahrung auf dem Gebiet des Werkzeugeinsatzes und legen mit einer solchen Liste häufig mehr oder minder allgemeine »Wald- und Wiesenanforderungen« fest.

Der hauptsächliche Nutzen guter, detailliert vorgefertigter Listen besteht meiner Erfahrung nach darin, daß sie dem Werkzeugverantwortlichen als Hilfsmittel zum ersten Abgleich und zur Qualitätssicherung seiner eigenen Anforderungsliste dienen kann. Weiterhin wird aufgrund einer allgemeinen gut strukturierten Liste die Erstellung der unternehmensspezifischen Anforderungsliste erleichtert und auf einige Probleme aufmerksam gemacht, die bei der Analyse der Anforderungen zu beachten sind. Dies soll im nächsten Abschnitt am Beispiel festzulegender Anforderungen an Werkzeuge zur Datenmodellierung veranschaulicht werden.

4.2 Auswahl von Werkzeugen zur Unterstützung von Tätigkeiten und Methoden für Teilgebiete der Informationsverarbeitung

Die folgende Liste ist ein vereinfachtes Beispiel für die Strukturierung von Anforderungen an Werkzeuge zur Datenmodellierung. Die hierbei noch detailliert zu formulierenden Anforderungen sind unternehmensspezifisch aufgrund des jeweiligen Vorgehensmodells, den dazugehörigen Methoden und den projektspezifischen Gesichtspunkten festzulegen. Bei der Formulierung sind die technischen Fähigkeiten der kommerziellen Werkzeuge zu beachten. Zu Definitionen der Fachbegriffe siehe [SINZ 92], [LEF 91].

1. ER-Diagramm
1.1 Darstellung der Grundsymbole der ER-Modellierung
   - Entitätstyp
   - Beziehungstyp (Kardinalitäten)
   - Attributtyp (Schlüsselattribut)
   - Sub-/Supertyp

1.2 Darstellung in einer der folgenden Notationen
   - Chen
   - Bachman
   - SERM
   - Sonstige

1.3 Beziehungstypen
   - Art der Start-/Zielknoten (Entitätstypen, Beziehungstypen)
   - Binär/Multiple Beziehungstypen
   - Rekursive Beziehungstypen
   - Semantisch verschiedene Beziehungstypen zwischen gleichen Entitäts/Beziehungstypen (Rollen)
   - Attribute zu Beziehungstypen
   - Kardinalität der Beziehungen (0,1,mehrere)
   - Platzhalter für Kardinalitäten (»?«)
   - Abhängigkeiten zwischen Beziehungstypen
   - Sonstige geforderte Eigenschaften von Beziehungstypen ("Controlling", "Mandatory", "Ordered Set" vgl. [LEF 91])

1.4 Attribute

1.5 Darstellung von Verdichtungsstufen[MIS 92]

2. Anforderungen an Validierung und Integration des Datenmodells

  – Routinen zur Validierung des Datenmodells

  – Möglichkeiten zur Formulierung und Überprüfung
    von Integritätsbedingungen

  – Möglichkeiten zur Formulierung, Darstellung und Überprüfung
    von Existenzabhängigkeiten

  – Möglichkeiten zur Integration von Teildatenmodellen

  – Konfliktlösungsstrategien beim Aufbau eines Datenmodells

Routinen zur Validierung konzeptioneller Datenmodelle sind heute noch ein Stiefkind der Werkzeughersteller. Im allgemeinen werden nur Validierungsroutinen für einfachste Überprüfungen geliefert. So läßt sich z.B. nachprüfen, ob eine Entität ohne Attribute definiert wurde, oder ob Einzelelemente nicht dokumentiert sind. Viele dieser Regeln sind sicherlich bei großen Datenmodellen wichtig zur Überprüfung auf einfache Unterlassungen. Wichtiger ist jedoch die Überprüfung auf Einhaltung substantieller Designregeln, die von DB-Experten intern abgelegt werden können. Zweckmäßig ist hierbei auch die Möglichkeit, die Überprüfung in verschiedenen Detailstufen durchführen zu können. Als Ergebnis können sich dann mehr oder minder ausführliche Analysen des Datendesigns ergeben. Eine weitere wünschenswerte Einrichtung zur Validierung sind Regeln, die sich auf die Basiselemente der ER-Modellierung beziehen. Hier kann z.B. bezüglich der Entitäten abgefragt werden, ob und an welchen Stellen sich eine Subtypenbildung empfiehlt, ob und wo in Entitäten Fremdschlüssel zu finden sind, ob eine Normalisierung stattgefunden hat. Besonders vorteilhaft ist, wenn das Werkzeug für jedes Basiselement, also Entitätstyp, Attribut, Beziehungstyp, Schlüssel, Wertebereich usw. eine Liste mit Regeln enthält, deren Überprüfung der Datendesigner durch Kennzeichnung über eine Validierungsliste verlangen kann.

3. Zu unterstützende Datendesignmethoden

3.1 Top-down Methoden

3.2 Bottom-up Methoden

3.3 Abgleich Top-down und Bottom-up

3.4 Konfliktlösungsstrategien

Diese Anforderungen an die unterstützten Designmethoden müssen detailliert werden. Hier genügt es nicht, z.B. zu fordern, daß »Top-down«-Modellierung unterstützt werden muß. Es sind vielmehr Details der zu unterstützenden »Top-

down«-Methode zu fordern, wie z.B. die Notwendigkeit Existenzabhängigkeiten formulieren und visualisieren zu können. Weiterhin ist es auch notwendig, sich darüber klar zu werden, auf welche Art Konflikte gelöst werden sollten, die durch widersprüchliche Eingaben erzeugt werden können. Solche Konflikte werden von verschiedenen Werkzeugen sehr unterschiedlich »gelöst«. Treten z.B. bei der View-Integration, d.h. bei der automatischen Integration von ER-Teilmodellen Konflikte aufgrund nicht vereinbarer Beziehungstypen auf, so »lösen« dies einige Werkzeuge nach dem Grundsatz: »Wer zuerst kommt, mahlt zuerst«, d.h. sie halten die zuerst eingegebene Beziehungsmenge für richtig und verwerfen die andere (bestenfalls mit Protokollierung!). Andere Werkzeuge hingegen verlangen vor der weiteren Verarbeitung erst eine Entscheidung des Benutzers.

4.3 Struktur einer Anforderungsliste für die Werkzeugauswahl zur Unterstützung des gesamten Softwareerstellungszyklus

Im Abschnitt »Auswahl von Werkzeugen zur Unterstützung der Tätigkeiten und Methoden für den gesamten Softwareentwicklungszyklus« wurde ausgeführt, daß eine effektive Werkzeugauswahl sich primär an den Aktivitäten des Vorgehensmodells und der dazugehörigen Methoden orientieren muß. Eine weitere wichtige Rolle spielt hierbei das aktuelle und zukünftige Projektprofil des Unternehmens, mit dem viele Anforderungen erst so detailliert festgelegt werden können, wie dies für eine effektive Werkzeugauswahl notwendig ist. Alle Anforderungen finden ihren Niederschlag in einer Anforderungsliste, bei deren Erstellung die in Abschnitt 4.1 formulierten allgemeinen Richtlinien beachtet werden müssen.

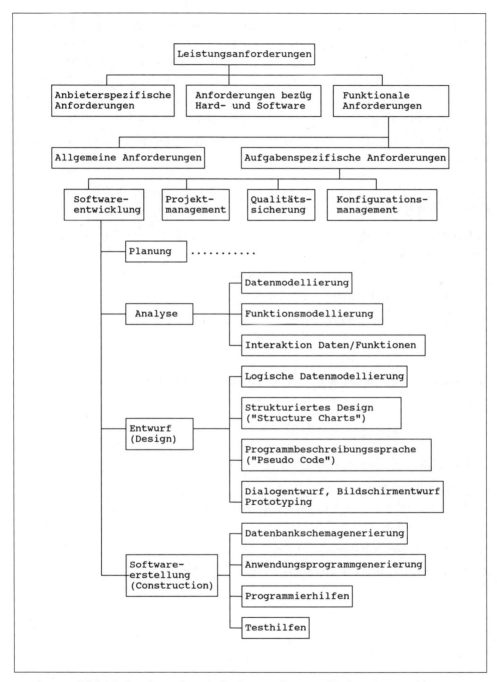

Bild 6.3: Struktur einer Anforderungsliste zur Werkzeugauswahl

Bild 6.3 stellt ein vereinfachtes Schema für eine derartige Anforderungsliste an Werkzeuge zur Unterstützung des gesamten Softwareentwicklungszyklus dar. Das Schema ist primär zur Werkzeugunterstützung beim Aufbau kommerzieller Informationssysteme gedacht. Der Einfachheit halber wird angenommen, daß sich die Tätigkeiten des Softwareentwicklungszyklus in die Abschnitte Planung, Analyse, Entwurf und Erstellung gliedern lassen.

Im folgenden werden einige wichtige Anforderungen aus Bild 6.3 näher erläutert.

Zu: »Anbieterspezifische Anforderungen«

Anforderungen bezüglich des Anbieters lassen sich unter folgenden Punkten zusammenfassen:

1. Präsenz und Kompetenz des Vertreibers
2. Wartung, Kundenbetreuung (Hotline?)
3. Wirtschafliche Lage des Anbieters (Kooperation mit anderen Firmen)
4. Zahl und Erfolg der Installationen

Zu: »Anforderungen bezüglich Hard- und Softwarearchitektur«

1. Hardwarearchitektur
    -   »Standalone PC« mit Repository
    -   LAN (Local area network) mit PCs und Repository auf Server
    -   Host-Rechner und PCs mit zentralem Repository auf Host
2. Softwarearchitektur
    -   (zentrales Repository, dezentrale Repositories mit Integrations-möglichkeiten)
3. Softwarezielumgebung
4. Import-/Exportschnittstellen

Zu: »Allgemeine Anforderungen« bei »Funktionale Anforderungen«

1. Grafische Eingabe und Repository

    – Diagramme für alle wichtigen Eingaben
    Dem Benutzer müssen zur Unterstützung aller Aktivitäten und
    Methoden Diagramme zur Benutzung über Terminals zur Verfügung
    stehen.

    – Zentrales Repository
    Es muß ein zentrales Repository zur Verfügung stehen, in dem alle
    eingegebenen und erzeugten Informationen zusammengeführt wer-
    den und auf Integrität, Konsistenz und Vollständigkeit überprüft
    werden. Es werden keine Grafiken, sondern objektbezogene Infor-
    mationen abgespeichert.

    – Konsistenz von Grafik mit Information in zentralem Repository
    Die Konsistenz von Grafik mit Informationen im zentralen Repository
    erfordert, daß stets ein automatischer Abgleich zwischen Graphik
    und Repositoryeinträgen sichergestellt ist. Das bedeutet, daß z.B.
    Einträge mit einem ER-Editor in einem ER-Diagramm stets ent-
    sprechende Einträge im zentralen Repository nach sich ziehen müs-
    sen und umgekehrt. Diese Anforderungen erfordern ein Werkzeug,
    das nicht die Graphiken, die zur Darstellung der Methoden dienen,
    wie z.B. ER-Diagramme zur Darstellung der ER-Modelle abspeichert,
    sondern die in diesen Graphiken enthaltenen Informationen. Die Ab-
    speicherung muß grundsätzlich im zentralen Repository erfolgen.

2. Konsistenz der Einzelmodule einer Werkzeugfamilie

    Besteht eine Werkzeugfamilie aus mehreren sich methodisch ergänzen-
    den Modulen, so müssen die Ergebnisse des eines Moduls unmittelbar
    als Eingabe des nächsten Moduls verwendet werden können.

3. Einheitliche Mensch-Computer-Schnittstelle

    Eine einheitliche Benutzerschnittstelle ist für die Akzeptanz eines
    Werkzeuges von großer Wichtigkeit. Dazu gehört

    – daß die Informationsdarstellung und das Informationshandling auf
      dem Bildschirm bei allen Diagrammen und sonstigen Bildschirmein-
      und ausgaben einheitlich ist
    – daß die Dialogführung einheitlich ist
    – daß alle Funktionstastenbelegungen gleich sind

4. Benutzeroberfläche

 – Einhaltung eines Oberflächenstandards (z.B. SAA/CUA)
 – Konsistenz bei allen Bildschirmeingabe-/Ausgabemasken (gleiches Layout, gleiche Funktionstastenbelegung, gleiche Bedienung)
 – Mehrere Masken/Fenster parallel
 – Gute Grafikqualität
   In neuerer Zeit kommt sogenannten »User Interface Management Systemen« (UIMS) eine immer größere Bedeutung zu. Diese Systeme haben zum Ziel, eine optimale Unterstützung für die Entwicklung grafischer Benutzerschnittstellen zur Verfügung zu stellen. Hauptkomponenten einer UIMS sind eine Dialogbeschreibungssprache, Editoren für die Entwicklung sowohl der Präsentation als auch der Dialogsteuerung sowie ein Simulator zum Test der Benutzerschnittstellen. Anforderungen an ein UIMS hängen von Aktivitäten im Vorgehensmodell und dem speziellen Hard- und Softwareumfeld des Unternehmens ab.

5. Benutzerfreundlichkeit

 – Menügestaltung
 – Dialoggestaltung
 – Anpaßbarkeit
 – Hilfefunktion
 – Diagrammbehandlung
 – Maus, Funktionstasten
 – Pull-down-Menü
 – Diagrammeditor
 – Aufbau von Elementen, Symbolen
 – Kennzeichnen, Verschieben von Elementen, Symbolen,
 – Symbolgruppen
 – Verbinden von Elementen, Symbolen
 – Funktionaler Einsatz von Farbe
 – Zoomfunktion (selektiv)
 – Freitexteinfügungen in Grafik
 – Schriftauswahl, Schriftgröße
 – Verschiedene Größen von Symbolen gleicher Art
 – Verschieben von selektierten Symbolgruppen
 – Layoutoptimierer
 – Dokumentation von Elementen der Diagramme

6. Benutzerdokumentation

7. Fehlerbehandlung

   – Falsche Eingaben werden mit Meldung abgewiesen
   – deutliche Fehlermeldungen, aussagekräftige Fehlerdiagnosen
   – UNDO/REDO-Funktion (Stornierung/Wiedererstellung eines alten Zustands einer bestimmten Stufe)
   – Backup-Funktion
   – Bestätigungsanforderung an den Benutzer bei schwerwiegenden Aktionen
   – Hot-Line
   – Zentrale, abfragbare Fehlerdatei beim Vertreiber

8. Datenschutz und Datensicherheit

9. Antwortzeitverhalten

10. Einführungsunterstützung

Zu : »Interaktion Daten/Funktionen« innerhalb der »Analyse«

1. Interaktion Datenflußdiagramm (DFD) und E/R-Diagramm

   – Zuordnung View (ER-Teildiagramm) zu Datenspeicher in DFD
   – Zuordnung View zu jedem Prozeß in DFD (auch innerhalb
   – der hierarchischen DFD-Verfeinerung)
   – Zuordnung View zu jedem Datenfluß in DFD (auch innerhalb der
   – hierarchischen DFD-Verfeinerung)
   – Integration von Views eines DFDs zu einem Gesamtmodell

   Eine große Anzahl kommerziell verfügbarer Werkzeuge gestattet lediglich eine Zuordnung von Views zu Datenspeichern, nicht aber zu den anderen Elementen der DFDs. Dies ist aber zur Unterstützung einer großen Zahl von Methoden zur Softwareentwicklung ungenügend. In allen Fällen, bei denen die Minimierung der Schnittstellen zwischen Funktionen (Prozessen) exakt erfaßt werden soll, ist es notwendig, auch den Datenflüssen zwischen den Prozessen Views zuzuordnen, und zwar auf jeder Ebene der hierarchischen Verfeinerung der DFDs.

   Einige Methoden der Softwareentwicklung erhalten die ersten Datenmodelle durch Zuordnung von Views zu Prozessen einer niederen hierarchischen DFD-Ebene und anschließender automatischer Integration dieser Views zu einem Gesamtmodell. In diesen Fällen muß ein unterstützendes Werkzeug die automatische Integration solcher Views unterstützen.

2. Interaktion Funktionsdekompositionsdiagramm (FD) und E/R-Diagramm

   – Zuordnung von Views zu Funktionen in FD
   – Integration von Views eines FD zu einem Gesamtmodell

3. Interaktion Funktionsdekompositions- und Datenflußdiagramm

   Funktionsdekompositionsdiagramme zerlegen einen Funktionsbereich baumartig in kleinere Funktionseinheiten. Es werden hier jedoch keine Schnittstellen zwischen den Funktionseinheiten einer Ebene dargestellt. Bei der baumartigen Zerlegung müssen aber Schnittstellen deshalb berücksichtigt werden, weil die entstehenden feineren Funktionseinheiten (Prozesse) einer jeden Ebene möglichst autark sein sollen, d.h. wenig Schnittstellen miteinander haben sollen. Dies kann dadurch überprüft werden, indem die Prozesse einer Ebene des Funktionsdiagramms in eine Ebene der Datenflußdiagramme abgebildet werden. Über die Datenflußdiagrammen können dann Schnittstellen zwischen Funktionen einer Ebene bestimmt werden. Ein Datenflußdiagramm stellt einen horizontalen Schnitt durch eine Ebene der Funktionsstruktur eines Funktionsdiagramms dar.
   Eine wichtige Anforderung an ein Werkzeug ist hier, daß es eine automatische Kopplung zwischen Datenfluß und Funktionsdekomposition unterstützt. Werden z.B. Prozesse im Datenflußdiagramm geändert, müssen diese automatisch auch im Funktionsdekompositionsdiagramm geändert werden.

4.4 Werkzeugarchitektur

Größere und mittlere Unternehmen besitzen für verschiedene Problemlösungen verschiedene Werkzeuge bzw. Werkzeugfamilien. Dies hat häufig seine Ursache darin, daß ein Werkzeug allein die Aufgaben der Softwareentwicklung nicht lösen kann. Diese Werkzeugfamilien stellen meist in sich geschlossene zueinander inkompatible Softwareprodukte dar. Der ökonomische Einsatz von Werkzeugen erfordert aber eine Integration aller ausgewählten Werkzeuge in eine Softwareproduktionsumgebung.

Die Bemühungen, die heute häufig anzutreffenden »Turm von Babel«-Werkzeug-Architekturen zu überwinden, hat zu zahlreichen Standardisierungsbemühungen großer Firmen geführt wie z.B den Repository-Schnittstellen im AD/Cycle-Konzept der Firma IBM [LEF 91], der ATIS-Schnittstelle des CDD/Repository im COHESION-Konzept der Firma DEC [DEC 91] bzw. dem SoftBench Produkt der Firma Hewlett-Packard [BEN 91].

Auch internationale Standardisierungskommissionen haben sich des Problems einer einheitlichen Werkzeugarchitektur angenommen. Die internationalen Standards haben das Ziel, Schnittstellen zur Gewährleistung der Portabilität von Werkzeugen auf unterschiedlichen Plattformen und zur Gewährleistung der Integrierbarkeit der Werkzeuge untereinander zu definieren.

Einschlägigen Standardisierungsprojekte hierzu sind:

- PCTE (Portable Common Tools Environment) und PCTE+ [THO 89]
- IRDS (Information Resource Dictionary System) [IRDS 89]
- CDIF (CASE Data Interchange Format) [CDIF 91]
- CIS/ATIS (CASE Integration Services), Standardisierungsvorschlag [ATIS 90]
- ECMA/NIST-Referenz Modell [ECMA 91]

Dem letzteren Werkzeug-Architekturmodell, in der von der European Computer Manufacturers Association (ECMA) und dem National Institute of Standards and Technology (NIST) gemeinsam veröffentlichten Version [ECMA 91], kommt eine besondere Bedeutung zu. Während viele Standardisierungsansätze nur Teilaspekte eines Werkzeug-Architekturmodells abdecken, kann das ECMA/NIST-Referenz Modell – im folgenden kurz ECMA RM genannt – dazu benutzt werden, um:

- die allgemeinen Leistungen (Frameworks) zu charakterisieren und einzuordnen, die von einer Softwareentwicklungsumgebung angeboten werden sollten

- Standards und kommerzielle Werkzeuge richtig einzuordnen

- die drei wichtigen Aspekte zur Integration von verschiedenen Werkzeugfamilien herauszuarbeiten, nämlich:
  Datenintegration
  Kontrollflußintegration
  Einheitliche Benutzeroberfläche (Presentation Integration)

Die folgende Abbildung zeigt das ECMA-Modell in der Version von [ECMA 91].

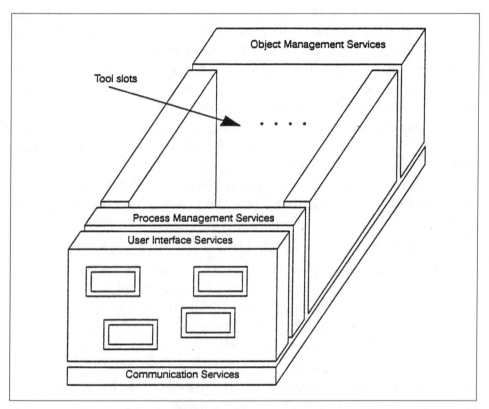

Bild 6.4: Das ECMA-Modell

Das ECMA RM unterscheidet zwischen:

– dem Framework als einer Menge allgemeiner Dienstleistungen (»Framework Services«) und
– den Tools, als einer Menge von Dienstleistungen (»Tool Services«) zur Erstellung von Software, denen dazu die allgemeinen Dienstleistungen des »Frameworks« zur Verfügung stehen.

Im ECMA RM wird keine vollständige Softwareentwicklungsumgebung beschrieben, sondern es werden nur die »Framework Services« spezifiziert. Es wird aber über die »Tool Slots« gezeigt, wo diese nicht näher beschriebenen »Tool Services« einzuordnen sind. Datenintegration, Integration von

Steuerinformation und einheitliche Benutzeroberfläche werden im ECMA RM wie folgt berücksichtigt:

Datenintegration

Diese wird im ECMA RM über den Leistungskomplex »Object Management Services« erreicht. Hierin sind entsprechende Anforderungen an Datenintegration im Sinne moderner Repository Konzepte, sowie der dazugehörigen Dienstleistungen enthalten.

Integration von Steuerinformationen (Control Integration)

Die Integration von Steuerinformationen betrifft die Koordinierung zwischen verschiedenen Werkzeugen. Diese können sich damit über das Eintreten bestimmter Ereignisse verständigen, bzw. sich gegenseitig zur Erledigung bestimmter Aufgaben anstoßen. Die Integration von Steuerinformation wird im ECMA RM über die Leistungskomplexe »Process Management Services « und »Communication Services« erreicht.

Einheitliche Benutzeroberfläche (Presentation Integration)

Die Anforderungen an eine einheitliche Benutzeroberfläche werden im ECMA RM im Leistungskomplex »User Interface Services« spezifiziert.

Die Kenntnis des Aufbaus des ECMA RM ist u.a. deshalb von praktischer Bedeutung, weil es inzwischen großen DV-Herstellern als Muster für integrierende Werkzeugarchitekturen dient [BEN 91], und US-Regierungseinrichtungen als Richtlinie beim Ankauf kommerziell erhältlicher Werkzeuge dienen soll. Im Augenblick befindet sich das ECMA RM jedoch noch auf einem relativ hohen Abstraktionsniveau und enthält zu wichtigen Themen wie Repository und Benutzerschnittstelle lediglich Richtlinien aber noch keine detaillierten Spezifikationen.

5   Literatur

[ATIS 90]
ANSI X3H4 Working Draft,
Information Resource Dictionary
System, ATIS,
February 1990

[BAL 91]
BALZERT, H.:
CASE, Systeme und Werkzeuge
3.Auflage 1991, Mannheim,
BI Wissenschaftsverlag

[BAT 91]
BATINI,C.,
CERI,S., NAVATHE,S.B.:
Conceptual Database Design,
Addison Wesley Verlag 1991

[BEN 91]
BENTSCHE, H.:
SoftBench-eine Integrations-
plattform für CASE Tools
Vortrag European Symposium,
Königswinter, 17.-19. Juni

[BOE 86]
BOEHM, B. W.:
A spiral model of software
development and enhancement
in SIGSOFT, Vol. 11,
No. 4, Aug. 86

[CHEN 76]
CHEN P. P. :
The Entity-Relationship
Model-Toward a Unified View of
Data, ACM Transactions on
Database Systems,
Vol. 1, No. 1, March 1976

[CDIF 91]
CDIF-Framework for Modeling
and Extensibility, EIA/IS-81,
Electronic Industries Assoc.
Washington, D. C., 1991

[DEC 91]
Digital's Distributed Repository,
Blueprint for Managing
Enterprise-Wide Information,
DEC, 1991

[ECMA 91]
Reference Model for Frameworks
of Software Engineering
Environments. Technical Report
ECMA TR/55, 2nd
Edition, December 1991

[ERA 91]
ERA Report, Guidance on
Selecting Methods, Tools and
Techniques for Software
Engineering Projects,
Ministry of Defence,
London 1991

[HUM 91]
HUMPHREY, W. S.:
Recent Findings in Software
Process Maturity, in Lecture Notes
in Computer Science Nr. 509,
Springer Verlag, Berlin, 1991

[LEF 91]
LEFKOVITZ, H. C.
IBM's Repository Manager/MVS,
QED Technical Publishing Group,
Boston 1991

[IRDS 89]
American National Standard for
Information Systems-»Information
Resource Dictionary System
(IRDS)« ANSI X3.138, January 1989
American National Standard, Inc.
Institute, 1430 Broadway, New
York, NY 100018

[MAR 87]
MARTIN, J. :
Diagramming Standards
for Analysts & Programmers,
Prentice Hall, 1987

[MAR 90]
MARTIN, J. :
Information Engineering, Book 2,
Prentice Hall, 1990

[MIS 92]
MISTELBAUER, H.:
Vom Datenmodell zur Dateninte-
gration, Beitrag in diesem Buch

[MÜL 89]
MÜLLER-ETTRICH, G. (HRSG.) :
Effektives Datendesign, Rudolf
Müller Verlag, Köln, 1989

[MÜN 89]
MÜNZENBERGER, H.:
Eine pragmatische
Vorgehensweise zur
Datenmodellierung
in [Müller-Ettrich, 1989]

[OVUM 91]
OVUM EVALUATES:
CASE Products, Ovum Ltd, 7
Rathbone Street
London W1P 1AF, England 1991

[RAA 91]
RAASCH, JÖRG:
Systementwicklung mit Struk-
turierten Methoden. Hanser
Verlag, München, Wien, 1991

[SINZ 92]
Datenmodellierung im
Strukturierten Entity-Relationship-
Modell (SERM),
Beitrag in diesem Buch

[THO 89]
THOMAS, I.:
PCTE Interface Supporting Tools
in Software-Engineering
Environment in IEEE
Software, Nov. 1989

[V-MOD 91]
Vorgehensmodell, Software-
Entwicklungsstandard der
Bundeswehr, Allgemeiner
Umdruck 250, Feb. 1991,
BMVg Bonn

[WIB 91]
WIBORNY, W. :
Datenmodellierung CASE
Datenmanagement, Addison
Wesley 1991

Über die Autoren

Dipl. Phys. Heinz Mistelbauer:

Studium der theoretischen Physik. Seit 1967 Arbeit in unterschiedlichen Funktionen der Datenverarbeitung und Informatik. Ab 1984 Leiter des Datenmanagement von MBB-Flugzeuge. Seit 1992 verantwortlich für »Consulting Datenmanagement« bei CAP debis IAS. Ziel seiner Arbeit ist die Verbesserung und Vereinheitlichung der Nutzung von Unternehmensdaten sowie der Abbau von Datenredundanzen. Voraussetzung dafür ist die Erstellung präziser semantischer Datenmodelle als Bestandteil der Fachspezifikation sowie die Integration aller Datenmodelle im Unternehmen zu einer Unternehmensdaten-Architektur.

Dipl.-math. Gunter Müller-Ettrich:

Studium der Mathematik und Logik an der Universität Münster/Westfalen. Nach Studienabschluß 1968 arbeitete er bei der Siemens AG im Zentralbereich Forschung und Entwicklung an der Entwicklung eines Mehrfachzugriffsystems. Ab 1971 bei der Industrieanlagen Betriebsgesellschaft, Ottobrunn, tätig, in deren Auftrag er zahlreiche Projekte mit Schwerpunkt auf dem Gebiet der Datenbanken, insbesondere der Datenmodellierung sowie der Auswahl und dem Einsatz von CASE-Tools, durchführte. Seit 1987 Fachbeauftragter der IABG für Datenbanken.

Dipl. -Inf. Heinz Münzenberger:

Geschäftsführer der GTI Gesellschaft für Technologien der Informationsverarbeitung mbH, Kürten. Neben vier Jahren wissenschaftlicher Tätigkeit bei der GMD Gesellschaft für Mathematik und Datenverarbeitung und zwei einhalb Jahren als Verantwortlicher für das Themengebiet information engineering bei der Deutschen Lufthansa blickt er mittlerweile auf elf Jahre Beratungstätigkeit in Firmen unterschiedlicher Größen und Branchen zurück. Seine Arbeitsschwerpunkte: information management, information engineering, Datenmanagement und Projektmanagement.

Prof. Dr. Erich Ortner:

Inhaber des Lehrstuhls für Informationsmanagement an der Universität Konstanz. Zuvor an der TH Darmstadt und an der Universität Erlangen-Nürnberg; hier v.a. Beschäftigung mit dem Aufbau und Einsatz von Datenbanksystemen, Unternehmensmodellierung und kaufmännischen Rechnungsinformationssystemen. Sieben Jahre Industrieerfahrung als Leiter Datenadministration/Datenmanagement in der Software-Entwicklung. Zahlreiche Publikationen zur Datenmodellierung, Anwendungssystementwicklung, Dictionary-/Repository-Systemen und Informationsmanagement. Durchführung von Firmenseminaren und Mitwirkung bei Tagungen und Kongressen zu Aspekten des fachlichen Systementwurfs. Zu seinen Arbeitsschwerpunkten zählen der Entwurf von Informationssystemen, Metainformationssysteme und Informationsmanagement.

Prof. Dr. Elmar J. Sinz:

Maschinenbau-Studium an der Fachhochschule Regensburg, Abschluß Dipl.-Ing. (FH) 1972; Studium der Betriebswirtschaftslehre mit den Schwerpunkten Wirtschaftsinformatik, Statistik und Operations Research, Abschluß Dipl.-Kfm. 1977; Promotion (Dr. rer. pol. 1983) und Habilitation (Dr. rer. pol. habil. 1987) in Wirtschaftsinformatik an der Universität Regensburg.

1987 – 1988 Vertretung der Professur für Betriebswirtschaftslehre, insbesondere Wirtschaftsinformatik an der Universität Marburg. Seit 1988 Inhaber des Lehrstuhls für Wirtschaftsinformatik, insbesondere Systementwicklung und Datenbankanwendung, an der Universität Bamberg. Weitere Rufe an die Universität Marburg (1988), die RWTH Aachen (1988) und die Universität zu Köln (1991).

Die aktuellen Forschungsschwerpunkte liegen im Bereich Methoden und Werkzeuge zur Systementwicklung: Datenmodellierung, objektorientierte Analyse (Objektmodellierung), Unternehmensmodellierung, Architektur von Anwendungssystemen, objektorientierte Entwicklung von Anwendungssystemen.

Autor und Koautor zahlreicher Schriften über Themen aus den genannten Forschungsschwerpunkten, Koautor eines Lehrbuchs zur Wirtschaftsinformatik sowie Mitherausgeber der Zeitschrift »Wirtschaftsinformatik«.

Dipl.-Inf. Helmut Thoma:

Studium der Nachrichtentechnik an der FH Karlsruhe (1967) und der Informatik an der Universität Karlsruhe (1977). Im Konzernbereich der Ciba-Geigy AG, Basel, für Fragen der Anwendungs-Architektur, Systemmodellierung, Datenstandardisierung und des Datenmanagements zuständig. Lehraufträge an den Universitäten Basel (Datenbanksysteme) und Bern (Datenmodellierung). Leitende Funktionen bei der Schweizer Informatiker Gesellschaft (SI), Zürich, und bei der Gesellschaft für Informatik (GI), Bonn.

Stichwortverzeichnis

Lehrbücher

Betriebssysteme
Konzepte, Methoden und Modelle
Uwe Baumgarten/Peter Paul Spies

Das Buch zeigt die Linien der Entwicklungsgeschichte von Betriebssystemen auf. Es
behandelt Modelle, Konzepte und Verfahren, die
bei Entwürfen und Realisierungen von
Betriebssystemen zur Lösung der vielfältigen
Aufgaben anzuwenden sind. Die wesentlichen
Eigenschaften werden ausführlich erklärt sowie
an Beispielen veranschaulicht.

ca. 600 Seiten,1993,
ca. 59,90 DM, geb., ISBN 3-89319-318-9

Objektorientierte Entwicklung von Software-Systemen

Dr. Horst A. Neumann

ca. 450 Seiten, 1993
ca. 79,90 DM, ISBN 3-89319-452-5

Neuronale Netze
H. Ritter/Th. Martinetz/K. Schulten

330 Seiten, 2. überarb. Auflage 1991
49,00 DM, gebunden, ISBN 3-89319-131-3

EDV-Grundwissen
Eine Einführung in Theorie und Praxis der EDV
M. Precht/N. Meier/J. Kleinlein

Das Buch fundiert die theoretischen und
technischen Grundlagen der Datenverarbeitung. Theorie und praktische Anwendung
stehen gleichermaßen im Mittelpunkt

280 Seiten, 1992
49,90 DM, gebunden
ISBN 3-89319-413-4

Informationstheorie
Grundlage der (Tele-) Kommunikation
Rolf Johannesson

298 Seiten, 1992
69,90 DM, gebunden, ISBN 3-89319-465-7

ADDISON-WESLEY